Der fliegende Zirkus der Physik

Jearl Walker
Dept. of Physics
Cleveland State University

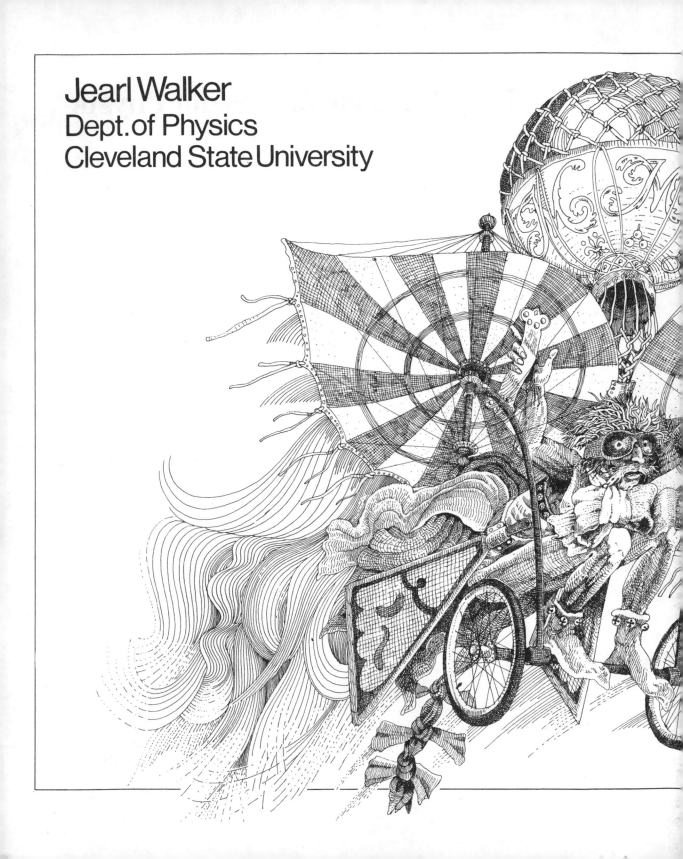

Der fliegende Zirkus der Physik

R.Oldenbourg Verlag München Wien

Autorisierte Übersetzung der englischsprachigen Ausgabe,
die bei John Wiley & Sons unter dem Titel
The flying Circus of Physics
erschienen ist.

Übersetzt von Uta Weichert und Professor Dr.-Ing. Lothar Weichert

CIP-Kurztitelaufnahme der Deutschen Bibliothek

Walker, Jearl
Der fliegende Zirkus der Physik. — 1. Aufl. —
München, Wien : Oldenbourg, 1977.
    Einheitssacht.: The flying circus of physics
    ⟨dt.⟩
    ISBN 3-486-21471-3

© 1977 R. Oldenbourg Verlag GmbH, München
    5

Druck und Bindearbeiten: E. Rieder, Schrobenhausen

ISBN 3-486-21471-3

Vorwort des Autors

Diese Aufgaben sollen Spaß machen. Man sollte sie nicht zu ernst nehmen. Einige Lösungen werden Sie leicht finden. Andere sind enorm schwierig, und erwachsene Männer und Frauen verdienen ihren Lebensunterhalt mit dem Versuch, diese Fragen zu beantworten. Aber sogar diese ganz schwierigen Aufgaben sollen Spaß machen. Ich bin nicht so sehr daran interessiert, wieviele Sie lösen können. Vielmehr möchte ich, daß Sie sich darüber Gedanken machen.

Was ich in erster Linie zeigen möchte ist, daß Physik nicht etwas ist, was sich in einem physikalischen Institut abspielt. Physikalische Tatsachen und Probleme umgeben uns in der wirklichen, alltäglichen Welt, in der wir leben, arbeiten, lieben und sterben. Ich hoffe, Sie werden dieses Buch so spannend finden, daß Sie Ihren eigenen „fliegenden Zirkus der Physik" in Ihrer eigenen Umwelt finden. Wenn Sie beim Kochen, beim Fliegen oder ganz einfach beim Faulenzen am Ufer eines Baches beginnen, über die Physik nachzudenken, dann — glaube ich — hat es sich gelohnt, dieses Buch zu schreiben. Bitte lassen Sie mich wissen, wo Ihnen die Physik begegnet ist, auch Verbesserungen und Kommentare zu diesem Buch.*
Aber — denken Sie immer daran — es soll Spaß machen!

Jearl Walker

*Im Hause meiner Großmutter
Aledo, Texas, 1974*

*Physics Department, Cleveland State University, Cleveland, Ohio 44115

Dank des Autors

Ich möchte in keiner Weise den Eindruck erwecken, der alleinige Autor dieses Buches zu sein. Viele Menschen trugen dazu bei, halfen, diskutierten, kritisierten, ermutigten und verstanden mich. Ich begann die Arbeit an diesem Buch im letzten Jahr meines Studiums an der Universität von Maryland. Howard Laster und Harry Kriemelmeyer bin ich sehr für ihre Bereitschaft zu Dank verpflichtet, einen Studenten mit einer so ausgefallenen Idee zu unterstützen. Dick Berg, auch von Maryland, half mit Ideen und Diskussionsbeiträgen. Sherman Poultney steuerte nicht nur einige besonders knifflige Aufgaben bei, er hatte auch volles Verständnis dafür, wenn die Arbeit an meinem Buch gelegentlich Vorrang hatte vor der an meiner Dissertation. Meine Frau Elizabeth schrieb das Manuskript auf der Maschine und stellte es für den Druck zusammen. Art West, der mit mir studierte, half mit vielen wertvollen Vorschlägen bei der Kleinarbeit der Schlußfassung. Joanne Murray jedoch war es, die sich mühevoll durch meinen Morast der englischen Sprache quälte und immer wieder neue Versionen des Manuskripts durcharbeitete. Ihr bin ich besonders zu Dank verpflichtet. Ich danke auch Don Deneck, Edwin Taylor, George Arfkew, Ralph Llewellyn und A. A. Strassenburg, die das Manuskript sorgfältig lasen und viele wertvolle Beiträge lieferten.

Jearl Walker

Inhalt

6 Der verrückte Roboter und
  der Zauberring

7 Das Walroß hat das letzte Wort und hinterläßt uns ausgesuchte Leckerbissen.

Der fliegende Zirkus der Physik

1
Unter einer Decke verborgen
den Ungeheuern zuhören

1.1

Quietschende Kreide

Warum quietscht ein Stück Kreide so abscheulich, wenn Sie es nicht richtig halten? Welchen Einfluß hat die Haltung der Kreide und was bestimmt den Ton, den Sie hören? Warum quietschen quietschende Autoreifen bei einem „Kavaliersstart?"

1.2

Ein Finger auf dem Weinglas

Warum singt ein Weinglas, wenn Sie mit einem feuchten Finger auf seinem Rand entlangfahren? Was bringt eigentlich das Glas zum Singen und warum muß der Finger feucht und fettfrei sein? Was bestimmt den Ton? Schwingt der Rand longitudinal oder transversal? Und zum Schluß, warum zeigt das Vibrationsmuster der Weinoberfläche ein Schwingungsmaximum 45° hinter Ihrem Finger?

1.3

Schwingung einer beidseitig bespannten Trommel

Wenn eine auf beiden Seiten bespannte Trommel, wie z. B. das Tom-Tom der Indianer, auf einer Seite angeschlagen wird, schwingen beide Seiten, aber niemals gleichzeitig. Offensichtlich wird die Schwingung von einem Fell zum anderen übertragen, wobei jedes eine periodisch abklingende Bewegung ausführt. Woher kommt das? Sollte man nicht annehmen, daß die Membranen gleichzeitig schwingen? Was bestimmt die Frequenz der vor- und zurücklaufenden Energie?

Harmonische Bewegung

1.4

Baßtöne auf Schallplatten

Wenn ich meinen Plattenspieler leise stelle und nur auf den Ton direkt am Tonabnehmer höre, kann ich zwar alle hohen Frequenzen des Musikstückes hören, den Baß aber kaum. Verstärker berücksichtigen diese schwachen Bässe und verstärken die tiefen Frequenzen wesentlich mehr als die hohen. Gibt es einen praktischen Grund dafür, den Baß mit verminderter Intensität auf Schallplatten zu pressen?

1.5

Pfeifender Sand

In verschiedenen Gegenden der Welt, z. B. an einigen englischen Stränden, pfeift der Sand, wenn man darauf läuft. Ein kratzendes Geräusch könnte man sich erklären, aber ein pfeifendes? Ist die besondere Form der Sandkörner die Ursache für die Resonanz des Sandes?

1.6

Dröhnende Sanddünen

Noch seltsamer als der pfeifende Sand ist das „Dröhnen", das man gelegentlich von Sanddünen hören kann. In der Stille der Wüste beginnt plötzlich eine Düne so heftig zu dröhnen, daß man schreien muß, um von seinen Begleitern gehört zu werden. Der Schlüssel hierfür mag die begleitende Lawine auf der Leeseite (dem Wind abgewandte Seite) der Düne sein. Es ist nichts Ungewöhnliches an solchen Lawinen. Genau auf diese Weise bewegt sich die Düne über die Wüste. Könnte eine dieser Lawinen unter besonderen Umständen den Sand zu großen Schwingungen anregen und auf diese Weise das Dröhnen erzeugen?

Stehende Wellen

1.7

Chladnische Klangfiguren

Chladnische Klangfiguren erzeugt man mit Hilfe einer Metallscheibe, die in der Mitte gelagert und mit Sand bestreut ist. Streicht man mit einem Geigenbogen am Rand auf und ab, dann ordnet sich der Sand in verschiedenen geometrischen Figuren auf der Platte (Bild 1.7). Warum? Kein Kommentar? Sind es einfache, stehende Wellen, die sich auf der Scheibe durch das „Streichen" ausbilden? Wenn ja, so sagen Sie mir, warum man mit derselben Bogenbewegung ein Muster mit Sand und ein anderes Muster mit feinerem Staub erhält? Sogar wenn Sie vorher Sand und Staub vermischen, werden sie sich beim Streichen der Platte in ihre besonderen, eigenen Muster trennen.

Bild 1.7 „Streichen" an einer Platte, um Chladnische Klangfiguren zu erhalten. (Einige dieser Figuren erhält man nur, wenn man die Platte n i c h t in der Mitte unterstützt.)

1.8

Das Banjo schlagen und die Harfe zupfen

Warum erzeugt das Banjo einen klirrenden Ton und die Harfe einen sanften, weichen Klang? Ein Unterschied zwischen den beiden Instrumenten ist, daß das Banjo mit einem Metallstift, einem Pick, angeschlagen wird, die Harfe aber mit den Fingern gezupft. Wieso kann dadurch ein Klangunterschied entstehen?

Resonanz

1.9

Fadentelefon

Wie funktioniert das Fadentelefon, mit dem Sie als Kind gespielt haben? Wie hängt der Ton aus der Empfängerdose von Spannung und Stärke des Fadens und der Größe der Dose ab? Wieviel mehr Energie wird ungefähr mit dem Fadentelefon übertragen als ohne?

Reibung

1.10

Streichen einer Geige

Das Anschlagen einer Saite, wie es beim Gitarrespielen üblich ist, erscheint allgemein als der einfachste Weg, Schwingungen in

einer Saite anzuregen. Wie aber erzeugt die offensichtlich sanfte Bewegung des Streichens Schwingungen in der Saite einer Geige? Hängt die Tonhöhe vom Druck oder der Geschwindigkeit bei der Bogenbewegung ab?

Konzert für Horn in b-moll
W.A.MOZART

Bild 1.10

1.11

Zupfen an einem Gummiband

Beim Spannen einer Gitarrensaite erhöht sich ihr Ton. Was passiert, wenn Sie dasselbe mit einem Gummiband machen, das zwischen Daumen und Zeigefinger gespannt ist? Verändert sich die Tonhöhe, wenn es weiter auseinandergezogen wird? Nein, der Ton bleibt fast unverändert, oder wenn er sich verändert, wird er eher niedriger als höher. Woher kommt der Unterschied zwischen einem Gummiband und einer Gitarrensaite?

1.12

Geräusch von kochendem Wasser

Wenn ich Wasser zum Kaffeekochen erhitze, sagt mir das Geräusch des Wassers, wann es zu kochen beginnt. Zunächst hört man ein Summen, das zu einem Rauschen anschwillt. Genau mit Siedebeginn verschwindet das Geräusch fast vollständig. Können Sie diese Geräusche erklären, besonders das Leiserwerden beim eigentlichen Kochen?

1.13

Ein murmelnder Bach

Irgendeinmal in Ihrem Leben haben Sie sicher an einem sonnigen Nachmittag im Gras gelegen und dem Murmeln eines Baches zugehört. Warum murmelt ein Bach? Warum dröhnt ein Wasserfall? Was erzeugt das sprudelnde Geräusch einer frischgeöffneten Limonadenflasche? Betrachten Sie einen Sprudel und versuchen Sie einen Zusammenhang zwischen den Geräuschen und dem Entstehen, der Bewegung und dem Platzen der Blasen herzustellen.

1.14

Gehen im Schnee

Manchmal knirscht der Schnee, wenn man darauf läuft, aber nur bei Temperaturen tief unter dem Gefrierpunkt. Was verursacht das Knirschen und warum kommt es dabei auf die Temperatur an? Bei welcher Temperatur ungefähr beginnt der Schnee zu knirschen?

1.15

Stille nach einem Schneefall

Warum ist es direkt nach einem Schneefall so still? Es sind nicht so viele Menschen und Autos unterwegs wie sonst, aber das allein erklärt die Stille nicht. Wohin verschwindet die Energie des Umweltgeräusches? Warum muß es frischgefallener Schnee sein? Eine ähnliche Geräuschminderung war in frisch gegrabenen Schneetunneln in der Antarktis festzustellen: Die Expeditionsteilnehmer konnten sich nur durch Schreien verständigen, wenn sie mehr als 5 m voneinander entfernt waren. Noch einmal — was passiert mit der Schallenergie?

1.16

Reißender Stoff

Warum wird der Ton beim Zerreißen eines Stoffes um so höher, je schneller der Stoff zerreißt?

Bild 1.18 „Horch, da ist es schon wieder: Snap, crackle, pop."

1.21

Stimmlage in Heliumatmosphäre

Warum erhöht sich die Tonlage der menschlichen Stimme, wenn man Helium einatmet?
Man sollte dabei sehr, sehr vorsichtig sein, denn man kann an Helium ersticken, ohne es zu merken, da sich in der Lunge kein Kohlendioxyd ansammelt. Niemals darf man Wasserstoff oder reinen Sauerstoff einatmen. Wasserstoff ist explosiv und Sauerstoffzufuhr bewirkt heftige Verbrennungen. Schon ein Funke, hervorgerufen durch die elektrostatische Aufladung der Kleidung, kann zum Tod führen.

Schallgeschwindigkeit und Temperatur	1.22; 1.23

1.22

Klopfen an eine Kaffeetasse

Wenn Sie Pulversahne oder Pulverkaffee in eine Tasse mit Wasser rühren, stoßen Sie hin und wieder mit dem Löffel an die Tassenwand. Der dabei entstehende Ton verändert sich schnell beim Ein- und Umrühren des Pulvers. Warum?
Klopfen Sie an ein Bierglas, während der Schaum zusammenfällt: Wieder verändert sich der Ton. Warum?
Vielleicht liegt es Ihnen auf der Zunge zu antworten: Der Schaum oder das Pulver dämpft die durch das Klopfen verursachten Schwingungen. Selbst wenn es so wäre — würde das die Tonhöhe oder nur die Lautstärke beeinflussen?

1.17

Knackende Knöchel

Was erzeugt das knackende Geräusch der Knöchel, wenn Sie an Ihren Fingern ziehen? Warum müssen Sie eine Weile warten, bevor das Knacken wiederholt werden kann?

1.18

Schwatzhafte Frühstücksflocken

Wodurch entstehen bei Rice Krispies so knisternde Geräusche („snap, crackle und pop"), wenn man sie mit Milch übergießt?

1.19

Geräusch von schmelzendem Eis

Werfen Sie einen oder zwei Eiswürfel in ein Erfrischungsgetränk; Sie werden zunächst ein Knacken und dann ein Brutzeln hören. Was verursacht diese Geräusche? Tatsächlich erzeugt nicht jedes Eis dieses „Brutzeln". Warum ist das so?
Schon viele Seeleute hörten dieses Geräusch von schmelzenden Eisbergen und nannten es „bergyseltzer", den „Eisberg-Sprudel".

1.20

Ein Ohr am Boden

Warum fielen die Spurensucher der Indianer in den alten Westernfilmen auf die Knie und preßten ein Ohr gegen den Boden, um weit entfernte, unsichtbare Reiter auszumachen? Wenn sie das ferne Klopfen der Hufe durch den Boden hören konnten, warum konnten sie es nicht auch durch die Luft hören?

1.23

Einstimmen des Orchesters bei Wechsel der Raumtemperatur

Warum nimmt die Tonhöhe der Blasinstrumente zu und die der Streichinstrumente ab, wenn sich die Instrumente erwärmen?

Interferenz   1.24; 1.25

1.24

Geräusch startender Flugzeuge

Hält man in der Nähe eines startenden Flugzeugs sein Ohr in Bodennähe, scheint die Tonhöhe des Geräusches anzusteigen.
Ähnlich ist es, wenn ich neben einer Mauer in der Nähe eines Wasserfalles stehe: Hier kann ich zusätzlich zum normalen Lärm des Wasserfalles ein leiseres Geräusch im Hintergrund hören. Je näher ich dabei an der Wand stehe, desto höher wird der Ton des Zusatzgeräusches. Warum hängt die Tonhöhe von der Entfernung zum Boden bzw. zur Wand ab?

Hohlleiter

1.25

Röhrenpfeifen

Stellen Sie sich vor eine lange Betonröhre und klatschen kurz und kräftig in die Hände. Sie werden nicht nur das Echo Ihres Klatschens hören, sondern auch ein Pfeifen, das mit einem hohen Ton beginnt und nach Bruchteilen einer Sekunde mit einem tiefen Ton endet. Was verursacht dieses Pfeifen? *

1.26

Akustik in einem Konzertsaal

Warum sind Konzertsäle im allgemeinen schmal und hoch? Wenn Echos unerwünscht sind, sollten die Wände und die Decke dann nicht lieber nahe dem Zuhörer sein? In diesem Falle könnte er den direkten nicht vom reflektierten Ton unterscheiden. Welchen kleinsten Zeitunterschied zwischen zwei Tönen kann der Zuhörer tatsächlich feststellen? Warum ist der Klang in einem vollbesetzten Saal besser als in einem leeren?
Wenn kein Echo auftreten soll, warum werden die Decken und Wände nicht mit einem schallschluckenden Material verkleidet? Konzertsäle werden nicht nur aus ästhetischen und architektonischen Gründen so entworfen, daß Reflexionen auftreten. In der Tat werden Wände und Decken gerne

* Eine Analogie zum „atmosphärischen Pfeifen''?, siehe 6.31.

mit zusätzlichen Ecken, Kanten und Winkeln versehen, die den Schall in alle Richtungen reflektieren. Treten in einem Raum gar keine Reflexionen auf, so wirkt er akustisch tot. Man spricht dann von einem schalltoten Raum.

Reflexion

Bündelung

1.27

Akustik eines Beichstuhles

Es gibt Räume auf der Welt, die für ihre seltsame Akustik bekannt sind; in einigen von ihnen findet sogar eine Bündelung des Schalls statt. Solch eine Fokusierung wurde offensichtlich im „Ohr des Dionysios" in den Kerkern von Syrakus ausgenutzt. Dort leitete die Akustik irgendwie die Worte und sogar das Geflüster der Gefangenen durch eine verborgene Röhre an das Ohr des Tyrannen.
Ein Beispiel aus unserer Zeit ist die Kuppel der alten Hall of Representatives im Capitol in Washington. Selbst ein Flüstern auf einer Seite des Raumes ist auf der gegenüberliegenden Seite hörbar. Mehr als einmal, so erzählt man, sind auf diese Weise vertrauliche Gespräche der Abgeordneten bekannt geworden.
Die Kathedrale von Agrigent in Sizilien brachte einige Menschen in noch größere Verlegenheit. Sie

ist in der Form eines Rotations-
ellipsoids gebaut. Ein Geräusch,
das in einem Brennpunkt erzeugt
wird, kann in dem anderen Brennpunkt mit fast derselben Lautstärke gehört werden. Bald nachdem
die Kathedrale gebaut war, wurde
der eine Brennpunkt unabsichtlich
als Platz für den Beichtstuhl gewählt.

„Durch Zufall wurde das eben beschriebene Phänomen entdeckt und
der, der es entdeckt hatte, machte
sich ein Vergnügen daraus, dem zu-
zuhören, was nur für das Ohr des
Priesters gedacht war. Er lud sogar
seine Freunde dazu ein. Eines Tages soll seine Frau zu diesem
Beichtstuhl gekommen sein. Was
er und seine Freunde dabei zu
hören bekamen, bestätigt das alte
Sprichwort: „Der Lauscher an der
Wand hört nur die eig'ne Schand."*

* J. Tyndall, The Science of Sound,
Phisosophical Library, New York
(1964)

1.29

Zonen des Schweigens bei
Explosionen

Während des zweiten Weltkrieges
wurde verschiedentlich eine eigen-
artige Erscheinung beobachtet:
Bei Annäherung an eine Artillerie-Stellung gab es Zonen, in
denen der Lärm der feuernden
Geschütze nicht zu hören war
(Bild 1.29). Wie kommen diese Zonen des Schweigens zustande?

Erstaunlich ist auch die Reichweite des Schalls über große Entfernungen. Englische Küstenbewoh-
ner konnten z. B. während des
ersten Weltkrieges das Gewehr-
feuer von französischen Stellungen
hören. Welche Bedingungen ermöglichen eine solch enorme Reichweite des Schalls?

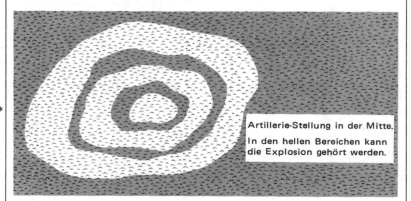

Artillerie-Stellung in der Mitte.
In den hellen Bereichen kann
die Explosion gehört werden.

Bild 1.29

| Schallausbreitung |
| Brechung |

| Reflexion | 1.30; 1.31 |
| Rayleigh-Streuung |

1.28

Reichweite des Schalls an einem
kühlen Tag

Warum ist die Reichweite des
Schalls an einem kühlen Tag
größer als an einem warmen?
Über ruhigem Wasser oder über
einem gefrorenen See merkt
man dies besonders gut. Andererseits ist die Reichweite des
Schalls in der Wüste deutlich geringer.

1.30

Das Echo

Ich bin sicher, Sie können erklären,
was ein Echo ist – die Reflexion
von Schallwellen an einem entfernten Gegenstand. So würden Sie
doch sagen? Dann erklären Sie
doch bitte auch, warum manchmal ein Echo mit einem höheren

als dem ursprünglichen Ton zum
Sprecher zurückkommt. Und warum erzeugt ein hoher Ton normalerweise ein lauteres, klareres
Echo als ein tiefer? Wie nahe kann
man an die reflektierende Wand
herangehen, um noch ein Echo
hören zu können?

1.31

Die geheimnisvolle Flüstergalerie

Lord Rayleigh war der erste, der
die geheimnisvolle Flüstergalerie
in der Kuppel der St. Pauls-Kathe-
drale in London erklärte. In dieser
riesigen Galerie kann man ge-
flüsterte Worte besonders gut verstehen. Wenn z. B. ein Freund von
Ihnen irgendwo auf der Galerie etwas zur Wand hin flüstert, können
Sie das hören, unabhängig davon,
wo auf der Galerie Sie gerade stehen (Bild 1.31a). Und seltsamerweise hören Sie es desto besser, je
näher Sie mit dem Gesicht zur
Wand stehen und je näher der Sprecher an der Wand ist.
Handelt es sich dabei um einfache
Reflexion und Bündelung?
Rayleigh baute sich ein großes
Modell der Galerie, um das herauszufinden. Er stellte eine Vogelpfeife an einen Punkt der Modell-
galerie und eine brennende Kerze
ihr gegenüber. Die Schallwellen der
Pfeife brachten die Flamme zum
Flackern, die ihm somit als Detek-
tor diente. Wahrscheinlich würden
Sie eine geradlinige Ausbreitung

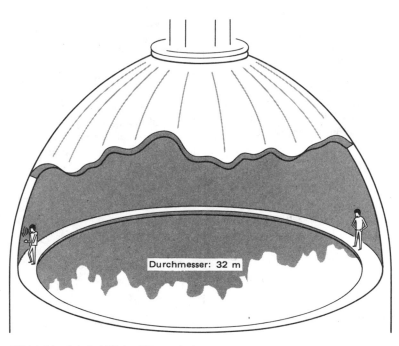

Bild 1.31a Schnittbild der Flüstergalerie

Durchmesser: 32 m

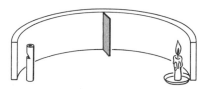

Bild 1.31c Ein schmaler Schirm senkrecht zur Wand verhindert das Flak-
kern der Flamme

Bild 1.31b Rayleighs Modell der
Flüstergalerie. Die Vogelpfeife bringt
die Flamme zum Flackern.

der Schallwellen wie in Bild 1.31b
vermuten. Vorsicht! Stellen Sie
sich ein kleines Hindernis vor, z.B.
einen Blechstreifen, irgendwo
an der Innenseite der Galerie
(Bild 1.31c): Nun müßte die Flamme eigentlich weiterflackern, denn
die geradlinige Ausbreitung des

Schalls ist nicht behindert. Oder?
Nun, als Rayleigh eine solche Abschirmung anbrachte, hörte die
Flamme auf zu flackern. Offensichtlich hatte dieses Blech die
Schallwellen von der Flamme fern-
gehalten. Aber wie? Es war doch
nur ein schmaler Schirm, der
scheinbar den Wellen gar nicht im
Weg stand? Dieses Experiment war
für Lord Rayleigh der Schlüssel
zum Geheimnis der Flüstergalerie.

1.32

Klang-Echo

Wenn Sie in der Nähe eines Zaunes oder in einem Treppenhaus Lärm machen, können Sie manchmal ein sehr klangvolles Echo hören. Woher kommt das? Können Sie die Tonhöhe des Echos vorhersagen?

1.33

Stille vor dem Sturm

Meine Großmutter konnte immer einen Wirbelsturm voraussagen durch die plötzliche, tödliche Stille vor seinem Erscheinen. Woher kommt diese Stille?
Mit dem Einsetzen der Windhose entsteht ein ohrenbetäubender Lärm, ähnlich dem eines Düsenflugzeuges. Woher kommt das?
Es wird auch berichtet, daß im Zentrum des Wirbelsturms tödliche Stille herrscht. Kann das stimmen? Müßte man nicht zumindest das Wüten der Vernichtung um sich herum vernehmen?

1.34

Echo unter einer Brücke

Der Effekt der Flüstergalerie könnte auch die Geräusche bewirken, die Sie unter einem Brückenbogen hören können. Wenn Sie unter diesem Bogen dicht an der Wand stehen und leise flüstern, werden Sie ein zweifaches Echo hören; ein lautes Händeklatschen erzeugt ein mehrfaches Echo. Können Sie das erklären? Kommt das von der normalen Reflexion des Wassers oder vom Flüstergalerie-Effekt oder von beidem?

Bild 1.34 Echo unter einer Brücke

1.35

Hören gegen den Wind

Ist es richtig, daß man mit dem Wind besser hört als gegen den Wind? Wird die Schallausbreitung, wie man allgemein annimmt, durch Gegenwind behindert?

1.36

Dröhnen in der Atmosphäre

Immer wieder hört man Geschichten von geheimnisvollen Geräuschen, Donnern und Krachen, aus einem vollkommen klaren Himmel, Geräusche ohne ersichtlichen Grund. Man kann sie praktisch überall hören: über der Ebene, über Wasser und in den Bergen. Und man hat ihnen die verschiedensten Namen gegeben: „Brontides" heißen sie in Amerika, „Nebeldröhnen" in Holland und „die Kanonen von Barisal" in Pakistan. In einer Untersuchung über 200 Fälle von „Nebeldröhnen" in Holland fand man heraus, daß das Dröhnen meistens am Morgen und am Nachmittag, seltener am Mittag und kaum in der Nacht zu hören war. In einigen Gegenden tritt es sehr häufig auf. Am Golf von Bengalen z. B. hört man es so oft, daß das Volk es den Göttern zuschreibt. Am wahrscheinlichsten ist die Erklärung, daß es sich um Tieftonresonanzen handelt. Die Versuchung liegt nahe, diese geheimnisvollen Geräusche als entfernten Donner zu bezeichnen, doch hört man Gewitterdonner normalerweise nicht, wenn er mehr als 25 km entfernt ist. Darüber hinaus hört man das Rumpeln auch an völlig klaren Tagen, wenn weit und breit keine Gewitterwolke am Himmel steht.
Können Sie sich dafür eine plausible Erklärung denken?

1.37

Möwengeschrei, laut und leise

In der folgenden Geschichte will ich Ihnen an einem Beispiel zeigen, daß laute und leise Zonen hinter einem festen Gegenstand entstehen können (Bild 1.37). „Im Frühling suchen die Möwen in großer Zahl ihre Brutstätten auf, um ihre Eier zu legen, und wenn die jungen Vögel fliegen können, ist die Luft mit ihrem schrillen Geschrei erfüllt. Stellen Sie sich einen Weg in einiger Entfernung von den Nestern vor und am Wegrand entlang eine Reihe von Torfstapeln. Die Länge eines jeden Stapels beträgt ein Vielfaches der Wellenlänge des Vogelschreis; dadurch können sich deutliche Laut–Leisezonen ausbilden.
Sie gehen auf diesem Weg und hören das Möwengeschrei laut und schrill, wenn Sie gerade an einem Spalt zwischen zwei Stapeln vorbeikommen. Gehen Sie neben einem Stapel, verschwindet das Geschrei fast völlig. Der Übergang laut – leise ist scharf ausgeprägt."*
Gäbe es diese Zonen des Schweigens auch dann, wenn das Möwengeschrei tief und dunkel wäre statt hoch und schrill?

* J. W. Capstick, Sound, Cambridge Univ. Press (1922)

Bild 1.37

1.38

Blitz ohne Donner

Oft ist ein Blitz zu sehen, ohne daß Donner zu hören ist. Tatsächlich hört man Gewitterdonner selten über größere Entfernungen als 25 km. Warum?
Kann der Schall keine größeren Entfernungen überwinden? Nein, das ist es nicht. Artilleriefeuer und Explosionen sind über weit größere Entfernungen zu hören. Warum nicht auch der Donner?

1.40

Bitte Türen schließen!

Schließe ich die Tür meines Zimmers, die zu einem sehr lauten Raum führt, so wird es bei mir ruhig. Öffne ich sie jedoch weit, so kann ich vor lauter Lärm nicht mehr denken. Und wenn ich die Tür nur ein wenig öffne? Müßte das nicht fast die gleiche Wirkung haben als wäre sie ganz geschlossen? Nun, ich versuche es und stelle fest, der Lärm ist fast so schlimm wie bei weit geöffneter Tür. Wie kann eine so kleine Öffnung einen so großen Unterschied im Geräuschpegel bewirken?

1.41

Rückkopplungspfeifen

In einer Periode des Rock'n Roll wurde von der Rückkopplung, dem „feed-back", ausgiebig Gebrauch gemacht, um der Musik einen psychedelischen Charakter zu geben. Ein Gitarrist steht so vor dem Lautsprecher, daß sein Spiel, das aus dem Lautsprecher zu hören ist, von seiner elektrischen Gitarre wieder aufgenommen und nochmals verstärkt wird. Bei sehr hohen Verstärkungen entsteht dabei ein lautes Pfeifen. Dieselbe Art von Pfeifen kann man hören, wenn ein Rundfunksprecher einen Radioapparat, der auf seinen eigenen Sender eingestellt ist, in die Nähe seines Mikrophons bringt. Was verursacht das Pfeifen in diesen beiden Fällen?

1.39

Aufspüren von Unterseebooten

Obwohl Sonarsysteme theoretisch stark genug sind, Unterseeboote auf sehr große Entfernungen zu orten, ist ihre Reichweite praktisch meist auf einige tausend Meter begrenzt (in den Tropen noch weniger).
Stellen Sie sich ein Sonargerät etwa in gleicher Tiefe mit einem U-Boot vor (Bild 1.39). Aus irgendeinem Grund, Absorption ausgenommen, kann der zum U-Boot ausgesandte Schall dieses nicht erreichen. Man sagt, das U-Boot liegt im „Schatten" und kann nicht entdeckt werden. Was verursacht solche „Schattenzonen"?

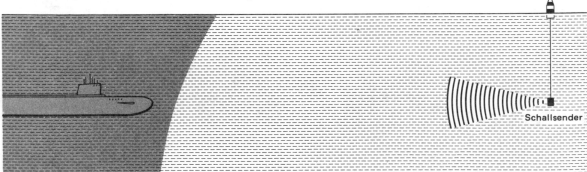

Bild 1.39

1.42

Nebelhörner

Nebelhörner sind so konstruiert, daß ihr Ton ein weites horizontales Feld bestreicht. Die Abstrahlung nach oben ist unerwünscht. Ist es da nicht verwunderlich, daß rechtwinkelige Nebelhörner so aufgestellt werden, daß die langen Seiten der Öffnung vertikal ausgerichtet sind (Bild 1.42)? Sollte es nicht genau umgekehrt sein?

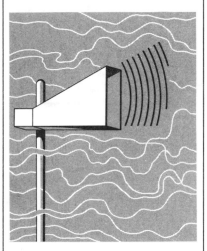

Bild 1.42

1.43

Flüstern mit abgewandtem Gesicht

Die normale Stimme Ihres Freundes können Sie recht gut verstehen, ganz gleich, ob er sich Ihnen beim Sprechen zuwendet oder sich von Ihnen abkehrt. Warum aber können Sie sein Flüstern nur verstehen, wenn er direkt zu Ihnen hin spricht, auch wenn sein Flüstern so laut ist wie seine normale Stimme?

Resonanz

1.44

Schwingungsanregung an einem beiderseits offenen Rohr

Werden in einem beiderseits offenen Rohr stehende Wellen durch Schall erzeugt, dann hat die schwingende Luft an den offenen Enden ein Bewegungsmaximum (Schwingungsbauch). Warum? Bei einem einseitig offenen Rohr bildet sich stets am geschlossenen Ende ein Schwingungsknoten und am offenen Ende ein Schwingungsbauch aus. Können Sie das begründen? Der Schwingungsbauch befindet sich nicht ganz genau am offenen Ende des Rohres; seine tatsächliche Lage hängt von verschiedenen Kenngrößen (z. B. dem Innendurchmesser des Rohres) ab. Beeinträchtigt diese Abweichung die praktische Anwendung als Rohrpfeife, z. B. bei einer Orgel?

Schwingungsresonanz

1.45

Krankwerden durch Infraschall

Infraschall (Schallschwingungen unterhalb der menschlichen Hörbarkeitsgrenze) kann Übelkeit und Schwindelgefühl erzeugen, ja, er kann sogar töten. Da man nun diese Gefahr erkannt hatte, entdeckte man Infraschall in vielen Bereichen des täglichen Lebens, z. B. in Flugzeugnähe, in sehr schnell fahrenden Autos, in der Nähe der Meeresbrandung und bei Gewitter- und Wirbelstürmen. Infraschall kann Tiere vor einem bevorstehenden Erdbeben warnen. Es soll auch Menschen geben, die diese besondere Wahrnehmungsfähigkeit haben. Wie wirkt Infraschall auf Mensch und Tier? Wie kann er z. B. innere Blutungen hervorrufen?

Schwingung

Kavitation

Resonanz

1.46

Geschwätzige Wasserleitungen

Warum gurgeln und rumpeln manchmal die Leitungen, wenn ich meinen Wasserhahn auf- und zudrehe? Warum nicht immer? Von wo kommt das Geräusch? Vom Wasserhahn, von der direkt dahinterliegenden Leitung oder von einer Biegung der Leitung irgendwo weiter entfernt? Warum tritt dieses Rumpeln und Gurgeln nur bei einer bestimmten Stärke des Wasserstrahls auf? Wie kann ein zusätzliches, senkrecht angebrachtes Rohr, das mit Luft gefüllt ist, hier Abhilfe schaffen?

Wirbelbildung

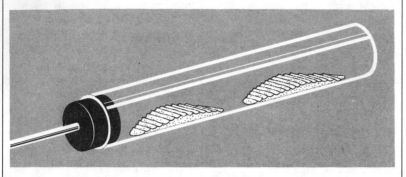

Bild 1.47a Staubfiguren in der Kundtschen Röhre.

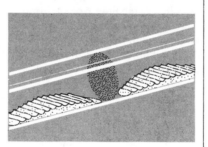

Bild 1.47b Ist ein Lautsprecher der Schallerreger, formen sich dünne Staubscheiben über den Querschnitt der Röhre.

1.47

Kundtsche Röhre

Die Kundtsche Röhre war lange Zeit ein einfaches Demonstrationsmittel für stehende Schallwellen, aber können Sie mir auch erklären, wie sie funktioniert? Sie besteht aus einer langen Glasröhre, die ein wenig leichtes Pulver, z. B. Korkstaub oder Bärlappsamen, enthält. Die Röhre ist an einem Ende geschlossen, am anderen wird sie mit einem Korkstopfen, in den ein Messingstab eingesteckt ist, verschlossen (Bild 1.46a). Wird der Stab mit einem kolophoniumbestäubten Leder gerieben, so quietscht er und der Staub in der Röhre schichtet sich zu periodischen Erhebungen. Dies wird durch stehende Schallwellen verursacht, aber wie? Betrachtet man diese Erhebungen genauer, so entdeckt man, daß die Oberfläche gewellt ist. Wenn die stehenden Wellen die Erhebungen erzeugen, was erzeugt die Riffelung der Oberfläche?

Wird der Stab durch einen Lautsprecher ersetzt, der nur auf e i n e r geeigneten Frequenz schwingt, bilden sich zwischen den Erhebungen über den Querschnitt der Röhre dünne membranartige Scheiben aus dem Staub (Bild 1.47b). Wodurch entstehen sie?

1.48

Wasser aus einer Flasche gießen

Beim Ausgießen einer Flasche steigt die Tonhöhe des Gießgeräusches, je weiter die Flasche entleert wird. Beim Einfüllen ist es umgekehrt. Warum?

1.49

Meeresrauschen in einer Muschel

Was verursacht das Meeresrauschen, das Sie in einer Muschel hören?

Schwingung

1.50

Sprechen und Flüstern

Was bestimmt die Höhe Ihrer Stimme? Warum sind Frauenstimmen höher als Männerstimmen? Viele junge Männer haben Stimmbruch, woher kommt dieser? Wie wechseln Sie von einer normalen Stimme zum Flüstern?

1.51

Singen unter der Dusche

Warum tönt Ihr Gesang unter der Dusche so viel schöner und voller (Bild 1.51)?

1.52

Gläser zersingen

Opernsänger und -sängerinnen, die kraftvoll hohe Töne singen, können Sektgläser zum Zerspringen bringen. Warum zerspringt das Glas und warum nur bei ganz bestimmten Tönen? Warum dauert es einige Sekunden, bis das Glas bricht?

1.53

Heulender Wind

Gruselfilme haben immer einen heulenden Wind als Begleitmusik zu den grausigen Geschehnissen. Wie heult der Wind?

Bernoulli-Effekt

1.54

Singendes Rohr

Ein Spielzeuginstrument, unter verschiedenen Namen im Handel, ist ganz überraschend einfach aufgebaut: Es ist nichts weiter als ein biegsames, gewelltes Plastikrohr in der Art eines Staubsaugerschlauches, das an beiden Enden offen ist. Faßt man es an einem Ende und wirbelt es herum (Bild 1.54), erzeugt es einen singenden Ton. Bei höheren Geschwindigkeiten wird auch der Ton höher; der

Bild 1.54 Singendes Rohr

Übergang von einem Ton zum anderen erfolgt sprunghaft. Mehrere dieser Instrumente können eine Art Chor bilden: Bei einer Aufführung des „Sommernachtstraums" in England bildeten die Feen einen Chor mit diesen Instrumenten, um den Eindruck ihrer Zauberkräfte zu unterstreichen. Wie entstehen diese Töne und warum erfolgt der Tonwechsel in Sprüngen?
Die Antworten könnte man sich leicht aus einem naturwissenschaftlichen Nachschlagewerk unter dem Stichwort „Schall-Resonanz in offenen Röhren" holen. Aber vorher müssen Sie erst einmal verstehen, wodurch es überhaupt zu einem Ton kommt und warum dessen Frequenz von der Drehgeschwindigkeit abhängt. Außerdem müssen Sie sich vorstellen, wie sich die Luft durch die Röhre bewegt. Erst dann können Sie die üblichen Erklärungen des Nachschlagewerkes verstehen, warum sich im Innern der Röhre bestimmte Frequenzen ausbilden und halten können.
Beeinflußt die an der Röhre wirkende Zentrifugalkraft die Frequenz des Tones?

Bild 1.51

1.55

Musikalische Drähte

Warum singen Telefondrähte im Wind? Warum brachte der Wind die Äolsharfen der alten Griechen zum Klingen? Um genauer zu sein: müssen die Drähte und Saiten sich bewegen, um einen Ton hervorzubringen? Und bewegen sie sich dann mit dem Wind oder senkrecht dazu? Was bestimmt den Ton, den Sie hören können? Stellen Sie sich vor, Sie würden einen solchen Wind durch die Bewegung einer Gabel mit langen, dünnen Zinken simulieren. Wie würden Sie die Gabel schwingen, in der Ebene der Zinken oder senkrecht dazu? Versuchen Sie mal beide Möglichkeiten.
Was bringt die Bäume im Winter zum Seufzen und einen ganzen Wald zum Rauschen? Seufzen alle Bäume im gleichen Ton?

1.56

Der pfeifende Teekessel

Andere Möglichkeiten der Schallerzeugung bestehen darin, ein Hindernis in einen Luftstrom zu bringen. So kann z. B. durch eine scharfe Kante, eine Ring- oder Lochblende (Bild 1.56a, b, c) ein Ton erzeugt werden. Am besten bekannt ist der pfeifende Teekessel, bei dem der Dampf durch ein Loch strömt. In jedem Fall hängt das Pfeifgeräusch von der Form des Hindernisses ab, aber wie? Was erzeugt nun das Pfeifen, das Sie hören, wenn Ihr Teekessel kocht?

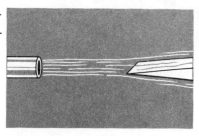

Bild 1.56a Anordnung mit Keil

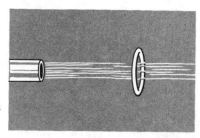

Bild 1.56b Anordnung mit Ringblende

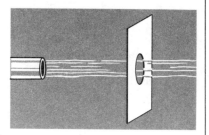

Bild 1.56c Anordnung mit Lochblende

1.57

Anblasen einer Flasche

Ein Pfeifton im weiteren Sinne entsteht beim Blasen über eine Flaschenöffnung. Hierbei gibt es nicht nur ein Hindernis, den Flaschenrand, sondern auch einen daran anschließenden Hohlraum.

Flöten und Orgelpfeifen sind weitere Beispiele für diese Art der Schallerzeugung.
Warum entstehen dabei ganz bestimmte Frequenzen? Anders ausgedrückt: Wie wird durch das Öffnen und Schließen der Löcher in den Hohlräumen mit den Fingern (Flöte) und durch die Luftdruckänderung über dem Hindernis die Wahl des Tons möglich?

Beeinflussen im Fall der Flasche die Größe der Flaschenöffnung und ihre Form den Ton? Stellen Sie sich vor, ich fülle eine beliebige Menge Wasser in eine Flasche, bestimme dann mit einer Stimmgabel die Resonanzfrequenz und halte die Flasche schräg: Die Wasseroberfläche verändert sich natürlich, aber was ist mit der Resonanzfrequenz?

1.58

Polizeipfeife

Wie funktioniert die Trillerpfeife der Polizisten? Wie oben beschrieben, wird Luft über eine Kante geblasen, an die sich ein Hohlraum anschließt. Anders als im vorigen Beispiel befindet sich in dem Hohlraum eine kleine Kugel.
Was bewirkt die Kugel beim Pfeifen? Warum kann die Pfeife nicht unter Wasser funktionieren?

1.59

Pfeifen mit dem Mund

Nun kommen wir noch zu dem am weitesten verbreiteten Pfeifen, das vielleicht am schwierigsten zu erklären ist: dem Pfeifen mit dem Mund. Wie entsteht hier der Ton? Können Sie unter Wasser pfeifen?

1.60

Grammophontrichter

Erinnern Sie sich an die alten Grammophone mit ihren Kurbeln und großen Trichtern? Warum hatten sie diese Trichter? Sollten sie den Ton in eine bestimmte Richtung leiten? Warum verwendete man Trichter und nicht gerade Röhren? Bei der direkten Anregung der Schallwellen durch die Lautsprechermembrane, ohne den dazwischen liegenden Trichter, war nur eine sehr schlechte, um nicht zu sagen kümmerliche Tonwiedergabe möglich. Inwiefern kann dieses nach außen sich öffnende Rohr die Kopplung zwischen der anregenden Membrane und der umgebenden Luft verbessern?

| Schwingung |
| Akustische Impedanz |
| Leistung |

1.62

Größe von Tiefton- und Hochtonlautsprechern

Warum ist in Hi-Fi-Systemen der Tieftonlautsprecher sehr viel größer als der Hochtonlautsprecher?

Schallerzeugung durch Wirbel

1.61

Rundpfeife

Eine Rundpfeife erzeugt einen Ton, wenn Sie in ein Mundstück blasen, das aus einem Hohlraum hervorragt. Möglicherweise entstehen in dem Hohlraum Wirbel, die beim Austritt aus einer zentralen Öffnung einen Pfeifton hervorrufen. Im Gegensatz zu einer Trillerpfeife wird hier eine Frequenz erzeugt, die vom Druck abhängt, mit dem in die Pfeife geblasen wird. Durch Druckveränderung können Sie verschiedene Töne spielen. Was verursacht den Pfeifton und warum hängt die Frequenz vom Druck ab?

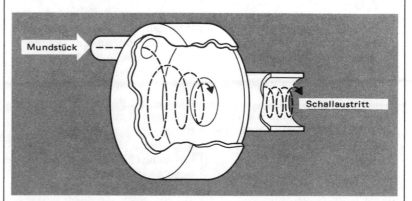

Bild 1.61 Rundpfeife [nach Bernard Vonnegut, J. Acoustic. Soc. Amer., 26, 18 (1954)]

1.63

Die „Flüstertüte"

Wie kommt es, daß durch einen Schalltrichter (Megaphon, „Flüstertüte") der Schall in einer Richtung verstärkt wird? Behindern vielfache Reflexionen im Innern des Trichters die Ausbreitung nach allen Richtungen? Das scheint einleuchtend. Vergleicht man jedoch die Abmessungen des Trichters mit den Wellenlängen des abgestrahlten Schalls, drängt sich die Frage auf: Ist eine derartige Verstärkung allein durch Reflexionen im Innern des Trichters überhaupt möglich?

1.65

Das Geheul von Rennwagen und Artilleriegeschossen

Warum verändert sich die Tonhöhe des Geheuls eines Rennwagens, wenn er an Ihnen vorbeirast? Der Gesamtlärm dürfte doch vor und hinter dem Auto in etwa gleich sein.
Soldaten in der Schlacht können die Gefahr einer heranfliegenden Granate durch das begleitende Geräusch abschätzen. Sie achten nicht nur auf den Wechsel der Lautstärke, sondern auch auf den Wechsel der Tonhöhe. Was verrät ihnen die Tonhöhe?

so ähnlich wie wir mit unseren zwei Augen dreidimensional sehen können? Es kann sich aber auch um einen wesentlich komplizierteren Vorgang handeln: Manche Fledermausarten senden ein Zwitschern aus, wobei sich in jedem Impuls die Frequenz von etwa 20 kHz auf 15 kHz ändert. Wie kann dieses Zwitschern der Fledermaus noch mehr Information liefern? Sie ortet auf diese Weise nicht nur Hindernisse, sondern auch ihre Beute.
Wie klein kann dann ein Insekt sein, wenn die Fledermaus dazu 20 kHz Impulse benutzt?

1.64

Baßtöne aus kleinen Lautsprechern

Ist es nicht erstaunlich, daß Telefonhörer, Hi-Fi-Ohrhörer und kleine Transistorradios Baßtöne wiedergeben können (vergl. 1.62)? Die Lautsprecher in ihnen sind so klein, trotzdem kann man die tiefen Töne hören. Man kann sich auch nicht vorstellen, daß die Trichter der alten Grammophone tiefe Töne erzeugen konnten. Warum kann man in allen diesen Fällen den Baß doch hören?

1.66

Orientierung der Fledermäuse

Fledermäuse orientieren sich mit Hilfe von Schall. Sie senden hochfrequente Töne aus und richten sich nach dem Echo. Wie geht das? Senden sie einen Schallimpuls aus und messen die Zeit bis zu seiner Rückkehr, um so den Abstand zu einem reflektierenden Objekt zu bestimmen? Registrieren sie die Doppler-Verschiebung (Frequenzänderung), wenn sie selbst oder das Objekt sich bewegen? Oder finden sie den Gegenstand durch eine Art Kreuzpeilung mit Hilfe des Echos,

1.67

Hören der Brownschen Molekularbewegung

Hören bedeutet das Wahrnehmen von Luftdruckänderungen, nicht wahr? Nun, die Luft vor dem Trommelfell unterliegt dauernden Druckänderungen, z. B. auch durch die Brownsche Molekularbewegung. Wie stark wirken diese Schwankungen auf das Trommelfell und sind sie stark genug, um gehört zu werden? Müßten Sie dann nicht ständig ein lautes Rauschen in Ihren Ohren vernehmen?

Signal-Rausch-Verhältnis

1.68

Wenn die Funkstreife kommen muß

Einige Feste sind ruhig, andere laut. Können Sie bei einem Fest ungefähr die Zahl der Gäste nennen, bei der es anfängt so hoch herzugehen, daß die Nachbarschaft belästigt wird? Das ist dann der Fall, wenn Ihr Zuhörer Sie genauso laut hört wie das Geräusch der Umgebung.

Stellen Sie sich vor, die Gastgeberin würde einen Augenblick um Ruhe und Aufmerksamkeit bitten. Wie lange würde es danach dauern, bis die volle Unterhaltung wieder im Gange ist?

1.69

Geräusche einer V-2-Rakete

Jemand, der von Artillerie beschossen wird, hört zuerst das Geheul der Granate, dann ihre Explosion und zuletzt den Knall des Abschusses. Bei der V-2-Rakete, mit der London im 2. Weltkrieg angegriffen wurde, war es jedoch anders. Die ersten beiden Geräusche hörte man in umgekehrter Reihenfolge: zuerst die Explosion und dann das Gewinsel der Rakete. Woher kommt dieser Unterschied?

1.70

Party-Effekt

Wie können Sie die Worte eines einzelnen Menschen in einer lärmenden Gesellschaft verstehen? Wenn Sie während einer lauten Party die Stimme Ihres Freundes auf Tonband aufnehmen, kann es leicht sein, daß seine Stimme vom Band nicht zu hören ist, geschweige denn seine Worte zu verstehen sind. Woher kommt dieser Unterschied?

Schall-Leitung

1.71

Die eigene Stimme auf Tonband

Wenn Sie einmal Ihre Stimme auf Band aufgenommen haben, hat es Sie vielleicht überrascht, wie dünn sie bei der Wiedergabe klang. Die Stimmen anderer Leute klangen beim Abspielen ganz normal. Aber Ihre . . .? Etwas stimmte da nicht. Was war das?

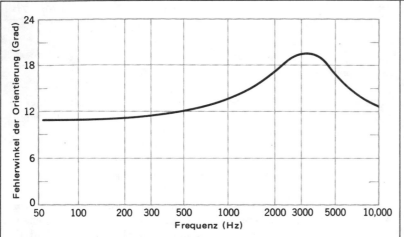

Bild 1.72 [Nach M. Konishi, Am. Scientist, 61, 414 (1973)]

1.72

Feststellen der Schallrichtung

Da Sie zwei Ohren haben, können Sie den Schall nicht nur hören, sondern auch die Richtung feststellen, aus der er kommt. Kann es sein, daß diese Fähigkeit auch davon abhängt, welche Frequenz der ausgesandte Schall hat? Aus Versuchen hat sich ergeben, daß im Bereich von 2 kHz bis 4 kHz das Orientierungsvermögen tatsächlich geringer ist (Bild 1.72). Können Sie eine Erklärung dafür finden?

Schockwellen

Brechung

1.73; 1.74

1.73

Überschallknall

Was verursacht den Überschallknall bei Flugzeugen, die mit einer höheren als der Schallgeschwindigkeit fliegen? Entsteht der Knall nur, wenn das Flugzeug das erstemal die Schallmauer durchbricht? Hängt er vom Lärm der Triebwerke ab? Manchmal hören Sie sogar einen Knall zweimal kurz hintereinander. Warum zwei und warum nicht immer zwei? Hängt der Knall von der Flughöhe ab? Spielt es eine Rolle, ob das Flugzeug gerade steigt, sinkt oder wendet? Unter bestimmten Umständen erzeugt das Flugzeug einen „Superknall" — eine besonders intensive Schockwelle. Und unter anderen Bedingungen kann ein Knall auf dem Weg zur Erde verlorengehen. Wo ist er geblieben?

1.74

Gewitterdonner

Schon kleine Kinder wissen, daß der Donner mit dem Blitz zusammenhängt. Wie entsteht der Donner und warum dauert er eine relativ lange Zeit an? Muß es immer donnern? Ich habe gelesen, daß man im Umkreis von 100 Metern von einem Blitz verschiedenartige Geräusche hören kann: erst ein scharfes Klicken, dann einen Knall (wie von einer Peitsche) und dann erst das Rumpeln des Donners. Woher kommt das Klicken und Knallen? Stehen Sie etwas weiter entfernt, hören Sie statt des Klickens ein Sirren. Warum?

Schallausbreitung

Abschwächung

1.75

Tiefkühlworte

Kann man das Nordlicht (die Aurora) hören? Wenn man einigen Berichten glauben darf, kann man im Zusammenhang mit einem Wechsel der Lichtintensität des Nordlichts Geräusche hören, die an brennendes Gras und Zweige erinnern. Es ist kaum vorstellbar, daß Geräusche, die in so großer Höhe entstehen (ca. 70 km), am Boden noch wahrgenommen werden können. Kürzlich wurde eine Erklärung hierfür vorgeschlagen: Elektronen im Nordlicht regen sogenannte akustische Plasmawellen an, die dann normale Schallwellen erzeugen. Wie immer dem auch sei, könnten Sie ein Geräusch aus solcher Höhe hören? Was geschieht mit der Schallenergie, wenn sich der Schall durch die Atmosphäre fortpflanzt?

Eine andere interessante Erklärung ist folgende: „Was Sie hören, ist Ihr eigener Atem, der in der eisigen Luft gefriert" (Bild 1.75). Können Sie wirklich bei ruhiger und sehr kalter Luft den Zusammenprall der Eiskristalle Ihres Atems hören? Wenn das überhaupt möglich ist, wie kalt muß es dann sein?

Bild 1.75

1.76

Dunkle Schatten auf Wolken

Während der Kämpfe an der „Siegfriedlinie" im 2. Weltkrieg entdeckten amerikanische Truppen dunkle Schatten, die über die weißen Zirruswolken zogen. Diese Schatten waren Kreisbogen, deren Zentren auf deutscher Seite lagen, wahrscheinlich durch die schwere Artillerie hervorgerufen. Wie entstanden diese Schatten? Würden Sie erwarten, daß sie einzeln oder zu mehreren auftreten? Und schließlich, sind die Wolken als Hintergrund notwendig?

1.77

Peitschenknallen

Was verursacht das Knallen einer Peitsche? Was vermuten Sie?

2
Das Walroß spricht
über klassische Mechanik

Geradlinige Bewegung

(2.1 bis 2.22)

Kraft	Durchfluß
Verlagerung	Energie
Geschwindigkeit	Moment
Beschleunigung	
Bewegungsgleichung	

2.1

Gehen oder Rennen im Regen

Gehen oder rennen Sie, wenn Sie ohne Schirm im Regen eine Straße überqueren wollen? Wenn Sie rennen, sind Sie nicht so lange in der Nässe. Aber da Sie in den Regen hineinrennen, könnte es sein, daß Sie nässer werden als beim Gehen. Betrachten Sie Ihren Körper als quaderförmigen Gegenstand und versuchen Sie mit Hilfe dieses Modells eine Antwort zu finden. Spielt es dabei eine Rolle, ob der Regen senkrecht oder schräg vom Himmel fällt?

2.2

Einen Ball im Flug fangen

Wenn Sie Baseball spielen und ein sehr hoch geschlagener Ball auf Ihre Seite des Feldes zukommt, gibt es für Sie zwei Möglichkeiten: Sie können dorthin spurten, wo der Ball aufschlagen wird, und warten bis er kommt, um ihn zu fangen. Woher wissen Sie, wo der Ball aufschlagen wird? Die andere Möglichkeit ist, mit ziemlich konstanter Geschwindigkeit so zu laufen,

daß Sie gerade zurecht kommen, den Ball zu fangen. Wonach richten Sie Ihre Geschwindigkeit? Aus der Erfahrung entwickelt sich natürlich ein Gefühl dafür, aber man muß auch eine Ahnung davon haben, welchen physikalischen Gesetzen der Ball auf seiner Flugbahn gehorcht. Was sagt Ihnen, wohin und wie schnell Sie rennen müssen?

2.3

Entscheidung vor einer Ampel

Jeder Autofahrer muß immer wieder eine schnelle Entscheidung treffen, ob er bei gelbem Licht halten soll oder nicht. Sein Gefühl dafür ist durch viele Erfahrungen und einige Fehler gewachsen, aber offensichtlich gibt es Situationen, in denen das Gefühl versagt. Angenommen, die Zeitspanne des Lichtwechsels und die Größe der Kreuzung liegen fest: Bei welcher Geschwindigkeit und welchem Abstand zur Ampel müssen Sie bremsen oder Gas geben, um nicht bei Rot über die Kreuzung zu fahren? Innerhalb eines bestimmten Bereiches dieser Parameter können Sie wählen, ob Sie das eine oder das andere tun. Aber es gibt auch einen Bereich, in dem keines von beiden richtig ist, und das kann dann bös enden.

2.4

Den Baseballschläger bereithalten

Um einen guten, geraden Schlag zu führen, müssen Sie Ihren Schläger in die richtige Position bringen, den Ball zu treffen. Wieviel Spielraum, räumlich und zeitlich, haben Sie, den Ball optimal zu schlagen? Würde es z. B. für einen guten Schlag von Bedeutung sein, wenn Sie sich nur um eine Hundertstelsekunde verschätzen?

2.5

Bremsen oder eine Kurve fahren?

Es ist schwer, sich etwas Realeres vorzustellen als Leben und Tod, und wie oft spielt dabei die Physik eine entscheidende Rolle. Stellen Sie sich vor, Sie fahren mit dem Auto und sehen plötzlich vor sich eine Mauer, der Einmündung gegenüber (Bild 2.5). Was tun? Mit voller Kraft auf die Bremse treten, doch so, daß die Räder nicht blockieren, und geradeaus weiterfahren? Oder mit voller Geschwindigkeit in die Kurve gehen? Oder bremsen und in die Kurve gehen? Zerlegen Sie dieses Problem in einzelne Teilfragen und betrachten die Situation zunächst unter idealen Bedingungen. Nehmen Sie an, Sie könnten den Wagen durch Bremsen und Geradeausfahren rechtzeitig zum Halten bringen. Würde sofortiges Abbiegen Sie auch retten? Was wäre, wenn Sie beim Geradeausfahren nicht rechtzeitig zum Stehen kommen? Könnten Sie nun noch eine Kurve fahren oder ist der Aufprall unvermeidlich?

Wie sieht es aber unter realen Bedingungen aus, wenn man Schwierigkeiten wie blockierende Räder, schlechte Straßenbeschaffenheit, unterschiedliches Bremsverhalten der Räder usw. in Betracht zieht? Wenn Sie plötzlich vor sich auf der Straße einen großen Gegenstand erblicken, ist es besser, scharf zu bremsen oder auszuweichen? Gewiß hängt die Entscheidung auch von der Größe des Hindernisses ab.

Machen Sie es sich nicht zu leicht mit dem Beantworten der Fragen. Auch wenn Sie ein erfahrener Fahrer sind, kann Sie Ihr Gefühl täuschen. In diesem Fall kann das für Sie von entscheidender Bedeutung sein.

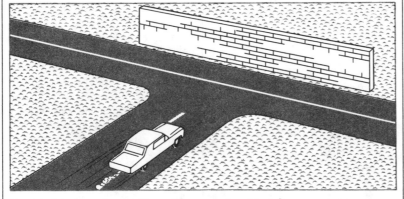

Bild 2.5 Bremsen oder eine Kurve fahren vor einer Mauer?

2.6

Das Geheimnis eines guten Golfspielers

Wie müssen Sie einen Golfschläger schwingen, um dem Ball eine möglichst große Geschwindigkeit zu geben? Viele Golfspieler sähen es sicher lieber, wenn dieses Problem einem Kreis von Eingeweihten vorbehalten bliebe. Wir wollen das aber einmal als physikalisches Problem betrachten. Wie groß muß der Winkel beim Zurückschwingen sein? Wann müssen Sie Ihre Handgelenke entspannen? Müssen Schläger, Arm und Ball auf einer Linie sein, wenn der Ball berührt wird?

Impulsübertragung

Schwerpunktsbewegung

2.7

Springbohnen

Warum springen Springbohnen? Zuerst liegen sie ruhig in Ihrer Hand und im nächsten Moment springen sie, eine nach der anderen, in die Höhe. Wird hier das Gesetz der Erhaltung des Impulses außer Kraft gesetzt?

2.8

Springen

Wie hoch können Sie springen? Können Sie die erreichbare Höhe vorher abschätzen? Können Sie mit längeren Beinen höher springen? Oder durch eine bestimmte

Haltung und Bewegung der Arme eine größere Höhe erreichen? Wie weit können Sie springen? Manche Sportler machen Radfahrbewegungen mit ihren Beinen, während sie durch die Luft fliegen; nützt ihnen das etwas? Welcher Absprungwinkel ist am vorteilhaftesten? Ist es ein 45°-Winkel wie bei einem Geschoß? Warum rennen Stabhochspringer und Weitspringer mit großer Geschwindigkeit bis zum Absprung, während Hochspringer langsamer anlaufen? Müßten nicht alle drei versuchen, die größtmögliche Geschwindigkeit vor dem Absprung zu erreichen? Können Sie am Strand eines Meeres so hoch und so weit springen wie auf einer Hochebene? Wenn die Höhe über dem Meeresspiegel eine Rolle spielt, sollten Sie vorsichtig sein beim Vergleich von Springrekorden, die bei verschiedener Höhenlage aufgestellt wurden.

2.9

Babe Ruth* einen langsamen Ball vorlegen

Die Pitcher, das sind die Spieler, die beim Baseball eine Ballangabe machen, warfen manchmal Babe Ruth den Ball sehr langsam zu. Sie wollten damit einen guten Abschlag des Balles erschweren. Kann man das physikalisch begründen?

* berühmter amerikanischer Baseballspieler

Impuls

Stoß

2.10

Karate

Im Karate-Training hat man mir beigebracht, einen Schlag oder Stoß so zu berechnen, daß er im Ernstfall einige Zentimeter i m Körper meines Gegners endet, anders als bei einer normalen Schlägerei. Welche Technik richtet mehr Schaden an? Könen Sie ungefähr die Kraft eines Karatekämpfers abschätzen, mit der er Bretter, Ziegelsteine oder auch Knochen mit einem Schlag zertrümmert?

2.11

Ein ganzes Sortiment von Hämmern

Ist es für einen Bildhauer besser, einen schweren oder einen leichten Hammer für seinen Meißel zu verwenden? Welchen Hammer braucht man, um einen Nagel einzuschlagen? Wann ist ein elastischer Stoß (das bedeutet einen vollen Rückprall des Hammers) wünschenswerter als ein nicht elastischer? Stellen Sie sich einen sehr viel größeren Hammer vor, z. B. einen Rammbär. Sollte beim Einrammen eines Trägers oder eines Pfahles mit einer Dampframme der Rammbär im Vergleich zu dem Träger leichter oder schwerer sein? Dies ist leicht zu erraten, aber können Sie es auch physikalisch begründen?

Elastizität

2.12

Weiche und harte Bälle

Schlägt man weiche und harte Bälle verschieden ab? Muß man bei dem einen oder dem anderen mit dem Schläger stärker ausziehen?

2.13

Schwere Schläger

Warum bevorzugen gute Baseballspieler schwere Schlaghölzer? Ist es nicht anstrengender, einem schweren Schläger eine sehr große Endgeschwindigkeit zu geben, um dadurch den Ball sehr weit schlagen zu können? Kann man einen schweren Schläger auch für einen Schlag ins Innenfeld verwenden? Betrachtet man die Gewichtsschwankungen der normalen Schlaghölzer, ist das Gewicht eines schweren Schlägers doch nur unerheblich größer. Kann sich so eine kleine Differenz noch auf den Schlag auswirken?

Schwerpunktsbewegung

2.14

Zappelphilipp

Der Schwerpunkt eines Körpers bewegt sich nur durch Einwirkung einer äußeren Kraft. Trotzdem können Sie auf einem Stuhl sitzend durch ein Zimmer rücken, ohne mit den Füßen den Boden zu berühren. Wenn in all Ihrem Drehen und Verrenken innere Kräfte wirksam sind, woher kommen dann die äußeren Kräfte?

2.15

Purzelbaum eines Schnellkäfers
(Lacon murinus)

Wenn man einen auf dem Rücken liegenden Schnellkäfer anstößt, wirft er sich mit einem hörbaren Knipston bis zu 25 cm hoch in die Luft. Ein Kinderspiel, meinen Sie? Aber ist es nicht ganz erstaunlich, daß der Käfer, ohne seine Beine zu gebrauchen, sich mit einer Beschleunigung von 400 g in die Höhe schleudert und dann seinen Körper so dreht, daß er wieder auf seinen Beinen landet? 400 g! Noch überraschender ist die Tatsache, daß die dafür benötigte Leistung hundertmal größer ist als die Leistungsabgabe eines menschlichen Muskels. Wie kann der kleine Käfer so eine enorm hohe Leistung erbringen? Wie oft kann er dieses faszinierende Kunststück vorführen?

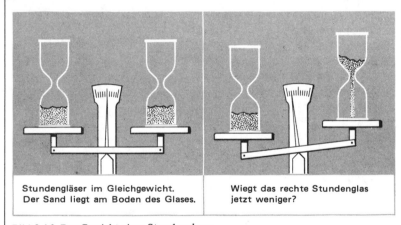

Stundengläser im Gleichgewicht. Der Sand liegt am Boden des Glases.

Wiegt das rechte Stundenglas jetzt weniger?

Bild 2.16 Das Gewicht eines Stundenglases

2.16

Was wiegt die Zeit?

Hängt das Gewicht eines Stundenglases davon ab, ob der Sand in Ruhe ist oder gerade rinnt (Bild 2.16)? Müßte das Stundenglas nicht weniger wiegen, wenn sich ein Teil des Sandes im freien Fall befindet?

2.17

Druckregler

Haben Sie schon einmal mit einem Dampfdrucktopf gekocht? Mein Schnellkocher hat eine dicke Metallscheibe auf dem Deckel, die irgendwie den Druck reguliert. Drei verschieden große Löcher sind seitlich in die Scheibe gebohrt und ich kann den benötigten Druck auswählen, indem ich eines der Löcher über einen aus dem Topfdeckel ragenden hohlen Stutzen schiebe (Bild 2.17). Wie funktioniert der Topf? Der Dampf im Innern des Topfes hebt die Scheibe, ganz gleich, welches Loch ich gewählt habe. Warum bekomme ich einen unterschiedlichen Druck durch die Wahl unterschiedlicher Löcher?

Bild 2.17 Druckregler

2.18

Ballspielereien

Läßt man einen kleinen Superball (ein sehr elastischer Ball aus Vollgummi) direkt nach einem größeren normalen Ball auf die Erde fallen (Bild 2.18a), wird der kleine sofort nach dem Aufprall beider Bälle zurück in die Luft schnellen. Hat der kleine Ball eine ganz bestimmte Masse, wird er bis zum Neunfachen der ursprünglichen Höhe aufspringen, während der zweite Ball ruhig auf dem Boden liegen bleibt.
Ein weiterer Versuch: Lassen Sie einen großen und einen kleinen Superball und einen Tischtennisball auf die Erde fallen (Bild 2.18b). Haben wiederum die beiden Superbälle eine ganz bestimmte Masse, kann der Pingpongball eine Höhe erreichen, die bis zum 50fachen der ursprünglichen reicht.

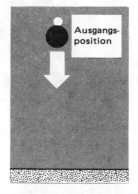

Bild 2.18 Mehrere Superbälle fallen gleichzeitig

Reibung   2.19 bis 2.22

2.19

Blockierende Bremsen

Wenn Sie Ihren Wagen sehr schnell zum Halten bringen müssen, dürfen Sie dann so fest auf die Bremse treten, daß die Räder blockieren?

2.20

Profillose Reifen

Es gibt Fälle, bei denen Fahrzeuge mit Reifen ohne Profil ausgerüstet werden. Normale und überbreite Reifen sind im Handel. Welche Reifen würden Sie für eine bessere Bremsfähigkeit wählen?
Bei Dragstern* nimmt man bevorzugt überbreite Reifen für die Hinterräder, warum?

* Rennwagen für Drag-Racing. Meist selbstgebaute bzw. umgebaute Fahrzeuge mit sehr schmalen Vorder- und sehr breiten Hinterrädern. Rennen mit solchen Wagen werden in Deutschland nicht veranstaltet.

Arbeit

Leistung

2.21

Autorennen

Beim drag-racing* gibt es zwei Zeitmessungen, die von Interesse sind: die Endgeschwindigkeit und die Gesamtzeit für eine Viertelmeilenstrecke. Zur besseren Übertragung der Antriebskraft wird eine klebrige Flüssigkeit unter die Hinterräder geschüttet, kurz bevor der Startschuß fällt. Die dadurch erhöhte Haftreibung wirkt sich nur auf die Gesamtzeit aus und kaum auf die Endgeschwindigkeit. Warum?

* siehe 2.20

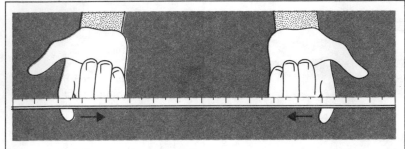

Bild 2.22 Die Zeigefinger gleiten unter einem Meterstab

2.22

Ein gleitender Stab

Halten Sie einen Meterstab waagrecht auf Ihren Zeigefingern und bewegen Sie die Finger langsam aufeinander zu (Bild 2.22). Gleitet der Stab weich über Ihre Finger?

Nein, er rutscht zuerst ein bißchen auf einem Finger, dann auf dem anderen, wieder auf dem ersten usw. Warum erfolgt das Gleiten ruckartig?

Kreisförmige Bewegung

2.23 bis 2.55

Winkelbewegung	
Drehmoment	
Trägheitsmoment	2.23 bis 2.55
Winkelbeschleunigung	
Rotationsenergie	

2.23

Beschleunigen und Bremsen in einer Kurve

Warum ist es unklug, stark zu bremsen, wenn Sie mit Ihrem Auto eine Kurve fahren? Was kann dadurch passieren?
Rennfahrer beschleunigen beim Verlassen der Kurve, nicht in der Kurve. Warum?

Reibung

2.24

Anfahren eines Wagens

Es wird viel darüber geredet, wie man einen festsitzenden Wagen auf einer glatten Straße anfahren soll. Einige schwören auf einen niedrigen Gang, andere auf einen hohen. Warum spielt der Gang überhaupt eine Rolle? Was braucht man, um einen Wagen erst einmal in Bewegung zu setzen? Warum muß die Anfangsgeschwindigkeit klein sein? Warum soll man gerade einen kleinen (oder einen großen) Gang nehmen? Erklären Sie, wie das am Rand angreifende Drehmoment vom Gang abhängt und entscheiden Sie, ob Sie mehr oder weniger Drehmoment benötigen.

2.25

Verlassen auf dem Eis

Stellen Sie sich vor, Sie befinden sich ganz allein mitten auf einem gefrorenen See. Das Eis ist so glatt, daß Sie nicht darauf gehen können, nicht einmal auf allen Vieren krabbeln. Wie können Sie vom Eis herunterkommen?
Stellen Sie sich weiter vor, Sie liegen mit dem Rücken auf dem Eis. Nach einer Weile ist Ihr Rücken durch und durch gefroren, und Sie möchten sich herumdrehen. Wie kann man das auf dem glatten Eis machen?
Noch häßlicher ist die Vorstellung, aufrecht an einen im Eis stehenden Pfahl gebunden zu sein (Bild 2.25). Wie können Sie sich mit Hilfe der freien Arme um den Pfahl drehen? Der Pfahl ist zum

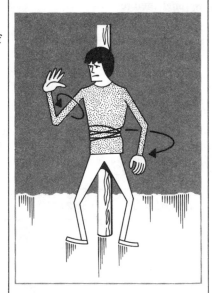

Bild 2.25

42

Anfassen zu glatt und das Eis zum Darauftreten zu schlüpfrig. Was tun?

Präzession

Massenschwerpunkt

2.26

Mit einem Wagen, einem Fahrrad oder einem Zug eine Kurve fahren

Wie fahren Sie mit einem Fahrrad in die Kurve? Sie drehen einfach die Lenkstange in die gewünschte Richtung. Bei einem Motorrad hingegen legen Sie sich mit Ihrem Körpergewicht in die Kurve. Warum dieser Unterschied?
Geht ein Zug in die Kurve, neigt er sich dabei nach innen. Der Bahndamm ist so aufgeschüttet, daß die Außenschiene erhöht ist. Dadurch wird verhindert, daß die Zentrifugalkraft den Zug entgleisen läßt. Hat die Neigung des Zuges nach innen denselben Effekt wie bei dem Motorrad? Können Sie das überschlägig berechnen? Glauben Sie auch, daß ein Rennauto, z. B. ein Formel-1-Wagen, ein ähnliches Verhalten in der Kurve zeigt?

Stoß

Impulssatz

Gleichförmige Bewegung

2.27

Billard

Wie stößt man beim Billardspiel einen „Nachläufer" (der Spielball folgt dem Ball, den er angestoßen hat) an oder einen „Rückläufer" (der Spielball rollt nach dem Zusammenstoß zurück)? Wie kann das sein, da doch beim Zusammenstoß eines bewegten Gegenstandes mit einem ruhenden gleicher Masse der erstere zum Stillstand kommt? Bei einem Kopfstoß beschreibt der Spielball einen Weg in die Parabelform (Bild 2.27a). (Diese Stöße sind in den meisten Billardhallen verpönt, da ein verfehlter Kopfstoß den Tuchbezug zerreißen kann.) Wie muß der Spielball gestoßen werden, damit er diesen Weg nehmen kann?
Warum ist die Bande höher als der Mittelpunkt der Bälle (Bild 2.27b). Wäre der Rückprall nicht besser, wenn die Bande so hoch wäre wie der Ballmittelpunkt?

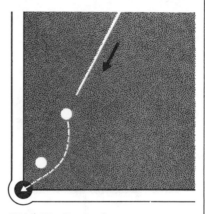

Bild 2.27a Kopfstoß

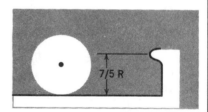

Bild 2.27b Höhe der Bande

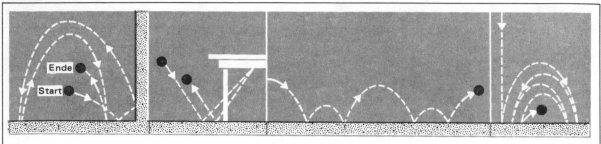

Bild 2.28 Tricks mit dem Superball (mit freundl. Genehm. von Wham-O Manufactoring Co.)

2.28

Tricks mit dem Superball

Eine tolle Erfindung unserer Zeit ist der Superball. Auf Grund seiner hohen Elastizität kann er einige ganz erstaunliche Tricks vollführen. Einige sind in Bild 2.28 zu sehen. Versuchen Sie herauszubringen, wie Sie den Ball werfen müssen, damit er den oben abgebildeten Flugbahnen folgt, und welchen Gesetzmäßigkeiten er gehorcht.

Stabilität

Mechanischer Wirkungsgrad

2.29

Stabilität des Fahrrads

Fahrräder hatten schon die verschiedensten Formen, z.B. hatten sie Räder von sehr unterschiedlicher Größe, und bei einigen waren die Pedale am Vorderrad angebracht. Ein modernes Fahrrad sieht ganz anders aus, nicht wahr (Bild 2.29a)? Sind Wirkungsgrad und Stabilität bei einem modernen Rad besser als bei seinen Vorgängern? Warum ist die Vordergabel heutzutage gebogen? Wäre die Stabilität des Rades mit einer Vorderradgabel anderer Form (Bild 2.29b) besser oder schlechter?

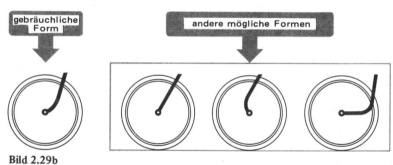

Bild 2.29b

Bild 2.29a

44

2.30

Hula-Hoop

Der Hula-Hoop ist ein Plastik-
reifen, der bei einer bestimmten
Kreisbewegung Ihrer Hüften in
ständiger rotierender Bewegung
um Ihre Taille gehalten werden
kann (Bild 2.30). Dieses Spielzeug
wurde erst um 1950 allgemein
bekannt, doch verwendet wurden
ähnliche, um Arme und Beine rotierende Reifen schon sehr lange,
z. B. von den Indianern bei ganz
bestimmten Reifentänzen.
Überlegen Sie einmal, was einen
Hula-Reifen in der Höhe und in
Bewegung hält. Sie geben ihm eine
Drehbewegung um Ihre Taille und
fangen sie mit einer antreibenden
Hulabewegung auf. Muß die Anfangsgeschwindigkeit größer sein
als die Geschwindigkeit, mit der
die Drehbewegung aufrecht erhalten wird? Wie treibt man den Reifen im Kreis? Erfolgen Reifen- und
Körperbewegung im Takt? Welche
Mindestgeschwindigkeit ist unbe-
dingt erforderlich?

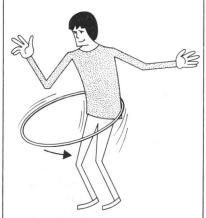

Bild 2.30 Hula-Hoop

THE SATURDAY EVENING POST

Bild 2.31 „Niemand möchte gerne
herunterfallen, Rocco – aber das
ruiniert unser Imätsch."

2.31

Ein Fahrrad in Balance halten

Wie können Sie auf dem Fahrrad
die Balance halten? Wenn Sie aus
dem Gleichgewicht kommen,
steuern Sie dann dagegen, um das
Rad wieder aufzurichten? Oder
kann das Fahrrad selbst etwas dazu
beitragen, die Balance zu halten?
Es besitzt zweifellos eine gewisse
Standfestigkeit, da es sich etwa
20 Sekunden lang aufrechthalten kann, wenn es ohne Fahrer
auf den Weg geschickt wird.
Wie lenkt man ein Fahrrad und
wie hält man das Gleichgewicht beim Freihändigfahren
(nicht von der Polizei erwi-
schen lassen!)? Wenn Sie Ihr
Fahrrad nach rechts an einen
Zaun lehnen, nach welcher
Seite dreht sich dann das Vorderrad und warum tut es das?

2.32

Ein Cowboy und sein Lasso

Wie kann ein Cowboy sein Lasso
in der Luft und in Drehbewegung
halten? Welche Mindestgeschwindigkeit muß er dem Lasso geben,
um es horizontal oder vertikal
kreisen zu lassen?

2.33

Ein Buch herumwirbeln

Hält man ein Buch mit einem
Gummiband zusammen, kann man
es in die Luft werfen und um jede
seiner drei Achsen drehen lassen
(Bild 2.33). Die Bewegung um
zwei der drei Achsen ist eine einfache, stabile Rotation. Eine Drehbewegung um die dritte Achse
anzuregen, ist wesentlich schwieriger. Ganz gleich, wie oft Sie den
Versuch wiederholen, Sie werden
kaum mehr als ein Torkeln zustande bringen. Wie kommt das?

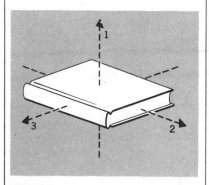

Bild 2.33

2.34

Tanzende Ringe

Tanzende Ringe sind ein bemerkenswert einfaches, aber faszinierendes Spielzeug; es besteht aus einem Plastikring mit relativ großem Innendurchmesser auf einem Stab. Sobald der Ring mit einem Finger in Drehbewegung gesetzt wird, hält man den Stab senkrecht. Der Ring bewegt sich kreisend abwärts (langsamer, als Sie denken) und je tiefer er kommt, desto schneller wird die Drehbewegung und desto langsamer die Abwärtsbewegung (Bild 2.34a). Drehen Sie den Stab herum, kurz bevor der Ring das untere Ende des Stabes erreicht hat. Der Ring läuft weiter und so können Sie das Spiel beliebig lange fortsetzen. Warum wird die Drehgeschwindigkeit beim Fallen größer? Warum fällt der Ring nicht mit der normalen Beschleunigung durch die Erdanziehung? Nehmen Sie jetzt einmal zwei Ringe, das sieht noch hübscher aus. Sie können dabei etwas ganz Überraschendes erleben: Fällt der obere Ring schneller als der untere und berührt ihn dabei, so beginnt er wieder zu steigen (Bild 2.34b). Warum?

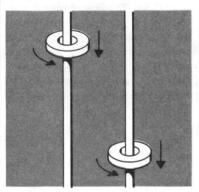

Bild 2.34a

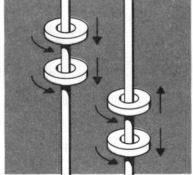

Bild 2.34b

Schwerpunkt

2.35

Eskimorolle

Wie kann ein Kajakfahrer sein umgedrehtes Kajak wieder aufrichten, ohne auszusteigen?

2.36

Große Reifen

Kann Ihr Wagen mit übergroßen Reifen wirklich schneller fahren als mit normalen Reifen?

2.37

Autos auf Abwegen

Was tun Sie, wenn Ihr Wagen auf einer eisglatten Straße zu schlittern beginnt? Nehmen wir an, das Heck rutscht nach rechts, lenken Sie dann mit den Vorderrädern auch nach rechts oder besser nach links, um die Drehbewegung abzufangen?

2.38

Reifen auswuchten

Aus ungleichmäßiger Gewichtsverteilung über den Umfang eines Rades folgt schlechtes Fahrverhalten. Früher versuchte man die Unregelmäßigkeiten durch Messungen am stehenden Rad zu ermitteln. Durch ein Gegengewicht an der Felge wurde das Rad austariert. Reicht dies aus für einen ruhigen Lauf des drehenden Rades? Wären zwei Ausgleichgewichte sinnvoller?

2.39

Auf dem stillen Örtchen

Bei einigen Toilettenpapierhaltern können Sie die Blätter von der dicken Rolle leicht abreißen, aber nicht so leicht, wenn die Rolle zu Ende geht. Bei anderen Haltern ist es gerade umgekehrt. Warum?

2.40

Hüpfende Steine

Wie hüpft ein Stein über das Wasser? Wenn Sie einen Stein über festen, feuchten Sand springen lassen, zeigen Ihnen die Spuren im Sand den Weg des Steines. Es zeigt sich, daß der erste Sprung kurz ist (einige Zentimeter), der zweite lang (einige Dezimeter), der dritte kurz usw., bis der Stein liegen bleibt (Bild 2.40a). Warum folgt er diesem Schema? Während des 2. Weltkrieges verwendeten die Engländer diesen Effekt beim Bombardieren deutscher Küstenbefestigungen. Es ist sehr schwierig, einen Damm zu bombardieren, der durch Ab-

wehrfeuer geschützt ist. So entwickelte die Royal Air Force eine zylindrische Bombe von etwa 1,50 m Länge und ungefähr dem gleichen Durchmesser. Die Bombe wurde vor dem Ausklinken in eine Rotation um ihre Längsachse versetzt (etwa 500 U/min entgegen der Flugrichtung, Bild 2.40b).
„Die Bombe berührte das Wasser nur leicht und sprang dann wie ein Stein mit immer kürzer werdenden Sprüngen bis zum Deich. Von dort prallte sie nicht wieder zurück, denn die Rückwärtsdrehung drückte sie fest gegen

das Hindernis. Sie bewegte sich nun an der Deichschräge entlang nach unten bis unter die Wasseroberfläche. Durch einen Druckzünder, der auf 10 m Wassertiefe eingestellt war, wurde sie am Fuß des Deiches zur Explosion gebracht. Es war eine verblüffend einfache Idee, eine 100-Zentnerbombe so genau gezielt abzuwerfen."*

* G. Lyall, ed., The Royal Air Force in World War II, Ballantine Books, New York (1970)

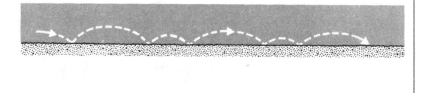

Bild 2.40a Der Weg eines springenden Steins auf Sand.

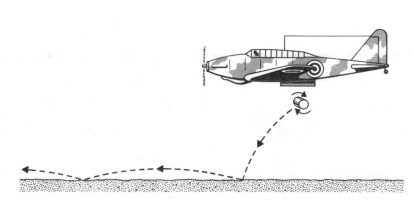

Bild 2.40b Die Bombe mit dem springenden-Stein-Effekt.

2.41

Differentialgetriebe

Wenn Ihr Wagen eine Kurve fährt, müssen sich die äußeren Räder schneller drehen als die inneren. Wie ist das möglich, da doch an jeder Achse ein inneres und ein äußeres Rad befestigt ist?

2.42

Motor eines Rennwagens

Der Motor einiger europäischer Rennwagen ist meist in der Mitte des Fahrgestells montiert, seltener über den Vorderrädern oder im Heck. Die Rennstrecken in Europa sind meist normale Straßen und haben deshalb eine Menge scharfer Kurven. Betrachtet man das in einer Kurve erforderliche Drehmoment, bringt dann ein in der Mitte des Wagens untergebrachter Motor einen Vorteil vor anderen handelsüblichen Aufbauten?

Schwerpunkt

Stabilität

2.43

Seiltänzer

Wie hält ein Seiltänzer die Balance? Wie kann ihm eine lange Stange dabei nützlich sein?

Kreisbahn

2.44

Zaubertrick mit einer Flasche

Der Sinn bei diesem Trick liegt darin, eine Flasche mit einem direkt über ihr angebrachten Pendel zu treffen (Bild 2.44). Sie müssen sich geschickt anstellen, denn das Pendel muß erst an der Flasche vorbeischwingen, um sie dann beim Zurückschwingen zu treffen. Der Trick dürfte nicht allzu schwierig sein, meinen Sie? Mit einigen Versuchen müßte man das doch fertigbringen? Versuchen Sie es und wundern Sie sich, daß es nicht klappt! Und dann überlegen Sie sich bitte, wie man es besser machen könnte.

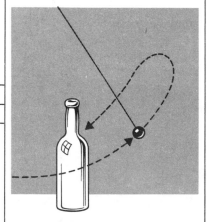

Bild 2.44 Die Kugel soll die Flasche beim Zurückschwingen treffen

2.45

Katzen fallen immer auf die Beine

Jedermann weiß, daß eine fallende Katze immer auf ihren vier Füßen landet; sogar schwanzlose Katzen haben diese geheimnisvolle Fähigkeit, sich aufzurichten. Nun, wenn k e i n äußeres Drehmoment einwirkt, muß der Drehimpuls der Katze konstant bleiben. Ist er es während des ganzen Falles? Und wenn ja, wie kann die Katze sich um ganze 180° drehen? Bleibt der Drall jedoch n i c h t erhalten, dann muß irgendwie und irgendwo ein Drehmoment auf die Katze wirken. Aber wie? Vielleicht haben Sie einmal Gelegenheit, die Zeitlupenaufnahme einer fallenden Katze zu sehen, und die Erklärung wird Ihnen dann leichtfallen.

2.46

Skifahren

Das Kurvenfahren mit Skiern setzt sich aus einer Reihe komplizierter Dreh- und Schwungbewegungen zusammen, die man in eine Abfolge relativ einfacher Einzelbewegungen zerlegen kann. Beim Kurzschwung geht man zuerst in eine tiefe Hocke, reißt dann den Körper kräftig hoch und dreht dabei den Oberkörper. Die Beine und mit ihnen die Skier drehen sich in die entgegengesetzte Richtung. Warum? Drehen sich die Füße so weit nach rechts, wie der Oberkörper nach links, bzw. umgekehrt?

Bei einem normalen Stand auf Skiern fahren Sie geradeaus, verlagern Sie aber Ihr Körpergewicht nach vorne oder nach hinten, bewirken Sie eine Richtungsänderung. Fahren Sie eine Rechts- oder eine Linkskurve, wenn Sie Ihr Gewicht nach vorne oder nach hinten verlagern, und warum? Skier mit Stahlkanten ermöglichen eine andere Technik des Kurvenfahrens. Hier erfolgt die Gewichtsverlagerung von einem Ski auf den anderen, und zwar auf den Talski. Der Körper und die Skier drehen sich in die gleiche Richtung. Welche physikalischen Zusammenhänge bestehen hier?

2.47

Jo-jo

Können Sie mir sagen, warum ein Jo-jo wieder an der Schnur aufsteigt? Kennen Sie das „schlafende" Jo-jo? Hier fällt das Jo-jo abwärts und dreht sich am Ende der Schnur so lange, bis Sie leicht an der Schnur zupfen und damit das Jo-jo wieder zum Aufwärtsklettern bringen. Berührt das rotierende Jo-jo die Erde, so beginnt es darauf zu rollen. Noch etwas anderes können Sie mit dem Jo-jo vorführen: Bringen Sie das schlafende Jo-jo mit einem leichten Schlag auf die Hand zum Aufsteigen und lassen dann die Schnur los. Das Jo-jo wird die lose Schnur fein säuberlich aufwickeln.

2.48

Judo

Wenn Sie beim Judo geworfen werden und schlagen beim Aufprall mit dem Arm kräftig auf die Matte, können Sie eine Verletzung vermeiden. Wie kommt das? Vielleicht hat das zum Teil psychologische Gründe, doch auch reale. Als ich Judounterricht hatte, wurde ich immer verletzt, wenn ich nicht oder nicht im richtigen Augenblick den Schlag mit dem Arm führte. Machte ich es richtig, so hatte ich nicht ganz so viel zu leiden.

Stabilität   2.49; 2.50

2.49

Geschoßdrall

Warum bekommen Geschosse im Gewehrlauf einen Drall? Die spiraligen Züge, die Riffelung im Lauf, verursachen diese Drehung; von da bezieht auch das englische Wort „rifle" seinen Namen.
Bekommt das Geschoß eine Drehung gegen den Uhrzeigersinn (vom Schützen aus gesehen), erfährt es eine Ablenkung vom Ziel nach links. Eine Drehung im Uhrzeigersinn verursacht eine Ablenkung nach rechts. Warum? Können Sie ungefähr die Größe der Abweichung vom Ziel bei einem großen und bei einem kleinen Gewehr abschätzen?

Bild 2.50 Alptraum einer Bibliothekarin.

2.50

Ein schiefer Turm aus Büchern

Wenn Sie einen Stapel Bücher so aufbauen wollen, daß er so schief steht wie irgend möglich, ohne dabei umzufallen (Bild 2.50), wie stapeln Sie dann die Bücher am besten? Würden Sie die Kante des einen Buches über die Mitte des darunterliegenden Buches legen, oder gibt es noch eine bessere Möglichkeit?

2.51

Zusammenbrechende Schornsteine

Fällt ein großer Schornstein um, bricht er normalerweise an einer Stelle in zwei Teile. Warum fällt er nicht als Ganzes? An welcher Stelle würden Sie vermuten, daß der Bruch erfolgt? Wie wird der Schornstein nach dem Auseinanderbrechen zur Erde fallen (Bild 2.51a)? Bauen Sie einmal mit den Steinen eines Kinderbaukastens einen großen Turm und beobachten Sie, wie er umfällt. Wenn der Schornstein nicht zerbricht, können Sie etwas Seltsames feststellen: der untere Teil springt während des Falls noch einmal in die Höhe (Bild 2.51b). Widerspricht das nicht dem Gesetz der Schwerkraft?

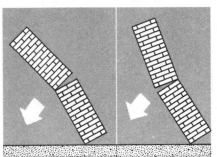

Bild 2.51a Wie bricht der Schornstein, so oder so?

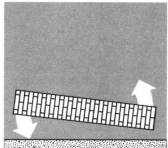

Bild 2.51b Fallbewegung des unzerstörten Schornsteins

2.52

Die Schlacht bei den Falklandinseln und die Dicke Bertha

Während des 1. Weltkrieges fand in der Nähe der Falklandinseln (etwa am 50. südl. Breitengrad im südlichen Atlantischen Ozean) eine große Seeschlacht statt. Bei dieser Schlacht landeten die genau gezielten britischen Geschosse auf mysteriöse Weise etwa 100 m links der deutschen Schiffe. Das lag nicht an den Visiereinrichtungen der britischen Geschütze, die in England genau eingestellt worden waren.
Ebenfalls während des 1. Weltkrieges beschossen die Deutschen mit einem riesigen Artilleriegeschütz, der „Dicken Bertha", Paris aus einer Entfernung von mehr als 120 km. Bei normalem Zielen hätten die Geschosse der Dicken Bertha ihr Ziel um etwa einen Kilometer verfehlen müssen. Was geschah mit den Geschossen?

2.53

Das Beersche Gesetz der Erosion

Warum ist das rechte Ufer eines Flusses auf der nördlichen Erdhalbkugel im allgemeinen mehr von der Erosion betroffen als das linke?

2.54

Pirouetten auf dem Eis

Eine Pirouettentänzerin auf dem Eis galt schon immer als klassisches Beispiel für die Erhaltung des Dralls. Je näher sie ihre Arme an den Körper zieht, desto schneller werden ihre Drehungen (kein äußeres Drehmoment wirkt ein). Soweit ist alles bekannt. Kann nun diese Geschwindigkeitszunahme einer Krafteinwirkung zugeschrieben werden? Kräfte kann man sich besser vorstellen als Drehimpulse! Ist es eine geheime Kraft, die die Tänzerin dazu bringt, sich so schnell zu drehen?

2.55

Bumerang

Es gibt zwei Arten von Bumerangs: zurückkehrende und nicht zurückkehrende. Erstere sind so konstruiert, daß sie über große Entfernungen geworfen werden können und dann zu dem Werfenden zurückkehren. Australische Eingeborene haben sie schon bis zu 100 m weit und 50 m hoch geworfen, wobei der Bumerang fünf komplette Kreise beschrieben hat. Der nicht zurückkehrende Typ ist besser für die Jagd geeignet, er kann bis zu 150 m weit geworfen werden.

Der einfache Bumerang hat die Form einer gebogenen Banane. Spielt diese besondere Form eine Rolle? Könnte ein zurückkehrender Bumerang auch wie ein X oder ein Y geformt sein? Die meisten Bumerangs sind so konstruiert, daß sie mit der rechten Hand geworfen werden können. Wie müßten sie für einen Linkshänder aussehen? Warum kommt ein Bumerang zurück? Warum beschreibt er dabei eine Schleife (Bild 2.55)? Und zum Schluß: Wie kann der Werfende die Flugbahn des Bumerangs bestimmen, durch die Art, wie er ihn wirft?

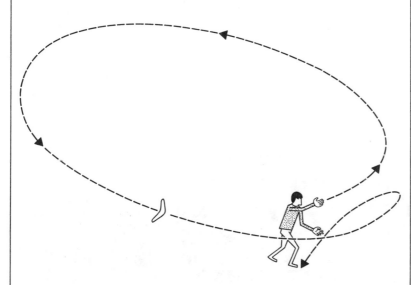

Bild 2.55 Flugbahn eines Bumerangs.

Periodische Bewegung

2.56 bis 2.68

Drehimpuls	
Drehmoment	
Potentielle und kinetische Energie	2.56 bis 2.68
Schwerpunkt	

2.56

Auf der Schaukel

Schaukeln heißt doch, aus der Ruhelage heraus zu einem weit ausholenden Schwingen zu kommen. Wie geht dieses „Aufschaukeln" vor sich? Schwingt man im Sitzen anders als im Stehen? Kann man mit einer gut geölten Schaukel einen ganzen Kreis beschreiben oder sind der Schwunghöhe Grenzen gesetzt? Welche Unterschiede ergeben sich beim Schaukeln an Stangen oder solchen an Ketten und Seilen? Welche Arbeit leisten Sie beim Aufschaukeln aus der Ruhelage bis zu einer maximalen Höhe?

Schwingungen

Resonanz

2.57

Soldaten auf einer Brücke

Im Jahr 1831 zogen Kavallerieregimenter über eine Hängebrücke in der Nähe von Manchester in England, im Takt mit der Eigenschwingung der Brücke. Die Brücke stürzte ein. Seit dieser Zeit ist es Marschkolonnen verboten, Brük-

ken im Gleichschritt zu überqueren. Welche Erklärung wird allgemein dafür angegeben? Besteht
wirklich Gefahr dabei? Können
Sie das rechnerisch abschätzen?

2.59

Querrinnen auf Straßen

Hinter einem Schlagloch bilden
sich auf einer ursprünglich glatten
Straßenoberfläche sehr bald weitere Unebenheiten aus. Dadurch
sehen manche ungepflasterten Wege,
aber auch Teer- und Betonstraßen
wie Waschbretter aus, besonders
nach einem Regenguß, der die Vertiefungen mit Wasser gefüllt hat.
Die gleichen Unebenheiten treten
bei Fahrspuren für Busse und bei

Eisenbahngleisen auf. Fährt ein
Zug über eine so gewellte Strek-
ke, gibt es einen Höllenlärm.
Skifahrer fürchten solche wasch-
brettartigen Pistenabschnitte.
Woher kommen diese Wellen?
Wodurch wird ihre Periodizi-
tät bestimmt? Vielleicht können
Sie es einmal mit einem kleinen
Rad in einem Sandkasten auspro-
bieren und dann mehr darüber
aussagen.

Energieübertragung	
Resonanzschwingungen	2.58; 2.59

2.58

Weihrauchschwingen*

Die Pilger von Santiago de
Compostella in Spanien suchen
das Grab des Heiligen Jakob auf
und verbrennen dort Weihrauch.
Weihrauch und Holzkohle befinden sich in einem großen silbernen

Kohlebecken, das an der Decke
hängt. Das Becken wird zunächst
in kleine Schwingungen versetzt;
durch geschicktes Aufschaukeln
durch 5 oder 6 Männer schwingt
das Becken dann bis zur Horizontalen. Der entstehende Luftzug
bringt die Holzkohle zu heller
Glut.

Uns interessiert hier das Aufschaukeln: Jedesmal, wenn sich
das Seil mit dem Behälter in der
Senkrechten befindet, wird es um
etwa 1 m verkürzt und um denselben Betrag wieder verlängert,
wenn der Behälter seine maximale Höhe erreicht. Wie kann
durch Anziehen und Nachlassen
des Seils die Schwingamplitude
vergrößert werden?

* H. Pomerance: Persönliche Mitteilung

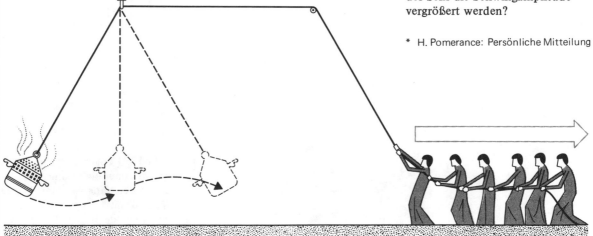

Bild 2.58

2.60

Schlingertank

Das „Rollen" eines Schiffes ist normalerweise nur unangenehm, doch wenn die Wellen eine Resonanzschwingung des Schiffes anregen, kann es zur Gefahr werden. Der Einbau von Tanks, die teilweise mit Wasser gefüllt sind, soll diese Gefährdung herabsetzen (Bild 2.60). Solch ein „Schlingertank" hat sorgfältig berechnete Abmessungen, damit die Resonanzfrequenz des Wassers im Tank zu der des Schiffes paßt. Hier stimmt doch was nicht! Wenn die Resonanzschwingungen aufeinander eingestellt sind, wie kann dann der Tank das Rollen des Schiffes vermindern?

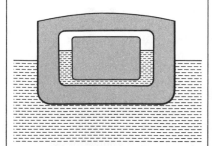

Bild 2.60 Schnitt durch einen Schlingertank.

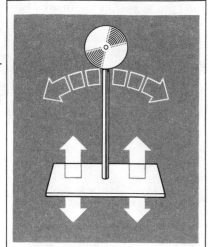

Bild 2.61 Bei schneller Auf- und Abbewegung der Platte bleibt das Pendel stehen.

2.61

Umgekehrtes Pendel und Einrad-Fahrer

Versuchen Sie einmal, ein Pendel verkehrt herum auf eine Platte zu stellen — das wäre eine sehr wackelige Angelegenheit! Das Pendel würde bei der kleinsten Erschütterung umfallen. Bewegt man es aber schnell genug auf und ab (Bild 2.61), können es kleine Erschütterungen nicht umwerfen. Der Fahrer eines Einrades benutzt dasselbe Prinzip, nur daß er eine horizontale Schwingung verwendet, um sich aufrechthalten zu können. Warum gewinnt ein Gegenstand durch Schwingung mehr Stabilität? Was bestimmt die Schwingfrequenz, um diese Stabilität zu erreichen? Können Sie den Effekt physikalisch erklären, ohne große Berechnungen anzustellen?

2.62

Das Federpendel

Sie alle kennen eine Feder und ein Pendel. Wie verhalten sich die beiden, wenn man ein Pendelgewicht an einer Feder befestigt? Bei passender Wahl der Feder und des Gewichts erhält man ein erstaunliches Beispiel für Resonanzschwingung. So, wie Sie es erwarten würden, versetzt ein Ziehen in vertikaler Richtung das Gewicht in vertikale Schwingungen; schon bald aber werden diese immer kleiner und hören auf, und das Gewicht beginnt wie ein Pendel zu schwingen (Bild 2.62). Nach kurzer Zeit beginnt wieder eine vertikale Schwingung usw. Irgendwie pendelt die Energie hin und her zwischen den beiden Schwingungsarten, und das so lange, bis die gesamte Energie aufgebraucht ist. Wie muß das Verhältnis von Masse des Gewichts und Masse der Feder und Länge der Feder zueinander sein, um diesen Schwingungsaustausch zu ermöglichen? Woher kommt dieser Austausch der Schwingungen überhaupt? Mit welcher Frequenz wechseln sich die beiden Schwingungsarten ab?

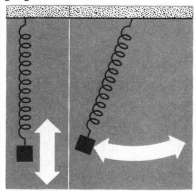

Bild 2.62

2.63

Die Glocke, die nicht läuten wollte

Es hat nicht viel Sinn, eine Glocke aufzuhängen, die nicht läuten will, aber genau das passierte den Kölnern in ihrem Dom. Die Schwingfrequenzen von Glocke und Klöppel waren so unglücklich gewählt, daß sie im Takt schwangen und auf diese Weise keinen Ton zustande brachten. Unter welchen Bedingungen konnte es dazu kommen? Wie kann man da Abhilfe schaffen, ohne gleich die Glocke aus dem Glockenturm zu werfen?

Bild 2.63 „Sie macht ding, wo sie doch dong machen sollte!"

2.64

Pendelnde Uhren

Kann eine Taschenuhr beim freien Pendeln an einer Kette die Zeit noch genau anzeigen? Einige sonst sehr gute Uhren werden durch das Pendeln ungenau. Hängt man eine Taschenuhr an einer

Kette auf (Bild 2.64), wird sie langsam zu schwingen beginnen und pro Tag bis zu 15 Minuten vor- oder nachgehen. Warum beginnt sie zu schwingen und warum kommt die Zeitangabe durcheinander? Und schließlich, warum gehen einige Uhren vor und einige nach?

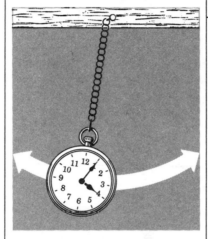

Bild 2.64 Pendelnde Taschenuhr

2.65

Erderschütterungen in der Nähe eines Wasserfalls

Ein großer Wasserfall stürzt mit solcher Wucht herab, daß Sie noch in ganz beachtlicher Entfernung Erschütterungen des Erdreichs fühlen können. Bei den meisten Wasserfällen dominiert e i n e Schwingungsfrequenz, und sie ist desto höher, je kürzer der Wasserfall ist. Tatsächlich ist das Produkt aus Frequenz und Höhe des Was-

serfalls ein Viertel der Schallgeschwindigkeit im Wasser. Was hat die Frequenz mit der Fallhöhe zu tun und wie kommt es dazu, daß ihr Produkt immer diesen Wert ergibt?

2.66

Die Hand verprellen

Nach dem Abschlagen eines Balles können Sie oft einen recht schmerzhaften Stich in der Hand fühlen. Das hängt davon ab, mit welchem Teil des Schlägers Sie den Ball treffen. Schlimmer als das Schmerzgefühl jedoch ist es, wenn dabei der Schläger zerbricht. Warum gibt es bei dem Schläger solche neuralgischen Punkte und wo liegen sie?

2.67

Pfeil und Bogen

Bogenschützen wissen, daß der Pfeil beim Abflug nicht genau in Richtung des Zieles fliegt, sondern auf einer leicht abweichenden Bahn (Winkelabweichung bis zu 7°, Bild 2.67). Die Kunstfertigkeit des Schützen besteht darin, trotzdem das Ziel genau zu treffen. Wie ist das möglich?
Erste Frage, warum wird der Pfeil abgelenkt? Zweite Frage, eine Ablenkung vorausgesetzt, warum

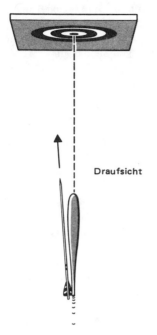

Draufsicht

Bild 2.67 Im Moment des Abschnellens zeigt der Pfeil nicht auf das Ziel

trifft er dennoch das Ziel? Momentaufnahmen eines fliegenden Pfeils widerlegen die Annahme, daß sich Pfeil und Bogen nach dem Abschnellen noch einmal berühren, auch das gefiederte Ende stößt nicht mehr an. Kann das stimmen? Und wie kann der Pfeil dann ins Ziel finden?

2.68

Magische Windmühle

Ein kleines, aber faszinierendes Spielzeug können Sie sich leicht selbst bauen. Ein Stab wird über seine ganze Länge eingekerbt und an seinem einen Ende ein kleiner Propeller befestigt. Halten Sie einen zweiten Stab zwischen Daumen und Zeigefinger (Bild 2.68a) und streichen mit ihm hin und her über die Kerben. Berühren Sie während des Streichens den ersten Stab mit dem Zeigefinger, wird sich der Propeller in die eine Richtung drehen, nehmen Sie dafür den Daumen, wird er sich in die andere Richtung drehen. Wenn Sie dieses Kunststück einem Uneingeweihten vorführen, können Sie unbemerkt den Fingerwechsel vornehmen und einen großen Zauber aus dem Richtungswechsel des Propellers machen. Die Zahl der Lügen darüber ist unbegrenzt! Ich verwende am liebsten das Märchen von

der Veränderung der kosmischen Strahlung.

Die erste Frage, die Sie sich stellen müssen, ist, warum der Propeller sich überhaupt dreht. Das größere Geheimnis ist jedoch, warum die Drehrichtung davon abhängt, wie Sie den Stab seitlich berühren.

Möchten Sie gerne noch etwas mehr Hokuspokus? Dann befestigen Sie vier Propeller an Ihrem Stab (Bild 2.68b). Alle vier drehen sich in einer Richtung nach demselben Prinzip. Schwieriger zu erklären ist der Aufbau mit zwei hintereinanderliegenden Propellern (Bild 2.68c). Jetzt erleben Sie etwas ganz Erstaunliches: entweder drehen sich beide in der einen Richtung oder in der anderen oder − der Gipfel der Zauberkunst − sie drehen sich entgegengesetzt!

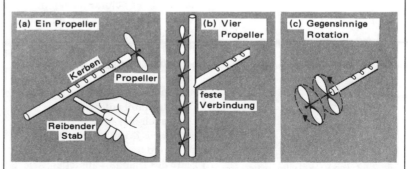

Bild 2.68 Magische Windmühle (nach R. W. Leonard, Am. J. Phys. 5, 175 (1937)).

Kreiselbewegung

2.69 bis 2.73

Drehmoment	
Präzession	2.69 bis 2.73
Drehimpuls	

2.69

Charakter eines Kreisels

Warum hält sich ein drehender Kreisel aufrecht?
Können Sie das allein durch Krafteinwirkungen, ohne Drehmoment und Drehimpuls, erklären? Da sich der Kreisel entgegen der Schwerkraft senkrecht hält, muß eine senkrechte Kraft einwirken. Woher kommt diese Kraft? Wie kommt es, daß verschieden geformte Kreisel sich auch verschieden bewegen? Einige „schlafen", d. h. sie scheinen bewegungslos aufrechtzustehen; andere taumeln wie verrückt herum (Bild 2.69). Einige haben eine gleichförmige Bewegung; andere wackeln entsetzlich, bevor sie sich in eine ruhige Kreisbewe-

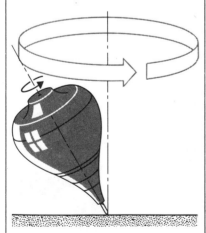

Bild 2.69 Die Kreiselachse rotiert um die Vertikale, sie „präzessiert".

gung eingelaufen haben. Einige sterben einen langen, qualvollen Tod; andere wieder schnell. Was verursacht diese verschiedenen Temperamente?

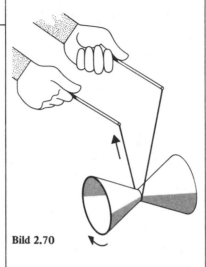

Bild 2.70

2.70

Diabolo

Ein sehr altes Geschicklichkeitsspiel ist das Diabolo. Es besteht aus einer Spule aus zwei zusammengesetzten Kegelstücken. Durch das Auf- und Abbewegen einer Schnur, deren Enden an Stäben befestigt sind, wird das Diabolo in Drehbewegung versetzt. Es kann dann auf der Schnur tanzen. Die rechte Hand bewegt sich erst langsam, dann immer schneller auf und ab, um das Diabolo richtig in Schwung zu bringen und zu halten.
Warum bleibt nur das rotierende Diabolo stabil auf der Schnur? Doch auch hier müssen manchmal kleine Korrekturen vorgenommen werden. Es kann z. B. das eine Ende des Diabolos absacken. Wie müssen Sie dann die Stäbe bewe-

gen, um die Spule wieder ins Gleichgewicht zu bringen? Oder Sie möchten das Diabolo drehen, wie fangen Sie das an?

2.71

Eiertanz

Im Zweifelsfall können Sie ein rohes von einem gekochten Ei unterscheiden, indem Sie es in Drehung versetzen. Das gekochte Ei wird sich aufrichten, das rohe jedoch nicht. Warum? Eine andere Möglichkeit, herauszufinden, ob ein Ei roh oder gekocht ist, ist folgende: Sie versetzen das Ei in Drehung, halten es kurz mit dem Finger an und lassen es gleich wieder los (Bild 2.71). Ein gekochtes Ei bleibt dann ruhig liegen, während ein rohes sich wieder in Bewegung setzt. Warum?

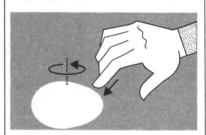

Bild 2.71 Roh oder gekocht, das ist hier die Frage.

2.72

Aufsässige Kelten

Einige Werkzeuge aus Stein, die von den Ureinwohnern Englands stammen, zeigen seltsame Eigenschaften, wenn sie auf einer Platte zum Drehen gebracht werden. Diese keltischen Steine haben gewöhnlich die Form eines Ellipsoids. Drehen Sie sie um ihre senkrechte

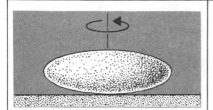

Bild 2.72a Kreisen des Steins

Achse, so kreisen sie wie erwartet. Einige rotieren aber nur in einer Richtung um diese Achse (Bild 2.72a). Bei dem Versuch, sie in der anderen Richtung kreisen zu lassen, streiken sie. Sie bleiben stehen, wackeln ein bißchen und drehen dann doch so, wie sie wollen. Einige kreisen nur rechts, andere nur links herum.

Stößt man einen dieser Steine an, z. B. bei Punkt A in Bild 2.72b, schaukelt er eine Weile auf und ab. Aber bald schon wird er damit aufhören und eine Drehbewegung um die vertikale Achse beginnen. Versuchen Sie aus Holz solche keltischen Steine zu schnitzen, um hinter das Geheimnis dieser aufsässigen Kelten zu kommen. Woher kommen diese Eigenschaften?

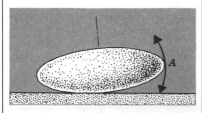

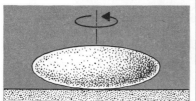

Bild 2.72b Ein ursprünglich auf- und abschaukelnder Stein beginnt zu kreisen.

2.73

Ein Kreisel steht kopf

Es gibt eine Art Kreisel, die mich ungeheuer fasziniert: Dieser Kreisel hat die Form einer Kugel, von der ein Teil abgeschnitten wurde, und in der Mitte der Schnittfläche sitzt ein Stiel (Bild 2.73). Versetzt man den auf seiner runden Seite stehenden Kreisel in eine Drehbewegung, springt er ganz schnell auf, dreht sich und kreiselt kopfüber weiter. Wie ist das möglich? Welche Kraft dreht den Kreisel um? Ist es nicht einfach widersinnig, sich vorzustellen, der rotierende Kreisel hätte in der Endlage eine größere Stabilität als in der Anfangslage? Dasselbe Verhalten zeigen Ringe mit glattem Stein. Rugbybälle und hartgekochte Eier richten sich auch von selbst auf ihre Spitze auf, wenn sie sich nur schnell genug drehen.

Bild 2.73

Gravitation

2.74 bis 2.79

Kinetische und potentielle Energie	
Schwerkraft	
Kreisbahnen	2.74 bis 2.79
Drehmoment	
Trägheitsmoment	

2.74

Eine Seite des Mondes

Warum sehen wir immer nur eine Seite des Mondes? Der Mond dreht sich während einer Erdumkreisung nur einmal um seine eigene Achse und zeigt uns so immer dasselbe Gesicht. Ist das ein Zufall?

2.75

Beobachtungssatelliten über Moskau

Die Amerikaner möchten immer gerne wissen, was die Russen tun, deshalb starteten sie Beobachtungssatelliten. Am liebsten hätten sie eine Satellitenstation über Moskau, die rund um die Uhr Informationen liefert. Warum ist das nicht möglich? Warum verwenden sie dagegen eine Reihe von Satelliten, deren Verweilzeiten über Moskau sich überschneiden?

2.76

Eine Achterbahn zum Mond

Eine Mondrakete beschreibt bei ihrem Flug Erde – Mond – Erde eine Schleife in Form einer 8

(Bild 2.76), keine Ellipse. Braucht sie dafür weniger Energie?

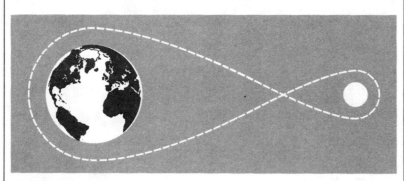

Bild 2.76

2.79

Luftwiderstand erhöht die Satellitengeschwindigkeit

Künstliche Satelliten umkreisen die Erde nicht ewig. Vielleicht holt die Erdatmosphäre, so dünn wie sie dort oben wohl sein mag, die Satelliten wieder herunter. Aber wußten Sie schon, daß durch den Luftwiderstand die Bahngeschwindigkeit eines Satelliten, der sich auf einem nahezu kreisförmigen Orbit befindet, erhöht wird? Die Satelliten erfahren eine Vorwärtsbeschleunigung auf ihrer Flugbahn. Dafür steht etwa genauso viel Energie zur Verfügung wie durch den Luftwiderstand verbraucht worden ist. Wie ist das möglich?

2.77

Erde und Sonne streiten sich um den Mond

Wie stark ist die Anziehungskraft der Sonne auf den Mond, verglichen mit der Anziehungskraft der Erde? Nun, da der Mond so nahe an der Erde bleibt, zieht sie wohl doch stärker? Nur schade, daß es nicht stimmt! Die Anziehungskraft der Sonne auf den Mond ist etwas mehr als doppelt so groß wie die der Erde. Warum kann er uns trotzdem nicht verlorengehen?

2.78

Der indische Kartentrick

Ich habe einmal gelesen, es wäre schwierig, in Indien genaue Vermessungen durchzuführen, denn die dabei verwendeten Lote würden alle nordwärts zum Himalaja gezogen und nicht senkrecht zum Erdmittelpunkt zeigen. Ist das wahr? Wie groß, glauben Sie, ist der Ablenkungseffekt, und ist er bedeutend genug, groß angelegte Vermessungen zu beeinflussen?

3
Fieberphantasien
und andere Alpträume
der Nacht

Druck

3.1 bis 3.9

Partialdruck

Atmosphärischer und Wasserdruck

Boylesches Gesetz

3.1

Die gutgebaute Stewardess

Los Angeles (AP) — Was passiert einer Stewardess, die einen BH mit Luftpolster trägt, wenn im Flugzeug der Druck plötzlich absinkt? Genau das, was Sie denken. Sie bekommt die Oberweite einer Sexbombe.

Matt Weinstock, Reporter der Los Angeles Times, berichtete letzten Freitag darüber. Diese beiden Voraussetzungen waren kürzlich bei einem Flug nach Los Angeles gegeben. Höflicherweise wahrte er die Identität der jungen Dame und der Fluggesellschaft. „Als ihr Brustumfang etwa Größe 46 erreicht hatte", schrieb Weinstock, „suchte sie verzweifelt nach einer Lösung. Bei einer Frau unter den Passagieren entdeckte sie eine Hutnadel, nahm sie an sich und stach sich damit in die Brust.

Ein anderer Passagier jedoch, der sie dabei beobachtete, deutete dies falsch. Er dachte, sie wolle auf besonders grausame Art Harakiri begehen. Er rang mit ihr, um sie von ihrem Vorhaben, sich selbst zu entleiben, abzubringen. Sehr bald schon war die Sache aufgeklärt, doch bei den Fluggesellschaften lacht man heute noch darüber." Weinstock sagt, es beruhe alles auf Wahrheit. Gott sei Dank gibt es keine stichfesten BHs. Soweit Associated Press.

Wie, glauben Sie, hängt die Oberweite der Stewardess von der Flughöhe ab?

3.2

Backe, backe Kuchen . . .

Warum müssen Sie das Rezept für einen Kuchen ändern, wenn Sie an einem höher als 1200 m gelegenen Ort backen wollen? Hier müssen Sie mehr Mehl, mehr Flüssigkeit und eine höhere Backtemperatur verwenden. Warum?

Feuchtigkeit

3.3

Das Wetterhäuschen

Zu den wertvollsten Besitztümern meiner Großmutter gehört ein Schweizer Wetterhäuschen. Bei fallendem Luftdruck kommt ein kleiner Mann heraus, um vor einem aufkommenden Sturm zu warnen, bei schönem Wetter kommt eine kleine Frau. Wie funktioniert dieses Wetterhäuschen, und kann es tatsächlich den Luftdruck messen? Im Badezimmer, habe ich festgestellt, zeigt es viel öfter schlechtes Wetter an. Herrschen hier tropische Witterungsverhältnisse?

3.4

Brunnen und Stürme

Ältere Leute vom Land behaupten, daß ihre Wasserpumpe während eines Sturms leichter zu bedienen sei, das Brunnenwasser dann aber auch stärker verunreinigt ist. Sie sagen, daß es dabei keine Rolle spielt, ob der Sturm Regen bringt oder nicht.
Man spricht auch davon, daß artesische Brunnen während eines Sturmes mit oder ohne Regen mehr Wasser liefern als sonst. Warum sollten diese Brunnen auf den Sturm reagieren? Wäre es möglich, eine normal fließende Quelle durch Überdruck zum Versiegen zu bringen?

Elastizität

Oberflächenspannung

3.5

Ein Ballon bläst den anderen auf

Blasen Sie zwei gleiche Luftballons auf, den einen etwas mehr als den anderen. Achten Sie darauf, daß keine Luft entweicht, bis Sie die beiden durch ein Röhrchen miteinander verbunden haben (Bild 3.5). Was passiert nun? Wird der

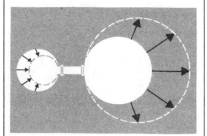

Bild 3.5

kleinere auf Kosten des größeren zunehmen? Gefühlsmäßig möchte man das bejahen, tatsächlich aber ist das Gegenteil der Fall: der kleinere Ballon schrumpft und der größere dehnt sich aus. Warum? Dasselbe kann man bei Seifenblasen beobachten.

3.7

Schnelles Auftauchen in Notlagen

Stellen Sie sich vor, Sie tauchen gerade ohne Atemgerät in einer Tiefe von etwa 30 m und müßten nun schnell auftauchen. Der Luftvorrat in ihrer Lunge muß Ihnen bis zur Wasseroberfläche reichen, sonst müssen Sie sterben. Wie verhalten Sie sich? Dies ist keine rein theoretische Frage, U-Boot-besatzungen werden darauf trainiert! Lassen Sie die Luft beim Aufsteigen gleichmäßig entweichen oder behalten Sie sie in der Lunge? Auch wenn es Ihnen unvernünftig vorkommt, ist es besser, die Luft auszuatmen. Anfänger beim Tauchen sind beim Üben in einem Schwimmbecken gelegentlich schon ums Leben gekommen, wenn sie das Ausatmen vergessen haben. Warum?

Man sagt, das Verlangen nach frischer Luft kommt vom Partialdruck des Kohlendioxids in der Lunge, nicht von seinem Volumen. Untersuchungen haben ergeben, daß der gefährlichste und kritischste Moment irgendwo in der Mitte des Aufstiegsweges liegt, nicht kurz vor der Oberfläche. Hat man den kritischen Punkt überwunden, wird das Verlangen nach frischer Luft erheblich nachlassen. Wie kommt das? In welcher Tiefe liegt der kritische Punkt? Wie schnell sollte man nach oben schwimmen? Kann man auch zu schnell schwimmen? Wenn ja, welche Geschwindigkeit ist dann angebracht?

3.6

Gefahren des Alkohols

Als ein Tunnelbau unter der Themse in London seiner Vollendung entgegenging, nahmen die örtlichen Politiker den Durchstich zum Anlaß, dort unten eine kleine Feier abzuhalten. Doch der Sekt, den sie mitgenommen hatten, schmeckte schal und war ohne Leben. Sobald sie jedoch zur Erdoberfläche zurückgekehrt waren, „gurgelte der Wein in ihren Bäuchen, dehnte ihre Jacken und schäumte aus ihren Ohren (Bild 3.6). Einer der Honoratioren mußte schnell in die Tiefe zurückgebracht werden, um den Sekt wieder zu beruhigen,"* berichtete ein Zeitgenosse. Was war im Innern der Politiker vor sich gegangen?

* T.C. Loose, J. Chem. Ed. 48, 154 (1971)

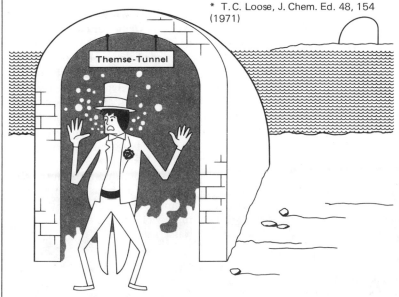

Bild 3.6 Gefahren des Alkohols in großer Tiefe.

3.8

Zugige Höhlen

Man nimmt allgemein an, daß Höhlen mit abgestandener Luft gefüllt sind. Manche sind es, es gibt aber auch andere, an deren Eingang immer ein Luftzug deutlich zu spüren ist. Noch erstaunlicher sind die „atmenden" Höhlen, bei denen die Luft ein- und ausströmt. Was treibt die Luft hin und her?

3.9

Zeitplan für das Auftauchen

Beim Auftauchen aus großer Tiefe besteht immer die Gefahr des „Tiefenrausches"; aus dem im Körpergewebe enthaltenen Stickstoff bilden sich kleine Bläschen. Dies ist nicht nur sehr schmerzhaft, es kann auch zu Lähmungen oder gar zum Tod führen. Deshalb muß der Aufstieg so langsam vor sich gehen, daß der Stickstoff ohne Blasenbildung abgegeben werden kann. Sie haben es sicher schon im Film gesehen: Der Taucher legt beim Aufstieg immer wieder eine Pause ein. Wo, glauben

Sie, muß der längste Aufenthalt sein: kurz vor der Wasseroberfläche, wo schon fast normaler Luftdruck herrscht, oder tief unten oder mehr in der Mitte? Die erste Möglichkeit wollte ich gleich ausschließen, doch der Zeitplan für die Dekompression in Bild 3.9 zeigt meinen Irrtum: Gerade hier muß der Taucher die längste Pause einlegen. Warum muß das so sein? Wie tief kann man tauchen, ohne beim Aufsteigen Pausen einlegen zu müssen?

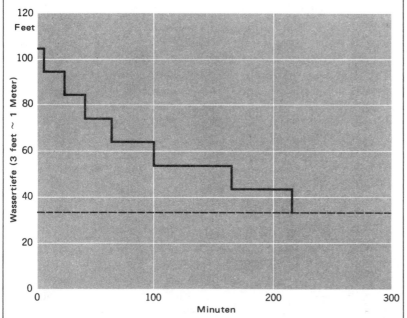

Bild 3.9 Zeitplan der Dekompression, empfohlen von der US. Navy für einen einstündigen Tauchvorgang bei 60 m Tiefe. Die gestrichelte Linie zeigt den Normaldruck auf Meereshöhe. [Nach H. Schenck Jr., Am. J. Phys. 21, 277 (1953)]

Wärmeausdehnung

3.10 bis 3.15

3.10

Heißes Wasser, das sich selbst abdreht

Drehe ich bei meinem Waschbecken das heiße Wasser auf, wird der Strahl ganz von alleine langsam dünner, manchmal versiegt er ganz. Das kalte Wasser macht das nicht, warum ist nur das heiße Wasser so unfolgsam? Und warum wird der Heißwasserstrahl nur beim ersten Aufdrehen dünner und nicht, wenn ich den Hahn kurz darauf wieder aufdrehe?

3.11

Platzende Rohre

Warum platzen Wasserrohre im Winter? Wenn nur das Wasser an der Rohrwand gefriert, kann es für das Rohr keine besondere Belastung sein und es dürfte dadurch doch nicht zerspringen. Außerdem platzt es meist an einer ganz anderen Stelle, nicht da, wo das Wasser eingefroren ist. Warum also platzt es dann? Ist es gut, eine Außenleitung den ganzen Winter mit ganz schwachem Strahl laufen zu lassen, wie es manche Leute tun? Stimmt es auch, daß Heißwasserrohre viel öfter platzen als Kaltwasserrohre?

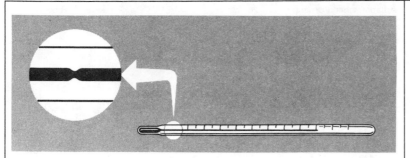

Bild 3.12

3.12

Fieberthermometer

Beim Fiebermessen wird das Quecksilber durch die Wärme Ihres Mundes ausgedehnt. Warum geht der Quecksilberfaden nicht sofort wieder zurück, sobald Sie das Thermometer aus dem Mund nehmen? Eine Verengung des Glasröhrchens verhindert das (Bild 3.12). Aber warum? Bei der Ausdehnung konnte das Quecksilber doch auch durch die Verengung kommen!

Bringt man das Thermometer in heißes Wasser, wird der Quecksilberfaden kurz absinken. Warum? (Vorsicht, bei Überhitzung kann das Thermometer leicht platzen.)

3.13

Erwärmen eines Gummibandes

Dehnen Sie einen unaufgeblasenen Luftballon und berühren damit Ihr Gesicht. Er fühlt sich warm an. Lassen Sie ihn dann zu seiner normalen Größe zusammenschrumpfen. Jetzt fühlt er sich kalt an. Warum?
Ein erwärmtes Gummiband zieht sich zusammen. Metalle verhalten sich genau umgekehrt. Warum? Welche Strukturunterschiede sind vorhanden? Bild 3.13 zeigt eine Gummibandmaschine, die auf dieser Eigenschaft aufbaut. Die Radspeichen sind aus Gummi und ziehen sich bei Erwärmung zusammen. Durch die Verlagerung des Schwerpunkts beginnt sich das Rad zu drehen.

Bild 3.13 Eine Gummibandmaschine arbeitet durch Erwärmung. [Mit besonderer Genehmigung entnommen aus: Feynman u.a., Feynman Vorlesungen über Physik, Bd. I, Tl. 2, Bilingua-Ausgabe: 1974. Addison-Wesley, Reading, Mass. u. R. Oldenbourg, München–Wien.]

3.14

Geschwindigkeit der Uhrzeiger

Sie alle wissen, daß Metalle sich bei Erwärmung ausdehnen. Auch die Feder einer Uhr ist aus Metall. Sollte man nicht vermuten, daß eine Uhr bei warmem und kaltem Wetter verschieden schnell läuft?

Auftrieb

Nichtlineare Schwingungen

3.15

Schwingungen in einem U-Rohr

Erwärmen und kühlen Sie ein wassergefülltes U-Rohr wie in Bild 3.15, so wird das Wasser von einer Seite zur anderen zu schwingen beginnen. (An den offenen Enden des U-Rohrs befinden sich zwei gleiche Behälter, deren Grund-

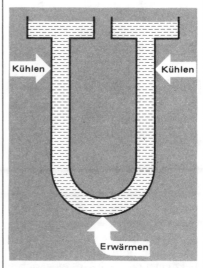

Bild 3.15 Das Wasser beginnt zu schwingen, wenn das Rohr an den bezeichneten Stellen erwärmt und gekühlt wird. [Nach P. Welander, Tellus 9, 419 (1957)]

fläche eine bestimmte Größe haben muß.) Der Höhenunterschied der beiden Wasserspiegel kann bis zu einem Millimeter betragen und die Dauer einer Schwingung liegt zwischen 20 Sekunden und 4 Stunden, abhängig vom Rohrquerschnitt. Die Symmetrie des Aufbaus läßt das Hin- und Herschwingen des Wassers unglaubhaft erscheinen. Was bringt das Wasser zum Schwingen und was bestimmt die Schwingungsdauer?

3.16

Fahrradpumpe

Warum wird das Ventil an der Fahrradpumpe und am Schlauch beim Aufpumpen heiß? Kommt das von der Reibung der Luft, die durch das Ventil gepreßt wird? Nun vielleicht — doch wenn Sie Ihren Schlauch mit Druckluft aufpumpen, wird das Ventil normalerweise nicht heiß.

Kondensation

3.17

Vegetation auf Hügeln

Warum findet man in den Vereinigten Staaten oft üppigere Vegetation auf den Westhängen der Hügel und Berge als auf den Osthängen? Es gibt sogar Extremfälle, bei denen die nach Westen gerichtete Hangseite üppig bewachsen, während die nach Osten gerichtete fast ganz kahl ist.

3.18

Föhn macht krank

Der Chinook, der amerikanische Bruder des Föhns, ist ein warmer, trockener Wind, der von den Rocky Mountains in die Ebene herunterbläst. Denver z. B. gehört zu den Orten, die er gerne heimsucht (Bild 3.18). Er kann bis zu 28 °C wärmer sein als die Umgebung und eine Geschwindigkeit bis zu 150 km/h erreichen. Seltsam erscheint es uns, wie ein warmer Wind von einem kalten Gebirge kommen kann! Außerdem steigt warme Luft doch nach oben, nicht wahr? Eine Legende berichtet, die Wärme käme von den Seelen der Indianer, die in den Bergen beerdigt sind.
Unter dem Chinook hat nicht nur Denver zu leiden. In den Alpen nennt man ihn Föhn, in Ceylon Kachchan, in Südafrika Bergwind, in Südkalifornien Santa Ana usw. All diesen Winden ist die Wärme und die Trockenheit gemeinsam. Noch einen ganz anderen Charakterzug haben sie gemeinsam: man sagt, daß dieser Wind Mensch und Tier verrückt macht. Wenn er kommt, steigt die Zahl der Verbrechen, Mord und Totschlag nehmen zu, Verkehrsunfälle häufen sich, ja die Menschen verhalten sich einfach unnatürlich. Ist das wahr oder nur ein Ammenmärchen? Wie kann ein warmer, trockener Wind das Gemüt eines Menschen beeinflussen? Gibt es irgendeinen physikalischen Grund für dieses seltsame Verhalten?

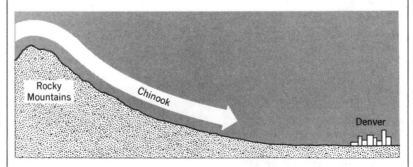

Bild 3.18 Der Chinook bläst von den Rocky Mountains.

3.19

Der Geist aus der Flasche

Haben Sie schon einmal den dünnen Nebel beobachtet, der sich an der Öffnung einer gekühlten Sektoder Sprudelflasche bildet, gleich nachdem sie geöffnet wurde (Bild 3.19)? Woher kommt dieser Nebel?

Bild 3.19 Nebelschleier über einer ge kühlten Sektflasche gleich nach dem Öffnen.

3.20

Kühlung durch Wind in einem offenen Wagen

Müssen Sie an einem heißen Tag autofahren, können Sie sich glücklich preisen, wenn Sie ein Kabriolett besitzen. Mit einem frischen Wind im Auto fühlen Sie die Hitze nicht so sehr, auch wenn das Thermometer dieselbe Temperatur anzeigt. Versuchen Sie es einmal! Legen Sie ein Thermometer auf den Rücksitz Ihres Wagens und messen Sie, einmal beim Parken und einmal beim Fahren. Wahrscheinlich werden Sie feststellen, daß die Temperatur beim Fahren nur um ein halbes Grad tiefer liegt. Warum?

Strahlungsabsorption

3.21

Das Tal des Todes

Das Death Valley in Kalifornien, allen Karl-May-Freunden wohl bekannt, ist sowohl der tiefstgelegene Punkt auf dem amerikanischen Kontinent als auch der heißeste Ort der ganzen Welt. Temperaturen um 50 °C während mehrerer Tage sind dort keine Seltenheit, es wurden auch schon 60 °C gemessen. Ist es, physikalisch betrachtet, nicht falsch, daß es in einer so tief liegenden Gegend so heiß ist? Die warme Luft steigt doch auf, die kalte Luft sinkt ab und das Tal ist von hohen, kalten Bergen umgeben; sollte unter diesen Voraussetzungen das Tal nicht ein relativ kühler Platz sein?

Kondensation	3.22; 3.23
Latente Wärme	
Strahlung	

3.22

Es ist kalt auf dem Gipfel eines Berges

Warum ist es kalt auf dem Gipfel eines Berges? Ist die Erwärmung durch die Sonne pro Flächeneinheit nicht ungefähr dieselbe wie die auf Meereshöhe? Und sinkt kalte Luft nicht nach unten?

Auftrieb	3.23 bis 3.25

3.23

Teils heiter, teils bewölkt

Was hält eine Wolke zusammen? Oder wie ist es möglich, daß an manchen Tagen ein Teil des Himmels bewölkt ist und an anderen wolkenlos? Wäre eine gleichmäßige Wolkenverteilung über den ganzen Himmel nicht besser vorstellbar?

3.24

Pilzwolke

Wieso bildet sich nach einer Kernexplosion oder einer anderen großen Explosion eine Wolke in Form eines Pilzes?

Wolkenbildung	
Stabilität	

3.25

Löcherbildung in Wolken

Gelegentlich werden geheimnisvolle, kreisförmige Löcher in geschlossenen Wolkenwänden beobachtet. Die Vermutung geht dahin, daß diese meist sehr großen Löcher nicht durch eine zufällige Anordnung der Wolken entstehen. Über ihre Ursache gibt es vielerlei Meinungen; sie reichen von einem verglühten Meteor bis zur zufälligen oder künstlich erzeugten Verteilung von Kondensationskernen in der Atmosphäre. Könnte eine dieser Erklärungen zutreffen?

3.26

Wolken im Gebirge

Haben Sie sich einmal längere Zeit im Gebirge aufgehalten? Haben Sie auch bemerkt, daß es Berggipfel gibt, über denen immer eine Wolke steht? Die Form der Wolken ist verschieden (Bild 3.26a). Wie kommt es zu dieser Formgebung? Viel komplizierter noch ist die Entstehung von Wolken, die wellenförmig an einem Berggipfel vorüberziehen (Bild 3.26b). Wodurch wird die räumliche Aufeinanderfolge der Wolken bestimmt?

a)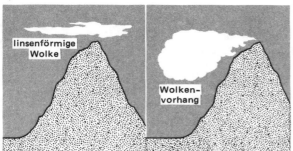

b)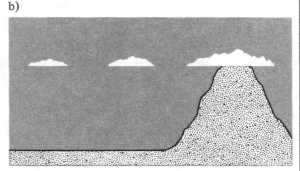

Bild 3.26 Wolkenformation an Berggipfeln.

Schockwelle		Absorption
Wolkenbildung		Auftrieb
		Verdunstung

3.27

Kugelförmige Wolke bei der Explosion einer A-Bombe

Unter Umständen wird die Druckwelle einer Kernexplosion von einer dünnen, kugelförmigen Wolke begleitet (Bild 3.27). Was verursacht diese Wolke? Wie schnell breitet sie sich aus? Kann sie die bei der Explosion erzeugte Strahlung bedeutend verringern?

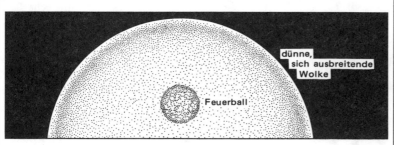

Bild 3.27

3.28

Verbrennt die Sonne Wolken?

Wenn man an einem frühen Sommermorgen tiefhängende Wolken sehen konnte, sagte meine Großmutter immer, die Sonne würde sie „verbrennen" und der Tag noch schön werden. Da sie tatsächlich dann oft im Laufe des Vormittags verschwanden, glaubte ich felsenfest daran. Hatte das von den Wolken aufgenommene Sonnenlicht wirklich „die Wolken verbrannt"?

3.29

Mammawolken

Wie entsteht eine besondere Formation von Haufenwolken, die man „Mammawolken" (Mammato-Kumulus) nennt, da ihre Form an die Brüste einer Frau erinnert (Bild 3.29)? Woher kommen die hellen Einschnitte zwischen den einzelnen Wolkenhaufen?

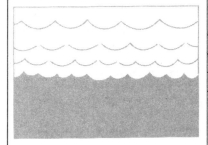

Bild 3.29 Mammawolken

3.30

Die Ursache des Nebels

Im letzten Jahrzehnt ist die Intensität des Londoner Nebels zurückgegangen. Man begründet dies mit dem Rückgang der Anzahl der offenen Kamine. Was haben die offenen Kamine mit dem Nebel zu tun? Ja, wie entsteht der Nebel überhaupt?

3.31

Atemhauch

Warum schlägt sich Ihr Atem an einem kalten Wintertag an einer Fensterscheibe nieder? Oder genauer gesagt, was veranlaßt die Wassermoleküle, sich in einem Tropfen zu sammeln? Die Tropfenbildung beginnt immer an bestimmten Stellen der Scheibe. Was haben diese Stellen so besonderes an sich?
Warum bilden sich unter einer heißen Toastscheibe Wassertröpfchen auf der Unterlage?

3.33

Salzwasserblasen

Warum entstehen mehr Blasen, wenn Sie Salzwasser in Salzwasser schütten, als wenn Sie Süßwasser in Süßwasser schütten?

3.32

Kondensstreifen

Warum bilden sich hinter Flugzeugen oft Kondensstreifen? Und warum nicht immer? Wenn Sie genau hinschauen, können Sie feststellen, daß ein Kondensstreifen aus zwei oder mehreren Strahlen besteht, die sich nach einiger Zeit ausbreiten und ineinander übergehen. Warum gibt es zunächst mehrere Strahlen? Wie entsteht der genau begrenzte Zwischenraum zwischen dem Flugzeug und dem Anfang des Kondensstreifens?

Der Streifen lockert sich immer mehr auf und sieht schließlich aus wie Perlen auf einer Schnur (Bild 3.32)!
Ein Glücksfall ist es, wenn Sie außer dem Kondensstreifen auch noch seinen Schatten auf den tiefer liegenden Wolken sehen können. Noch interessanter ist die dunkle Linie, die ein durch eine Wolke fliegendes Flugzeug zurückläßt. Wie entsteht eine solche Spur?

Bild 3.32 Seitenansicht eines Kondensstreifens.

3.34

Zug eines Kamins

Bei einem guten Kamin steigt der Rauch durch den Schornstein auf und zieht nicht ins Zimmer, auch wenn das Feuer nicht direkt unter der Schornsteinöffnung brennt. Woher kommt dieser Zug und warum ist er desto besser, je höher der Schornstein ist? Warum ist er an einem windigen Tag größer als an einem windstillen? Und schließlich, warum pufft der Rauch aus manchen Schornsteinen (Bild 3.34)?

Bild 3.34 Puffender Schornstein

3.35

Lagerfeuer

In einigen Gemeinden ist es noch erlaubt, ein Feuer im Freien anzuzünden, jedoch nicht während des Tages. Worin besteht der Unterschied, ein Feuer am Tag oder am Abend abzubrennen?

Peters Warmluft

Pet Warm

Hauptsache, man hat was in der Hand

[Mit Genehm. John Hart: „Field Enterprises"]

Turbulenz

3.36

Zigarettenrauch

Warum bildet der Rauch einer Zigarette plötzlich Wirbel, nachdem er einige Zentimeter ruhig senkrecht aufgestiegen ist (Bild 3.36)?

Bild 3.36

3.37

Rauchender Schornstein

Würden Sie nicht vermuten, daß der Rauch aus einem Fabrikschornstein normalerweise senkrecht oder bei Wind schräg aufsteigt? Man sieht jedoch oft Formen des Rauches wie in Bild 3.37a bei gleichmäßigem Wind aus einer Richtung. Wie kommt es zu diesen Formen? Manchmal bildet die Rauchfahne eine nahezu regelmäßige Wellenlinie, wie das letzte Bild von 3.37a zeigt. Warum teilt sich manchmal die Rauchfahne, wenn sie vom Wind zur Seite und nach unten gedrückt wird?

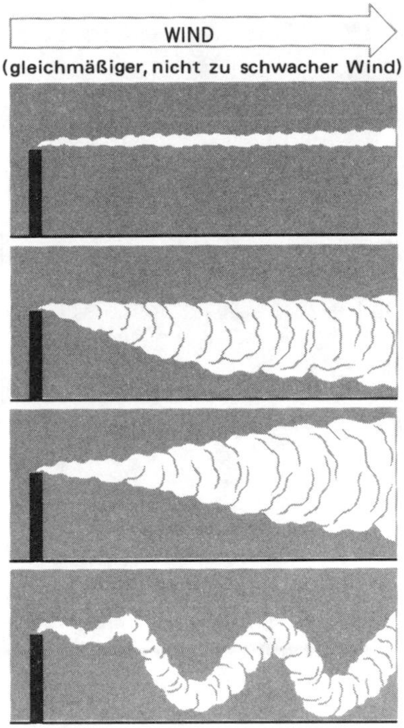

WIND
(gleichmäßiger, nicht zu schwacher Wind)

Bild 3.37a
[Nach Bierly u. Hewson, J. Appl. Meteorology, 1, 383 (1962), mit Genehm. d. Autoren u. d. Am. Meteorol. Soc.]

Bild 3.37b Draufsicht
Eine geteilte Rauchfahne.

3.39

Gefrierendes Wasser

Warum gefriert das Wasser normalerweise bei 0 °C? Was ist das Besondere an dieser Temperatur? Unter gewissen Voraussetzungen kann Wasser auch bei Temperaturen unter 0 °C noch flüssig bleiben; z. B. hat man in Wolken Wassertropfen von -30 °C entdeckt! Wie bekommt man solch unterkühltes Wasser?
Kann Eis über 0 °C erwärmt werden ohne zu schmelzen?

3.40

Gefrierendes warmes und kaltes Wasser

In kalten Ländern wie Kanada und Island weiß man, daß Wasser schneller gefriert, wenn es vorher heiß war. Das kommt Ihnen verrückt vor, nicht wahr? Aber es ist wirklich kein Märchen, auch Francis Bacon* fiel es schon auf. Machen Sie einen Versuch und stellen Sie zwei Gefäße mit heißem und kaltem Wasser bei Frost nach draußen oder einfach in Ihren Tiefkühlschrank. Wenn dieser Versuch mir recht gibt, erklären Sie bitte warum.

* engl. Staatsmann und Naturforscher (1561–1626)

3.38

Schattierungen im Eis

Wenn Sie in kalten Gegenden, z. B. in Nordalaska, zu einem entfernten, eisbedeckten See oder Fluß blicken, dessen Eis im Spätfrühling zu schmelzen beginnt, können Sie große dunkle Flecken auf der sonst weißen Fläche beobachten. Bei einem Gang über das Eis werden Sie sehr bald feststellen, daß das Eis an den dunklen Flecken weicher ist und Sie gut daran tun, es zu umgehen. Warum gibt es helles und dunkles Eis und warum ist das dunkle weicher?

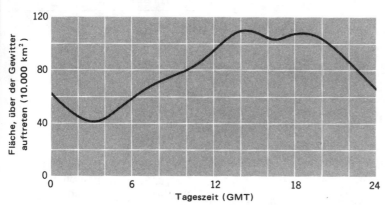

Bild 3.41
[Nach J. D. Malan, Physics of Lightning, Engl. Univ. Press, Ltd.]

3.41

Gewitter

Die zeitliche Verteilung der Gewitteraktivitäten auf der ganzen Welt zeigt ein Maximum zwischen 13 und 19 Uhr und ein Minimum etwa bei 4 Uhr Greenwich-Zeit (Bild 3.41). Mit anderen Worten, in der Zeit von 13 bis 19 Uhr (in London) gibt es die meisten Gewitter. Ist hier eine Zeitabhängigkeit denkbar? Und gibt es physikalische Gründe dafür?

Wärmeleitfähigkeit

3.42

Von der Kälte gefangen

Berühren Sie ein kaltes Stück Metall, z. B. den Eiswürfelbehälter, der frisch aus dem Eisfach kommt, wird Ihre Hand am Metall haften bleiben. Vorsicht bei diesem Versuch! Sie können sich dabei die Haut von den Fingern reißen! In einem solchen Fall sollten Sie Ihre Hand mit dem Eisbehälter sofort unter fließendes Wasser halten. Auch nicht zu empfehlen ist es, an dem Metall zu lecken, die Zunge ist noch viel empfindlicher als Ihre Finger! Warum bleiben Ihre Finger an dem Eisbehälter hängen? Und wie kalt muß in diesem Fall das Metall sein?

Latente Wärme

3.43

Eis einwickeln

Eis bleibt länger gefroren, wenn man es in einem feuchten Stück Papier aufbewahrt. Warum?

Temperaturabhängige Änderung der Dichte

Konvektion

Wärmeisolation

3.44

Gefrorenes

Warum gefriert bei einem See zunächst nur die Oberfläche, während er nur bei ganz großer Kälte bis zum Boden durchfriert? Es gibt dafür mehrere Gründe. Wenn es nicht so wäre, gäbe es Süßwasserfische nur in den Tropen. Speicherseen, die der Wasserversorgung dienen, können auf einfache Art eisfrei gehalten werden. Auf den Grund des Sees werden Rohre gelegt mit kleinen Öffnungen, durch die Luft gepumpt wird. Ist die Oberfläche schon gefroren, können die aufsteigenden Luftblasen sogar das Eis zum Schmelzen bringen, wenn es auch einige Tage dauern kann. Wie können die Blasen den See oder auch einen Fluß vom Eis befreien?

Leitfähigkeit

Zustandsänderung

3.45

Skifahren

Wie können Skier über den Schnee gleiten? Geht es genauso, wie beim Eislauf? Könnte man auch auf anderen gefrorenen Substanzen Ski laufen oder ist Schnee bzw. Eis einmalig? Kann es so kalt werden, daß man nicht mehr Ski laufen kann? Warum wachst man Skier? Und warum gleiten Kunststoffski sehr viel besser als Metallski?

3.46

Eislauf

Warum gleiten Ihre Schlittschuhe beim Eislaufen auf der Eisoberfläche entlang? Erklären Sie wenn möglich die physikalischen Vorgänge an anderen Beispielen. Bekanntlich kann es für den Eislauf zu warm werden. Kann es auch zu kalt werden?

Ist das Eis in sehr kalten Gegenden, z. B. in Grönland, besonders glatt? Könnten Sie genauso gut auf anderen gefrorenen Materialien Schlittschuh laufen, z. B. auf Trockeneis? Würden Sie einen Weg über glattes Eis oder über rauhes Eis vorziehen, wenn Sie schon über Eis gehen müßten? Welches Eis ist gefährlicher?

3.48

Schneeballschlacht

Warum kann man bei sehr niedrigen Temperaturen keine Schneebälle machen? Was hält einen Schneeball überhaupt zusammen? Welches ist ungefähr die niedrigste Temperatur, bei der Sie gerade noch einen Schneeball machen können?

3.47

Schneelawinen

Wie können ein plötzlicher Temperaturanstieg oder eine Erschütterung eine Lawine auslösen? Ja, der Schatten eines Skifahrers soll das schon einmal bewirkt haben! Warum lösen sich viele Lawinen bei Sonnenuntergang, wenn es da doch eher kühler als wärmer wird? Eine Trockenschneelawine treibt eine riesige Wolke von Schneeteilchen vor sich her.

Die Lawine kann den Berghang mit einer Geschwindigkeit bis zu 300 Stundenkilometern herabdonnern und dabei riesige Bäume und Stahlbrücken zerstören. Jetzt erzähle ich Ihnen eine Geschichte, die Sie glauben können oder nicht. Ein Skifahrer wurde von einer Lawine erfaßt (Bild 3.47), die mit solcher Wucht bis zum gegenüberlie-

genden Hang donnerte, daß die mitgerissene Luft zusammengedrückt und erwärmt wurde und dabei Schnee zum Schmelzen brachte. Nach einigen Minuten jedoch war der Schnee bzw. das Wasser wieder gefroren, und die Rettungsmannschaft mußte den Mann aus dem Eis sägen.

Bild 3.47

3.49

Hilfe bei Glatteis

Streusplit, Sand und die jetzt nicht mehr zugelassenen Spikes-Reifen sollen das Fahrverhalten von Autos bei Glatteis verbessern. Wie ist das möglich? Bei Temperaturen unter ca. −20 °C wirken diese Hilfsmittel nicht mehr. Warum nicht?

Gefrierpunkt

3.50

Salzen von Eis

Zu Großmutters Zeiten war die Zubereitung von Speiseeis gar nicht so einfach: Ein großer Behälter wurde mit Eisbrocken gefüllt und diese wurden mit viel Salz bestreut. In die Mitte kam das Rührgefäß mit dem Speiseeis. Was sollte das Salz bewirken? Und warum wird Salz auf vereiste Straßen gestreut? Beide Fragen werden Sie vermutlich so beantworten: „Um den Gefrierpunkt herabzusetzen!" Ja, aber wie? An sehr kalten Tagen wird das Salz die Straßenverhältnisse nicht verbessern können. Wie kalt darf es höchstens sein, damit das Salzstreuen einen Sinn hat? Bei welchen Temperaturen gefriert Salzwasser?

3.51

Frostschutzmittel

Warum gefriert eine Mischung von Frostschutzmittel und Wasser erst bei einer tieferen Temperatur als reines Wasser? Wie kann das Frostschutzmittel auch vor Überhitzung des Kühlwassers im Sommer schützen? Warum füllt man nicht den ganzen Kühler mit dem Gefrierschutzmittel, wenn es doch so gut ist, und läßt das Wasser ganz weg? (Die meisten Hersteller von Frostschutzmitteln empfehlen einen Wasseranteil von mindestens 50%.)

Latente Wärme

3.52

Frösteln

Warum fröstelt man, wenn man naß aus dem Bad steigt? Versuchen Sie, den Wärmeverlust abzuschätzen!
Warum werden Kranke manchmal

mit Methylalkohol eingerieben, um sie zu beruhigen? Warum nicht einfach mit Wasser?
Wenn wir in meiner Kinderzeit in Urlaub fuhren, befestigten wir immer einen Wassersack aus Segeltuch am vorderen Kotflügel unseres Wagens. Auch an heißen Tagen unterwegs war das Wasser in diesem Sack immer kühl. Warum? Können Sie die Temperatur abschätzen, wenn Lufttemperatur, Luftfeuchtigkeit und Geschwindigkeit des Wagens bekannt sind?

Gefrierpunkt

3.53

Einfrieren des Vergasers

An manchen Tagen friert mein Vergaser ein, auch bei Temperaturen über 0 °C, und der Motor stirbt ab. Bild 3.53 zeigt die eingefrorene Drosselklappe, die die Luftzufuhr behindert. Was verursacht dieses Einfrieren? Kommt

es eher bei trockener oder feuchter Witterung vor? Kann das Einfrieren auch bei Temperaturen unter Null vorkommen?

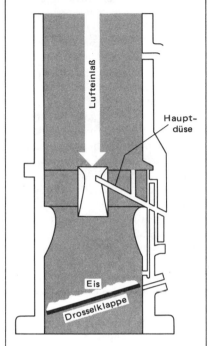

Bild 3.53 Einfrieren des Vergasers.

nigen, besonders während der etwas wärmeren Frühjahrs- und Sommermonate. Warum nimmt der Salzgehalt mit der Zeit ab und warum besonders in der wärmeren Jahreszeit, in der doch durch die gestiegene Wasserverdunstung der Salzgehalt ansteigen müßte?

3.55

Wozu ein Topfdeckel gut ist

Sie legen einen Deckel auf einen Topf mit Wasser, wenn Sie das Wasser schneller zum Kochen bringen wollen. Warum? Es geht weniger Wärme verloren, nicht wahr? Aber was bedeutet es wirklich? Werden Konvektion und Wärmeabstrahlung verringert? Hat der Deckel nicht auch die Temperatur des kochenden Wassers? Und sind nicht Strahlung und Konvektion über dem Deckel fast so groß wie über dem offenen Topf? Wenn es so ist, warum kocht das Wasser dann schneller in einem zugedeckten Topf?

3.57

Wasser rettet das Gemüse

Meine Großmutter stellt immer einen großen Topf Wasser in den Keller neben ihren Vorrat an Frischgemüse, um ihn vor Frost zu schützen. Wie kann das Vorhandensein von Wasser helfen, das Gemüse zu schützen?

3.58

Eiskeller

Bevor der Kühlschrank erfunden wurde, lagerten die Bewohner kälterer Gegenden das Wintereis in Eiskellern für den Gebrauch im Sommer. Wichtig war die richtige Lage des Kellerzugangs; er mußte nach Osten gerichtet sein, damit die Morgensonne die feuchte Luft vertreiben konnte. Hier wurde der Keller durch die Sonne etwas mehr erwärmt als bei einem Eingang auf der Nordseite. War die Feuchtigkeit störender als die zusätzliche Erwärmung? Warum?

Latente Wärme	3.54 bis 3.58
Diffusion	

3.54

Wie schmeckt Polareis?

Eskimos wissen, daß frischgefrorenes Meereseis zu salzig ist, um aufgetaut als Trinkwasser verwendet werden zu können. Dies gilt nicht für ein mehrere Jahre altes Eis. Die Eskimos ziehen deshalb große Eisblöcke aus dem Wasser ans Ufer, um die Entsalzung zu beschleu-

Konvektion

3.56

Eine Backofentür kurz öffnen

An naßkalten Tagen soll sich der Backofen schneller erwärmen, wenn man vor dem Anzünden die Tür schnell einmal auf- und zuklappt. Stimmt das? Wenn ja, versuchen Sie es zu erklären.

Wärmeleitung	
Wärmerohre	
Latente Wärme	3.59; 3.60

3.59

Bratspieß

Wie wird ein Braten schneller gar? Nun, Sie können einen Metallspieß durch das Fleisch stecken wie bei Schaschlik. Die Hitze dringt so schneller in das Brateninnere als durch das Fleisch, und der Bratvorgang wird abgekürzt. Es gibt jedoch eine Erfindung, „Sizzle Stik"* genannt, bei der der Metallspieß durch ein Metallröhrchen, in dessen Inneren sich ein Docht und etwas Wasser befinden, ersetzt wird (Bild 3.59). Hier soll die Wärmeleitfähigkeit tausendmal größer sein als bei einem massiven Metallstab, und tatsächlich wird die Garzeit um die Hälfte verringert. Aber wie? Warum ist ein hohler Spieß besser als ein normaler Spieß? Und was wird mit dem Docht und dem Wasser bezweckt?

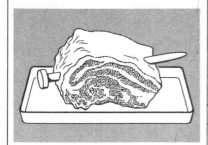

Bild 3.59 Ein „Sizzle Stik' in einem Braten.
[Nach Darstellung von „Horizon Industries"]

* Markenname eines amerikanischen Fabrikats, Horizon Ind. Lancaster, PA.

Druck und Zustandsänderung

3.60

Der höchste Berg

Warum gibt es auf der Erde keine Berge, die höher als der Mount Everest sind, vielleicht zehnmal so groß? (Der Nix Olympica auf dem Mars ist mehr als doppelt so hoch.) Gibt es eine maximale Höhe für einen Berg auf unserer Erde und wenn ja, wodurch wird sie bestimmt und wo ist die obere Grenze?

Leitfähigkeit

3.61

Fernöstliches

Ein faszinierendes Beispiel fernöstlicher Zauberkunst ist Yubana, eine kultische Handlung mit kochendem Wasser, die früher von den japanischen Schintoisten ausgeübt wurde.

„Bei Yubana nähert sich der Priester einem riesigen Kessel mit kochendem Wasser, taucht schnell zwei Bambuszweige hinein und schwingt sie hoch über sich, wobei die Wassertropfen auf seinen Kopf, seine nackten Schultern und Arme herabregnen. Sobald das Wasser das Feuer unter dem Kessel erreicht, steigen gewaltige Dampfwolken auf, die sich erst dann wieder verziehen, wenn der Kessel leer ist. Jetzt wird der Priester sichtbar, völlig unversehrt, und beweist so die Allmacht des Schinto."*

Kochendes Wasser hätte ganz gewiß die Haut des Priesters verbrüht, so mußte ein Trick dabei sein. Ist es für das Gelingen von Bedeutung, bei welcher Wassertemperatur der Priester den großen Zauber beginnt? Dieses Experiment ist jedoch zur Nachahmung nicht zu empfehlen.

* Aus: „Master Magicians" W. Gibson. Double day & Co.

Zustandsänderung
Blasenbildung
Latente Wärme

3.62

Siedepunkt des Wassers

Was bedeutet es wirklich, wenn man sagt: das Wasser kocht? Es hat den Siedepunkt erreicht, der bei einem normalen Luftdruck von 1000 mbar bei 100 °C liegt. Wie kommt man dazu, gerade diesen Punkt den Siedepunkt zu nennen?

Wie kommt es, daß man Wasser nur bis 100 °C erhitzen kann; jede weitere Wärmezufuhr erhöht die Wassertemperatur nicht mehr, sondern nur die Verdampfung. Warum kann das Wasser unter der Oberfläche auch nicht heißer werden? Gibt es eine Möglichkeit, dennoch Wasser bei normalem Druck über 100 °C zu erhitzen?

Verdampfung

3.63

Salzrückstände

Streusalz, das im Winter auf Straßen und Wege gestreut wurde, hinterläßt nach der Schneeschmelze weiße Ränder. Warum? Dasselbe in einem größeren Maßstab kann man an eingetrockneten, salzhaltigen Seen beobachten. Hier ist ein Versuch, den Sie in Ihrer Küche ausprobieren können: Bereiten Sie mit Salz und einem Glas heißen Wassers eine gesättigte Lösung und lassen Sie sie längere Zeit stehen. Dann wird das Glas innen und zum Teil auch außen mit Salz bedeckt sein. Wie kommt das Salz an die Außenseite des Glases?

Gasgesetze

Dampfdruck

Zustandsänderung

Latente Wärme

3.64

Tauchvogel

Der Tauchvogel ist wohl das bekannteste physikalische Spielzeug. Sein Körper ist aus Glas und er bewegt sich pausenlos auf und ab, so daß es aussieht, als tränke er aus einem vor ihm stehenden Wasserglas (Bild 3.64a). Die Bewegung wird angeregt durch Befeuchten seines Kopfes, danach beginnt er langsam zu schaukeln, wobei er von Zeit zu Zeit seinen Kopf ins Wasser taucht. Solange sein Kopf feucht bleibt, wird er diese Bewegung ohne weitere Energiezufuhr fortsetzen. Was hält den Vogel in Bewegung? Ist es ein perpetuum mobile? Vielleicht ist dieser Vogel d i e Lösung für das Energieproblem des nächsten Jahrhunderts. Stellen Sie sich vor, ein solcher Vogel, tausendfach vergrößert, steht an der Küste Kaliforniens, taucht seinen Kopf im-

Fell oder Federn auf dem Kopf

Wasser

Bild 3.64a Tauchvogel

merzu in das Meer und versorgt die ganze Westküste mit Energie. Das könnte zu einem Tauchvogelkult führen, bei dem wir alle Dankopfer bringen und uns jeden Morgen dreimal gemeinsam gen Westen verneigen (Bild 3.64b) — eine schöne Vision, nicht wahr? Aber, vergessen wir es lieber!

Bild 3.64b Tauchvogelanbeter

3.65

Tanzende Wassertropfen

Spritzt man Wassertropfen auf eine heiße, trockene Herdplatte, beginnen die Tropfen darauf einen wilden Tanz. Warum verdampfen sie nicht sofort? Wie kommt es zu dem übermütigen Hüpfen, bei dem sie nur leicht die heiße Oberfläche berühren? Erstaunlicherweise verdampfen die Tropfen auf einer nicht so heißen Platte schneller. Wie ist das möglich? Die huschenden Tropfen nehmen bei ihrem Tanz eine Reihe ungewöhnlicher Formen an. Mit dem bloßen Auge kann man der Bewegung nicht so rasch folgen und sieht nur das wilde Tanzen. Mit einem Stroboskop oder einer Zeitlupenkamera lassen sich die verschiedenen Schwingungsstadien feststellen. In Bild 3.65 sind einige Grundformen aufgezeichnet. Warum tanzen die Tropfen?

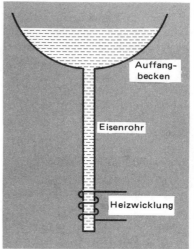

Bild 3.66 Künstlicher Geysir [Nach E. Taylor nach F. J. Boley]

3.66

Geysire

Was verursacht die Eruptionen eines Geysirs und wie kommt es, daß sie in regelmäßigen Zeitabständen auftreten, wie z. B. bei „Old Faithful", dem berühmten Geysir des Yellowstone-Nationalparks? Genügt eine gleichmäßige Wärmezufuhr aus heißem, vulkanischem Untergrund, um die Eruption auszulösen, oder muß die Energie stoßweise zugeführt werden?
Stellen Sie sich einen künstlichen Geysir vor mit gleichmäßiger Heizung wie in Bild 3.66 Wie hoch muß das Rohr sein? Wieviel Wärmeleistung müssen Sie aufbringen? Wie oft würde dann eine „Eruption" erfolgen und wie hoch würde das Wasser spritzen?

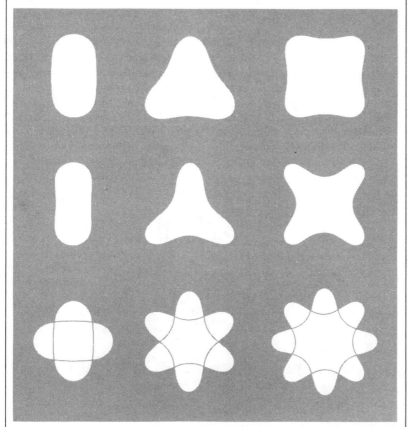

Bild 3.65 [Nach N. J. Holter u. W. R. Glasscock, J. Acoust. Soc. Amer. 24, 682 (1952)]

3.67

Kaffeemaschine

Haben Sie schon einmal eine alte Kaffeemaschine gesehen? Wissen Sie, wie sie funktioniert? Muß das Röhrchen in der Mitte einen ziemlich kleinen Durchmesser haben? Und hat das ganze Wasser Siedetemperatur, wenn das Filtern beginnt?

Latente Wärme

3.68

Dampfheizkörper

Die meisten Heizkörper bei Dampfheizungen haben zwei Rohre, ein Rohr für die Dampfzufuhr und eines für den Abfluß. Es gibt aber auch ein System, das nur mit einem Rohr arbeitet (Bild 3.68). Das ist erstaunlich, nicht wahr? Noch seltsamer ist jedoch, daß der Dampf und das abfließende Wasser in diesem einen Rohr dieselbe Temperatur haben sollen. Wie kann dann der Heizkörper überhaupt Wärme abgeben?

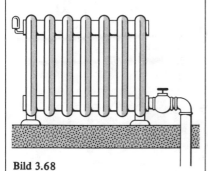

Bild 3.68

Bild 3.69

3.69

Über glühende Kohlen laufen

„Für jemanden durchs Feuer gehen" nimmt doch niemand ganz wörtlich. Man kann es aber tatsächlich immer wieder einmal auf Volksfesten und Rummelplätzen bewundern. Vor einiger Zeit hat man nun mit wissenschaftlichen Untersuchungen begonnen, um der Sache auf den Grund zu gehen. Ein Schauer läuft uns über den Rücken, wenn wir Menschen sehen, die ihre Hände kurz in geschmolzenes Metall tauchen oder ein glühendes Eisen berühren, ja sogar daran lecken können, ohne den geringsten Schaden zu nehmen. Das ist weder Teufelswerk noch Betrug. Es ist physikalisch recht gut zu erklären. Ich habe schon einmal meine Finger unbeschadet in geschmolzenes Blei getaucht, möchte es Ihnen aber doch nicht zur Nachahmung empfehlen; denn man kann sich dabei die Finger ganz schöne verbrennen! Bild 3.69 zeigt einen gutgläubigen Wissenschaftler, dem Schaden nicht erspart blieb. Stellen Sie sich einen Artisten vor, der an einem rotglühenden Eisenstab leckt. Warum verbrennt er sich die Zunge nicht? Und warum verwendet er nur ganz heißes Metall? Ist weniger heißes Metall gefährlicher? Gibt es beim Laufen durchs Feuer eine optimale Geschwindigkeit bzw. kann der Läufer auch zu schnell laufen?

Dampferuption

Konvektion

3.70

Klopfende Heizungsrohre

Was verursacht das hämmernde Klopfen der Dampfheizung?

Thermische Absorption

Strahlung

3.71

Einwickeln von Nahrungsmitteln in Aluminiumfolie

Herkömmliche Küchenfolien aus Aluminium haben eine glänzende und eine matte Seite. Macht es etwas aus, welche Seite außen ist, wenn Sie etwas backen wollen, z. B. Kartoffeln? Welche Seite sollten Sie beim Einfrieren von Lebensmitteln nach außen nehmen? Besteht da wirklich ein Unterschied?

3.72

Alte Glühbirnen

Warum wird eine alte Glühbirne grau? Wird sie gleichmäßig grau oder nur auf einer Seite?

3.73

Wie heiß ist „glühend heiß"?

Wahrscheinlich wissen Sie, daß ein genügend erhitzter Gegenstand aus Metall zu glühen beginnt, z. B. ein Schürhaken im Feuer. Können Sie schätzen, bei welcher Temperatur der Schürhaken sichtbar glühend wird? Ist es von Bedeutung, ob der Schürhaken aus schwarzem Eisen oder glänzendem Stahl ist?

Bild 3.74 Ein Kühlschrank als Klimaanlage.

3.74

Kühlschrank als Klimaanlage

An einem heißen Tag versuchte ich einmal, mein Schlafzimmer zu kühlen, indem ich die Kühlschranktür offen ließ (Bild 3.74). Um wieviel Grad wurde mein Zimmer dadurch wohl kühler?

3.75

Dunkle Kuchenformen

Warum ist die Innenseite vieler Backformen schwarz beschichtet? Warum verwendet man für einen selbstgebackenen, besonders knusprigen Auflauf besser eine feuerfeste Glasform als eine Metallform? Bei einer Metallform ist es besser, wenn die Oberfläche dunkel und rauh als hell und poliert ist. Warum? Spielen Sie einmal Bäckermeister und probieren Sie die verschiedenen Möglichkeiten aus.

3.76

Archimedes' Todesstrahlen

Im Jahre 214 v. Chr. griffen die Römer Syrakus vom Meer her an. Damals rettete der griechische Mathematiker Archimedes seine Vaterstadt, indem er Sonnenstrahlen durch an der Küste aufgestellte Spiegel auf die römischen Schiffe lenkte und sie so in Brand setzte. Man nimmt an, daß viele Soldaten gleichzeitig die Strahlen auf ein Schiff konzentrierten, dann auf das nächste usw., bis sie alle Feuer gefangen hatten. Bedenkt man, daß Archimedes keine sehr großen Spiegel gehabt haben konnte, ist dieser Hergang dann überhaupt möglich? Können Sie abschätzen, wieviele Spiegel von etwa 1 m^2 man brauchen

3.77

Spielzeugdampfer

Dieses kleine Boot (Bild 3.77) wird auf eine ganz erstaunliche Weise angetrieben. Von einem Vorratsgefäß, dem „Dampfkessel", führen zwei Röhrchen zum Heck des Bootes. Der Kessel ist mit Wasser gefüllt und wird mit einer Kerze erhitzt. Der dabei erzeugte Dampf drückt das Wasser aus den Röhrchen und treibt so das Schiff vorwärts. Man sollte annehmen, daß es stehen bleibt, sobald der Kessel leer ist; durch die Rohre wird jedoch wieder Wasser angesaugt, so daß der Vorgang immer wieder von neuem abläuft und das Schiffchen weitertuckern kann. Warum wird Wasser angesaugt? Warum bewegt sich das Boot durch das Ansaugen des Wassers nicht rückwärts, genau so weit wie zuvor vorwärts?

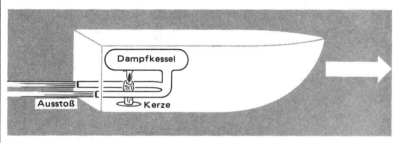

Bild 3.77 Schnitt durch einen Spielzeugdampfer [Nach I. Finnie u. R. L. Curl, Am. J. Phys. 31, 289 (1963)]

würde, um dunkles Holz in 100 m Entfernung in weniger als einer Minute in Brand zu setzen? Sollten diese Spiegel gebogen oder flach sein? Hängt es auch von der Entfernung zum Ziel ab? Konnte Archimedes die römische Flotte wirklich auf diese Weise zerstören?

3.78

Kalt und warm fühlen

Sollten sich nicht alle Gegenstände bei der gleichen Temperatur gleich warm bzw. kalt anfühlen? Eine Raumtemperatur von etwa 22 °C empfinden Sie als angenehm, wenn Sie normal angezogen sind; doch wie fühlen Sie sich bei derselben Temperatur nackt in einer leeren Badewanne? Worin liegt der Unterschied?

Bild 3.79 „Die Hitze und die Feuchtigkeit machen mir nichts aus, aber diese verdammten 100 % Wolle vom Burnus!"

Strahlung
Konvektion
Zustandsänderung

3.79

Weiße Kleidung in den Tropen

Warum tragen die Bewohner tropischer Gegenden bevorzugt helle Kleidung? Man sagt, sie hält kühler. Gibt es eine meßbare Abkühlung und tritt sie auch bei hellhäutigen Menschen auf? Erwärmt uns die Sonne hauptsächlich durch ultraviolette, durch sichtbare oder durch infrarote Strahlung? Wie reagiert weiße Kleidung auf Licht dieser Frequenzbereiche? Wie hoch ist der Anteil des direkten Sonnenlichts an der Erwärmung und wie hoch der Anteil der von der Umwelt reflektierten Strahlung? Und ist es für eine Wüstendurchquerung besser, sich in weiße Gewänder zu hüllen oder nackt zu laufen?

Wärmeleitung und Wärmeabsorption

3.80

Nostalgie am Küchenherd

Liegt das Geheimnis von Großmutters Kochkunst in ihren alten gußeisernen Töpfen und Pfannen, die jetzt wieder modern werden? Hausfrauen und Chefköche schwören darauf, daß das Essen in einem Topf aus Gußeisen nicht so schnell anbrennt und gleichmäßiger kocht als in einem Topf aus Stahl. Kann man das physikalisch begründen?

Strahlung	3.81 bis 3.84
Erwärmung	
Wärmefluß	
Wärmeleitfähigkeit	

3.81

Jahreszeiten

Können Sie genau sagen, warum es im Winter kalt und im Sommer warm ist? Ist die Erde im Sommer der Sonne am nächsten und im Winter am weitesten von ihr entfernt? Nein, genau umgekehrt ist es (Bild 3.81). Auf Grund der Stellung der Erde zur Sonne sollte man annehmen, die Monate November, Dezember und Januar seien die kältesten, die Monate Mai, Juni und Juli die wärmsten. Nach den Wetterberichten und Ihrer eigenen Erfahrung ist es aber so, daß es im Dezember, Januar und Februar am kältesten, im Juni, Juli und August am wärmsten ist. Eine alte Bauernregel sagt: „Fangen die Tage an zu langen, kommt die Kälte erst gegangen." Wie kommt es zu dieser Verschiebung von etwa einem Monat?

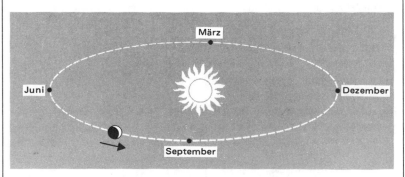

Bild 3.81 Die Bahn der Erde um die Sonne (nicht maßstäblich)

3.82

Temperatur bei einem Raumspaziergang

Welche Temperatur im Weltraum umgibt einen Astronauten bei einem Raumspaziergang? Welche Temperatur würde er auf einem Thermometer in seiner Hand ablesen können?

3.83

Gewächshaus

In einem Gewächshaus sollen die Pflanzen in einer warmen Umgebung kräftig wachsen. Wie geht das vor sich? Wird für die Fenster ein spezielles Glas verwendet oder ist jede Art von Glas brauchbar? Die zunehmende Luftverschmutzung, so sagen einige Wissenschaftler, kann einen unerwünschten „Treibhauseffekt" bewirken, durch den sich die Lufthülle der Erde in katastrophaler Weise aufheizt. Einen besonderen Beitrag dazu sollen die sehr hoch fliegenden Überschallflugzeuge liefern. Warum befürchtet man das? Kann die zunehmende Luftverschmutzung auch das Gegenteil bewirken, eine Abkühlung der Erde? Einige Wissenschaftler befürchten sogar eine neue Eiszeit. Das ist in der Tat ein sehr kompliziertes Problem.
Fred Hoyle hat ein ganz ausgezeichnetes Science-Fiction-Buch geschrieben, „Die schwarze Wolke", in dem er die Wirkung von Wolken auf die Sonnenbestrahlung unserer Erde beschreibt.

3.84

Frieren

Warum frieren Sie, wenn Sie an einem kalten Wintertag nackt auf freiem Feld stehen? Wird Ihrem Körper die Wärme durch die Wärmeleitung der Luft entzogen? Warum hält Sie ein Pelzmantel warm? Leitet er nicht auch die Wärme?
Stellen Sie sich an einem kalten Tag in Ihrem Zimmer mit dem Gesicht zum Fenster und drehen Sie sich dann um: Sie werden im Gesicht jetzt etwas mehr Wärme empfinden. Warum? Die Lufttemperatur im Zimmer ist doch dieselbe geblieben.
In dem Science-Fiction-Film „2001: Odyssee im Weltraum" unternimmt ein Astronaut einen Spaziergang von einigen Sekunden im All, ohne einen Raumanzug zu tragen. (Der Autor, Arthur C. Clarke, glaubt, daß das ohne Schaden für den Astronauten möglich ist.) Würde der Mann bei einem solchen Aufenthalt im Raum besondere Kälte empfinden? Wie können sich Menschen daran gewöhnen, bei sehr großer Kälte zu arbeiten? Tatsächlich gibt es Menschen, die aus religiösen Gründen oder um ihre stoische Natur zu beweisen freiwillig in einer kalten Gegend leben. Charles Darwin fand einen Extremfall solcher Anpassungsfähigkeit bei den Yahgan Indianern in Südamerika. Sie tragen bei Temperaturen um den Gefrierpunkt wenig mehr als einen Pelzumhang über der Schulter. Wie reagiert der Körper physikalisch betrachtet auf die Kälte, um diese Anpassung zu ermöglichen? Und zum Schluß, warum zittert man, wenn man friert?

Bild 3.84 „Er war ein extremer FKK Anhänger".

3.85

Isolieren von Heizungsrohren

Freiliegende Heizungsrohre werden gern mit Asbest oder ähnlichem Material verkleidet, um den Wärmeverlust herabzusetzen. Asbest ist dann wohl ein schlechterer Wärmeleiter als Luft? Warum würde sonst irgend jemand einen Pfennig für eine Asbestisolierung ausgeben? Tatsächlich hat Asbest aber eine bessere Wärmeleitfähigkeit als die Luft. Warum verwendet man es dann zum Isolieren der Rohre? Macht man da nicht genau das Falsche?

3.86

Gewitter und Windrichtung

„Nicht immer zeigt
der Wetterhahn,
woher der Wind weht".

frei nach Bob Dylan "Subterranean Homesick Blues"*

Bläst der Wind bei einem heranziehenden Gewitter vom Gewitter her oder zu ihm hin? Meistens dreht sich die Windrichtung um, wenn das Wetter nahe herangekommen ist. Wie kommt das?

* M. Witmark & Sons, mit Genehmg. Warner Bros. Music

3.87

Magische Finger

Streuen Sie eine kleine Menge Aluminiumpulver in eine flache Glasschale mit Methylalkohol, legen einen Deckel darauf und stellen die Schale in den Kühlschrank. Holen Sie sie wieder heraus, wenn sie abgekühlt ist, und drücken Sie mit Ihrem Finger an die Wand der Schale. Silbrige Wellen bilden sich und breiten sich schnell von Ihrem Finger weg über die Flüssigkeit aus (Bild 3.87). Was erzeugt die Wellen? (Das Pulver dient nur zum Sichtbarmachen der Wellen.) Was würde passieren, wenn Sie einen Eiswürfel an die Wand der Schale halten würden, während die Schale und der Alkohol Raumtemperatur haben?

Bild 3.87 Silbrige Wellen gehen von Ihrem Finger aus. [Nach C. L. Stong, Scient. American (1967)]

3.88

Wolkenförmige Insektenschwärme

Oftmals schon wurden dunkle Wolken beobachtet, die sich bei Sonnenuntergang über Bäumen bildeten (Bild 3.88). Die Wolken erinnern sehr an Rauch, doch kann man bei näherer Betrachtung feststellen, daß es sich um dicke Insektenschwärme, meist Mücken, handelt, die sich über den Bäumen gesammelt haben. Die Wolken haben die Form einer Säule und können schon die Illusion eines Feuers im Baum erwekken. Man hat sie auch schon über Antennen und Kirchturmspitzen gesehen. Einmal soll auch schon

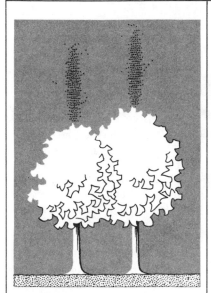

Bild 3.88 Wolken von Insekten über Bäumen. [Nach J. H. Wiersma, Science, 152, 387, (1966)]

die Feuerwehr ausgerückt sein, um einen vermeintlichen Kirchenbrand zu löschen, und fand doch nur eine Insektenwolke und keine Rauchwolke. Warum bilden sich solche wolkenförmigen Insektenschwärme?

3.89
Garnelenwolken

Auch in seichtem Meereswasser bilden sich solche „Wolken"; Garnelen steigen dort in großen Mengen auf (Bild 3.89). Diese Wolken, die mehrere Kubikmeter groß sein können, finden sich nur über großen Steinen, die auf dem Meeresgrund im Sonnenlicht liegen. Die Garnelenwolke selbst neigt sich jedoch von der Sonne weg. Sie können sich denken, was ich Sie jetzt fragen werde: Warum steigen die Garnelen in diesen riesigen Mengen nur über besonnten Steinen auf? Und warum wenden sich die Tiere dabei von der Sonne ab, wenn sie sie doch so zu lieben scheinen? Eine Garnele wird in der Wolke zur Wasseroberfläche getragen, wo sie sich vom Schwarm trennt und zum Meeresgrund zurückschwimmt. Dort wird sie wieder vom Schwarm angezogen und beginnt den Kreislauf von neuem. Warum?

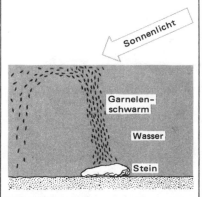

Bild 3.89

3.90
Hitzschlag

Haben Sie schon einmal an einem heißen Sommertag Ihren Rasen gemäht? Ich habe das in Texas gemacht und mich gewundert, daß mein Körper dabei doch relativ kühl blieb. Eine beachtliche Menge Energie (bis zu 1400 kcal in der Stunde) wird bei schwerer körperlicher Arbeit in Ihrem Körper umgesetzt, das entspricht einer Leistung von etwa 1,6 kWatt, und wenn Sie diese Wärme nicht irgendwie loswerden, müßte Ihre Körpertemperatur um 15 °C pro Stunde ansteigen! Das kann nicht gut enden! Wie wird die Wärme abgeleitet? Kennen Sie alle Mittel und Wege, mit denen der menschliche Körper sich hier zu helfen weiß? Wenn ich den Rasen einmal in der Woche bei großer Hitze gemäht habe, ist mir das nicht gut bekommen; ich war immer einem Hitzschlag nahe. Leute, die das täglich machen, haben dadurch keine Beschwerden. Der Körper scheint sich irgendwie an das Arbeiten bei Hitze zu gewöhnen. Was genau geht hier vor sich? Da Hitze im Körper im selben Maß erzeugt wird, muß die Wärmeableitung anders funktionieren. Die hohen Temperaturen in Texas kann man im allgemeinen ganz gut ertragen, da die Luftfeuchtigkeit sehr niedrig ist. Warum ist es so viel schwerer, die Hitze in feuchten Gegenden zu ertragen?

3.91

Kein kalter Kaffee

Stellen Sie sich vor, Sie hätten sich gerade eine heiße Tasse Kaffee gemacht, können ihn aber erst in 5 Minuten trinken. Wenn Sie den Kaffee so heiß wie möglich lieben, gießen Sie die Sahne gleich hinein oder erst kurz vor dem Trinken? Wann geben Sie den Zucker dazu? Wann rühren Sie um und wie lange? Lassen Sie den Löffel in der Tasse, wenn Sie nicht umrühren wollen? Spielt es eine Rolle, ob der Löffel aus Plastik oder aus Metall ist? Würde Ihre Antwort anders ausfallen, wenn die Sahne schwarz wäre und nicht weiß? Und ist auch die Farbe der Tasse von Bedeutung? Können Sie alle Ihre Antworten begründen?

Temperatur

3.92

Farbentwicklung bei Polaroidfilm

Wenn Sie an einem kalten Tag ein Bild mit einer Polaroid-Farbkamera machen, müssen Sie es in einer Metallkassette, die Sie vorher an Ihrem Körper gewärmt haben, entwickeln, sonst stimmen die Farben des Bildes nicht, da der Entwicklungsvorgang bei Kälte verzögert abläuft und sich das Positiv in der vorgegebenen Zeit nicht voll aufbauen kann. Wie ist hier der Zusammenhang zwischen Temperatur und Zeit?

3.93

Wärmeinseln

Warum sind die Temperaturen in der Stadt um 5 °C bis 10 °C höher als in ihrer Umgebung (Bild 3.93)? Es gibt dort sicherlich mehr Wärmeerzeuger; doch wird der Temperaturunterschied auch beeinflußt von den hohen Gebäuden, der Anhäufung von Stein und Beton, der schnellen Ableitung von Regenwasser und dem Abtransport des Schnees, der Konzentration von Staub und dem häufigen Auftreten von Nebel und Smog usw.? Meteorologen, die die Verteilung der Temperaturen in einer großen oder auch kleinen Stadt aufzeichnen, bezeichnen das Stadtzentrum als „Wärmeinsel". Bewegt man sich von dort nach draußen zu den Vororten und aufs Land, wird es immer kälter. Etwas Gutes bringt die größere Wärme bestimmt mit sich: die Blumen beginnen im Frühling eher zu blühen!

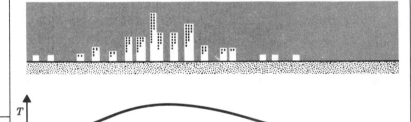

Bild 3.93 Wärmeverteilung über der Stadt.

Kinetische Gastheorie

3.94

Gesamte kinetische Energie in einem geheizten Raum

Ein brennender Ofen erwärmt die Luft in einem Zimmer. Steigert er auch die gesamte Wärmeenergie der Luft? (Die Wärmeenergie ist die kinetische Energie der Luftmoleküle.) Nun, die Wärmeenergie der Luft hängt sicherlich von ihrer Temperatur ab, und wenn die Luft erwärmt wird, wird auch die gesamte Wärmeenergie erhöht werden. Dies klingt einleuchtend, doch wird auch behauptet, die Gesamtenergie ändere sich nicht. Wie ist das möglich?

3.95

Rauchfeuer in einer Obstplantage

Warum entzünden die Obstbauern über Nacht stark qualmende Feuer in ihren Obstgärten, wenn es nach Frost aussieht? Die Feuerstellen liegen so weit auseinander, daß ihre Hitze sicherlich nicht genügt, die Blüten oder die Früchte zu schützen. Was für einen Grund hat es dann? Werden diese Maßnahmen auch tagsüber angewendet?

Konvektion

3.96

Eine wärmende Schneedecke

Warum kann die Saat an einem bitterkalten Tag nicht so leicht erfrieren, wenn die Erde von einer dicken Schneeschicht bedeckt ist?

Wiensches Verschiebungsgesetz
Durchlässigkeit der Atmosphäre

3.97

Feuer durch eine A-Bombe

,,Von den vielerlei Gefahren für das Leben, die Kernexplosionen mit sich bringen . . . ist vielleicht die schlimmste, daß sich danach eine Unzahl von Bränden entwickelt. Eine einzige Bombe von einer Megatonne kann bis zu einer Entfernung von 15 km Kleidung, Papier, trockenes Holz und anderes entzündliches Material in Brand setzen. Bei Atombomben nach dem heutigen Stand müßte man diesen Gefahrenbereich um mindestens eine Größenordnung erweitern. Der durch das Feuer entstehende Sturm facht die Brände immer weiter an bis zu einer totalen Zerstörung allen Lebens."* Wenn Sie sich mehrere Kilometer vom Explosionsherd entfernt befinden, haben Sie ,,hinreichend ' Zeit (bis zu 3 Sekunden), hinter einer Mauer Schutz zu suchen. Doch zunächst, wie kann dieser Feuerstrahl noch über Kilometer hinweg Feuer entzünden? Und zweitens, warum tritt diese Brandgefahr erst nach einer relativ langen Zeit nach der Explosion auf?

* R.G. Fleagle u. J.A. Businger, An Introduction to Atmospheric Physics, Academic Press, 1963.

Kristallwachstum

3.98

Wachsende Kristalle

Warum braucht man kleine Teilchen, z. B. Verunreinigungen, als ,,Keime", um Kristalle in einer übersättigten Lösung wachsen zu lassen?

3.99

Symmetrie der Schneeflocken

Schneeflocken haben immer die Form regelmäßiger Sechsecke oder sechszackiger Sterne. Woher kommt diese Symmetrie? Wie kann bei der Entstehung der Schneeflocke eine Zacke wissen, was ihre Nachbarinnen tun?

Oberflächenspannung
Benetzung

3.100

Zwei anziehende Backerbsen

Läßt man zwei frische Backerbsen nahe beieinander auf einer guten Fleischbrühe schwimmen, ziehen sie sich wie zwei Magnete an. Welche Kraft verursacht diese Anziehung? Kann man die Backerbsen auch dazu bringen, sich auf einer entsprechend gewählten Flüssigkeit abzustoßen?

Kapillarkräfte

3.101

Einen Acker bestellen

Warum wird der Ackerboden in Gegenden mit gemäßigtem Klima immer wieder mit Pflug und Egge bearbeitet, bis die Erde schön locker ist? Bleibt ein Fußabdruck auf solch lockerem Erdreich zurück, wird die Erde hier hart und trocken werden. Warum?

3.102

Flüssigkeitsoberflächen

Die Oberfläche einiger Flüssigkeiten schmiegt sich konkav, die anderer konvex an eine Glaswand an. Woher kommt das? Welche Kraft wölbt sie nach oben oder nach unten? Welches ist der grundsätzliche Unterschied zwischen diesen beiden Arten? Können Sie voraussagen, welche Oberflächenform eine Flüssigkeit annehmen wird? Es gibt Flüssigkeiten, die Tropfen ausbilden, wenn man sie auf eine flache Glasoberfläche bringt. Warum breiten sie sich nicht aus und welche Form nehmen sie jetzt an? Was ist der grundsätzliche Unterschied zwischen benetzenden und nicht benetzenden Flüssigkeiten? Stellen Sie sich eine nicht benetzende Flüssigkeit in einer kleinen Mulde (Bild 3.102) vor. Wie wird sich die Oberfläche anschmiegen? Oder sind beide Arten möglich, abhängig vom Öffnungswinkel der Seitenwände? Bei welchem Winkel wäre dann die Oberfläche eben?

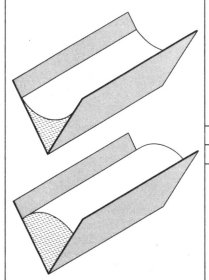

Bild 3.102 Wölbt sich die Oberfläche bei einer nicht benetzenden Flüssigkeit nach oben oder nach unten?

3.103

Steigende Säfte in Bäumen

Wie steigt der Saft in den Bäumen, wie vor allem in sehr hohen (einige Redwoodbäume werden über 100 m hoch)? Sicherlich gibt es einen Druckunterschied zwischen dem Wipfel und den Wurzeln, aber warum? Arbeitet der Baum wie eine Saugpumpe? Müßte dann die Höhe der Bäume nicht auf 10 m beschränkt bleiben, denn das ist die maximale Förderhöhe für eine Saugpumpe? Hier muß noch ein anderes Arbeitsprinzip wirksam sein.

3.104

Stalagmiten aus Eis

Haben Sie schon einmal die kleinen Eissäulen beobachtet, die manchmal aus dem Boden wachsen und bis zu 4 cm groß werden können? Bei genauer Betrachtung können Sie auf der Säulenspitze immer kleine Erdkrumen und Steinchen entdecken. Seltsamerweise entstehen die Säulen nur dann, wenn die Erdoberfläche selbst nicht gefroren und meist feucht ist. Wie kann Eis aus einem nicht gefrorenen Boden „wachsen" und was bestimmt die Höhe der Eissäulen? Wie ist es möglich, daß sich bei Tauwetter Eis bildet?

3.105

Die Steine selbst, so schwer sie sind . . .

Jeder Hobbygärtner stöhnt über die Unmengen von Steinen, die er in jedem Frühjahr aus der Erde klauben muß. Sind sie während des Winters gewachsen? Einige Gegenden kennen dieses Problem nicht; andere, wie z.B. New England oder bei uns die Schwäbische Alb, können über eine schlechte „Steinernte" nicht klagen. Robert Frost, der amerikanische Lyriker, schreibt darüber in seinem Gedicht „Mending Wall". Offensichtlich wandern die Steine vom Untergrund her in der Erde nach oben, aber warum? Die Dichte der Steine ist größer als die der Erde. Müßten sie dann nicht eher allmählich nach unten sinken? Welche Kraft treibt sie nach oben?

3.106

Frostaufbrüche

„Da ist etwas, das haßt die Mauern,
zerstört sie durch die Kraft des
Frostes,
verstreut die Trümmer in der
Sonne . . .“
frei nach Robert Frost
„Mending Wall“*

Alle Jahre wieder zieren die Schilder „Vorsicht, Frostaufbrüche“ unsere Straßen. Sie warnen vor Buckeln und Rissen im Straßenbelag. Diese Unebenheiten können bis zu 30 cm hoch sein. Was verursacht sie? Meine erste Vermutung war, daß das Wasser unter dem Straßenbelag sich beim Gefrieren ausgedehnt hatte. Für diese großen Frostaufbrüche brauchte man jedoch so viel Wasser, daß diese Erklärung nicht genügt. Woher kommen die Buckel dann?

* Aus „Mending Wall“ in „The Poetry of Robert Frost“ hrsggb. von E. Connery Lathem, 1969 bei Holt, Rinehart and Winston

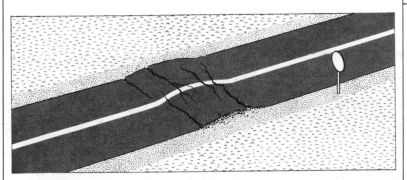

Bild 3.106 Frostaufbrüche

3.107

Erden von Ziegelmauern

Gemauerte Wände werden leicht feucht, besonders in Bodennähe. Eine Möglichkeit, dies zu verhindern, ist folgende: Die Mauer wird elektrisch geerdet, indem man sie über einen Draht mit einem in der Erde steckenden Metallpflock verbindet (Bild 3.107). Es werden keine Batterien oder sonstigen Energiequellen verwendet, nur dieser einfache Metallpflock und der Draht. Kann eine so simple Vorrichtung das Feuchtwerden einer Mauer verhindern?

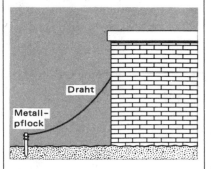

Bild 3.107 Trockenhalten einer Mauer durch elektrische Erdung.

Oberflächenspannung

3.108

Seifenblasen

Was hält eine Seifenblase zusammen? Ist sie wirklich ganz kugelförmig? Wie groß ist der Druck im Innern der Blase? Steigt sie in der Luft auf oder fällt sie herunter? Gibt es eine Stelle der Oberfläche, die besonders dünn ist und wo sie wahrscheinlich platzen wird?

3.109

Seifenblasen im Wasser

Stellen Sie sich Seifenblasen vor, bei denen Luft und Wasser Platz getauscht haben. Sie entstehen ganz einfach, indem man seifiges Wasser vorsichtig aus einer Höhe von einigen Millimetern in ein Gefäß mit klarem Wasser gießt. Wenn Sie langsam gießen, entstehen Schaumblasen auf der Wasseroberfläche. Gießen Sie etwas schneller, kann es sein, daß ein Tropfen ins Wasser eindringt und dort, von einer Lufthülle umgeben, verbleibt. (Man könnte das als eine „umgekehrte Seifenblase" bezeichnen, Bild 3.109.)

Sind diese Seifenblasen auch farbig? Ist ihre Lufthülle immer gleich dick? Bewegen sie sich im Wasser aufwärts oder abwärts? Kann das Wasser im Innern verdampfen und so die Blase sprengen?

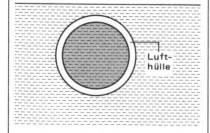

Bild 3.109 Lufthülle

3.110

Verlöschende Kerze

Warum zucken und flackern manche Kerzen, besonders die kleinen, kurz bevor sie verlöschen? Wodurch wird die Frequenz des Flackerns bestimmt?

3.111

Lausbubenstreiche

Ein Streich aus meiner Studentenzeit hat mir immer ein besonderes Vergnügen bereitet: Ich ersetzte die Glühbirne der Deckenlampe im Zimmer eines Freundes durch einen kurzen Draht mit einem Säckchen voll Mehl. Der Stromkreis wurde durch den Draht bis auf einen kleinen Spalt geschlossen und ließ so beim Lichteinschalten einen Funken entstehen. Hörte ich mein Opfer kommen, setzte ich den Beutel in Bewegung, um das Mehl schön durchzuschütteln. Können Sie sich vorstellen, was nun geschah? Mein Freund schaltete nichtsahnend das Licht an, ein Funke blitzte auf und der Mehlstaub explodierte und bedeckte fein säuberlich alles in seinem Zimmer mit einer feinen Schicht. Diese Staubexplosionen sind in manchen Fabriken, in denen sich statische Elektrizität in staubigen Räumen bildet, ein echtes Problem. Wie kann in diesen beiden Fällen ein Funke eine Explosion des schwebenden Staubs verursachen?

Bild 3.112

3.112

Sicherheitsgrubenlampe

Die offene Flamme einer Grubenlampe kann sehr gefährlich werden, wenn sie in die Nähe explosiver Gase gebracht wird. Die Gefahr kann jedoch durch einen feinen Maschendraht über der Flamme (Bild 3.112) vermieden werden. Der Maschendraht kann sicherlich das Gas nicht von der Flamme fernhalten, trotzdem verhindert er eine Explosion. Wie ist das möglich?

3.113

Muster im eingetrockneten Schlamm

Sie alle haben schon die vielen Risse in eingetrockneten Pfützen gesehen, aber haben Sie sich schon einmal Gedanken gemacht, warum die Risse nach einem bestimmten Muster auftreten, ja sogar richtige Vielecke bilden? Manchmal biegen sich die Kanten des Polygons auch so weit auf, daß eine Röhre entsteht, die sich von der Oberfläche trennt und wegrollt.

Seitdem man Luftbildaufnahmen machen kann, wurden auf dem Grund von Wüstenseen, die sich gelegentlich mit Wasser füllen und immer wieder austrocknen, riesige Polygone beobachtet. Sie können Durchmesser bis zu 300 m haben, die Spalten können bis zu 1 m breit und 5 m tief sein. Warum bilden sich diese Risse im Boden und die Röhren aus getrocknetem Schlamm? Gibt es einen Grund dafür, daß sich beim Zerspringen der Erde vorwiegend Fünfecke und Sechsecke ausbilden, wie manche behaupten? Oder anders gesagt, gibt es bestimmte Vorzugsrichtungen bei der Rißbildung?

3.114

Wärmerisse im Boden

Die Risse in getrocknetem Schlamm sind nicht die einzigen Muster, die man im Erdreich finden kann. So entdeckte man in arktischen Gegenden ähnliche Rißstrukturen im ewig gefrorenen Boden. Was verursacht hier die Risse? Gibt es einen bevorzugten Winkel, unter dem sich die Risse schneiden?

3.115

Hexenringe

Als abschließendes Beispiel für Muster im Boden möchte ich noch die Ringe und Polygone aus fast gleichgroßen Steinen erwähnen (Bild 3.115). Was bringt die Steine dazu, aus ihrer zufälligen Verteilung sich in geometrischen Figuren zu ordnen?

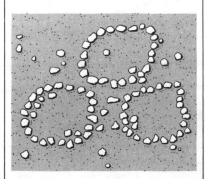

Bild 3.115 Ringe aus Steinen, wie sie in der Natur vorkommen.

Bild 3.116 „Jetzt kommen wir zum 2. Hauptsatz der Thermodynamik."

3.116

Das Leben und der Zweite Hauptsatz

„Wo immer Du hinsiehst, überall gibt es Scherben." frei nach Celine

Die Thermodynamik lehrt, daß die Entropie — ein Maß für die Unordnung in einem System — in einem nicht umkehrbaren Prozeß immer mehr zunimmt (Zweiter Hauptsatz).

Wie steht es da mit der Geburt und dem Leben? Ist das Geborenwerden und Wachsen eines menschlichen Wesens eine Verletzung dieses Gesetzes, denn vermehrt sich nicht die Ordnung in diesem Prozeß? Wird das Gesetz nicht auch durch die Entwicklung aller Lebewesen über Millionen von Jahren hinweg verletzt?

4
Seeschlacht
in der Teetasse

Hydrostatik

4.1 bis 4.14

Flüssigkeitsdruck	Auftrieb
Pascalsches Gesetz	
Gesetz des Archimedes	

4.1

Die Nordsee aufhalten

Kennen Sie die Geschichte von dem holländischen Jungen, der ein Loch im Deich mit seinem Finger zuhielt und so seine Vaterstadt vor Überschwemmung rettete? Wie konnte ein kleiner Junge dem Druck der ganzen Nordsee standhalten?

4.2

Durch einen Schnorchel atmen

Bis zu welcher Tiefe können Sie schwimmen, wenn Sie nur einen einfachen Schnorchel zum Atmen haben? Was bestimmt die maximale Tiefe?

4.3

Blutdruckmessung

Warum mißt der Arzt Ihren Blutdruck an Ihrem Arm immer in Höhe Ihres Herzens? Könnte er ihn nicht genauso gut am Bein messen?

4.4

Letzte Schleuse im Panamakanal

In der letzten Schleuse des Panamakanals warten die Schiffe, bis sich der Wasserspiegel gesenkt hat. Wenn genug Wasser abgeflossen ist, öffnen sich die Schleusentore zum Meer und die Schiffe bewegen sich ohne die Hilfe eines Schleppers und ohne Maschinenkraft hinaus. Welche Kraft zieht das Schiff hinaus?

4.5

Wasserstand im Panamakanal

Wissen Sie, daß der Wasserstand im Panamakanal auf der Seite zum Atlantischen Ozean eine andere Höhe hat als auf der Seite zum Pazifischen Ozean? Während der Trockenzeit ist der Unterschied gering, doch während der Regenzeit kann er bis zu 30 cm betragen. Liegen denn die beiden Ozeane nicht auf der gleichen „Meereshöhe"?

4.6

Auftrieb eines Stundenglases

Wird ein Stundenglas, das in einer wassergefüllten Röhre schwimmt (Bild 4.6) nach dem Umdrehen der Röhre wieder nach oben steigen? Der Sand, der ursprünglich im unteren Teil des Stundenglases war, rinnt nun aus dem oberen Teil heraus. Da das Gewicht und das Volumen gleich geblieben sind, sollte man annehmen, daß

Bild 4.6 Warum schwimmt das Stundenglas nicht nach oben, wenn die Röhre gedreht wird? [Nach M. Gardner, Scient. Americ. 1966]

das Stundenglas gleich wieder aufsteigt. Es bleibt jedoch so lange am Boden der Röhre, bis der ganze Sand in den unteren Teil gerieselt ist. Warum? Hängt der Auftrieb wirklich davon ab, ob der Sand sich im unteren oder oberen Teil befindet?

4.7

Ein Boot versinkt

Was passiert, wenn ein Stein von einem Boot über Bord in den See geworfen wird, auf dem das Boot schwimmt? Wird der Wasserspiegel des Sees steigen, fallen oder gleich bleiben? Über dieses sehr komplizierte Problem haben sich schon viele kluge Leute den Kopf zerbrochen: George Gamow, Robert Oppenheimer und Felix Bloch, diese berühmten Physiker haben zu ihrem eigenen Erstaunen die Frage nicht richtig beantwortet. Was geschieht mit dem Wasserspiegel, wenn ein Loch im Boden des Bootes entsteht und das Boot zu sinken beginnt? Und wenn der Pegelstand sich ändert — tritt dann die Änderung gleich auf, mit dem ersten Eindringen des Wassers ins Boot oder erst später?

4.8

Aufgerollter Wasserschlauch

Versuchen Sie einmal, Wasser in einen aufgerollten Wasserschlauch zu gießen (Bild 4.8); es wird am anderen Ende kein Wasser herauskommen. Ja, es wird sich schon gar nicht viel Wasser in den Schlauch füllen lassen. Warum nicht?

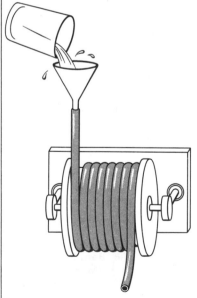

Bild 4.8 [Nach M. Gardner, Scient. Americ. 1966]

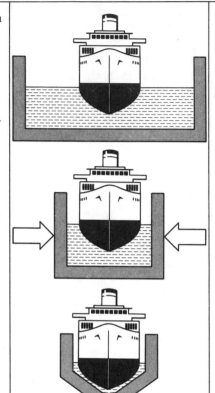

Bild 4.9 [Nach L. E. Dodd, Am. J. Phys, 23, 113,(1955)]

4.9

Im Trockendock

Stellen Sie sich ein Schiff in einem Trockendock vor, in dem durch Verschieben der Wände die Wassermenge verringert wird. Welches ist die minimale Wassertiefe, die nötig ist, um z. B. ein Zweitonnenschiff noch tragen zu können?

4.10

Stabile Lage eines Unterseebootes

Wie taucht ein Unterseeboot und wie steigt es wieder auf? Wie kann es bei einer bestimmten Tiefe ge-

tauch bleiben? Wird eine Änderung der Wasserdichte in Höhe des U-Bootes das Schiff nicht aus dem Gleichgewicht bringen? Sicherlich können kleine Korrekturen zum Ausgleich vorgenommen werden, doch sind sie mit technischen Schwierigkeiten verbunden. Und wenn ruhiges Verhalten von großer Bedeutung ist, um nicht entdeckt zu werden, sollten dauernde Korrekturen sicherlich besser vermieden werden.

Glücklicherweise gibt es viele Schichten in der Tiefe des Meeres, in denen sich das Unterseeboot ruhig und stabil halten kann. Was ist das Besondere an diesen Schichten, die man „Thermoklinen" nennt?

4.11

Schwimmende Quader

Schwimmt ein länglicher Körper mit quadratischem Querschnitt auf einer Seite oder dreht er sich dabei auf eine Kante um (Bild 4.11)? Erscheint Ihnen diese Frage zu einfach? Lassen Sie einmal solche Körper aus verschiedenen Materialien in verschiedenen Flüssigkeiten schwimmen und ordnen Sie die Ergebnisse dem Verhältnis Dichte des Körpers zur Dichte der Flüssigkeit zu. Haben Sie immer richtig geraten?

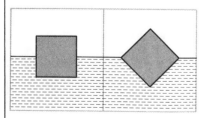

Bild 4.11

4.12

Schwimmschule für Fische

Schwimmen Fische auf- und abwärts auf dieselbe Weise wie Unterseeboote? Pressen sie ihre Schwimmblase zusammen und dehnen sie sie wieder aus, um verschiedene Wassertiefen zu erreichen? Dies ist die allgemeine Auffassung, doch richtig ist sie nicht, denn Fische können ihre Schwimmblase nicht mit Muskelkraft beeinflussen. Wie machen sie es dann? Fische können einen schnellen Wechsel der Wassertiefe nicht aushalten; Kabeljau und Dorsch sind aus diesem Grund bereits tot, wenn sie beim Fischfang an die Wasseroberfläche gezogen werden. Sie können jedoch in großen Tiefen leben. So kann z. B. ein Fisch, der in 5000 m Tiefe lebt, einen Druck von 480 bar aushalten. Wie schafft er das?

Luftdruck

Oberflächenspannung

4.13

Umgedrehtes Glas mit Wasser

Legen Sie eine Postkarte auf ein Glas mit Wasser (das Glas muß nicht voll sein). Drehen Sie das Glas um, daß die Öffnung nach unten zeigt, und halten Sie dabei die Karte schön fest. Jetzt nehmen Sie die Hand von der Karte — sie wird an ihrem Platz bleiben und das Wasser nicht herausfließen! Warum? Versuchen Sie dasselbe mit einem langen Glasrohr (etwa 60 cm lang und 3—4 cm Durchmesser), das an einem Ende geschlossen ist. Ob das Wasser im Glas bleibt oder nicht, hängt davon ab, wieviel Wasser im Glas ist. Sie werden jetzt eine Überraschung erleben: Das Wasser bleibt im Glas, wenn es fast voll oder fast leer war; war es halb voll, wird das Wasser auslaufen. Warum?

4.14

Schwimmende Wasserleichen

Warum sinkt ein Toter im Wasser zunächst unter und taucht dann nach einigen Tagen wieder zur Oberfläche auf?

Schwerewellen

Rayleigh-Taylor-Instabilität

4.15

Stabilität eines umgedrehten Glases mit Wasser

Erinnern Sie sich an das Wasserglas und die Postkarte von Nr. 4.13? Beim Wegziehen der Karte würde das Wasser aus dem umgedrehten Glas sofort auslaufen. Gewiß zieht die Schwerkraft das Wasser herunter, aber wie beginnt dieser Vorgang? Ist die Wasseroberfläche nicht ursprünglich stabil? Welche Kräfte halten das Wasser noch eine Weile gegen die Schwerkraft fest? Wenn Sie darauf eine Antwort gefunden haben, können Sie sich überlegen, wie lange es dauert, bis das Glas leer ist.

Auftrieb   4.16 bis 4.18

Stabilität

Molekulare und thermische Diffusion

4.16

Die nie versiegende Salzwasserfontäne

Das Wasser tropischer und subtropischer Meere ist an der Oberfläche wärmer und salzhaltiger als weiter unten. Könnte man nicht mit Hilfe eines in große Tiefe geführten Rohres, in welchem Wasser zur Oberfläche gepumpt wird, einen ewigen Springbrunnen bauen? Nach Entfernen der Pumpe wird die Fontäne in Gang bleiben (Bild 4.16). Was ist der Grund dafür? Läuft das ewig so weiter?

Bild 4.16 Nie versiegende Salzwasserfontäne im Meer.

Molekulare und thermische Diffusion

4.17

„Salzfinger"

Ein Phänomen, das dem vorigen mit der Salzwasserfontäne verwandt ist, können Sie auch zu Hause beobachten: Füllen Sie einen großen Glasbehälter mit kaltem Süßwasser und lassen Sie dann vorsichtig eine Lösung aus warmem, gefärbtem Salzwasser zufließen, ohne daß sich die beiden vermischen. Die Farbe dient dabei nur als Indikator. Sofort werden fingerähnliche Ausläufer der oberen Salzlösung in das untere Süßwasser eindringen; die Überlappungszone ändert dabei ihre Lichtdurchlässigkeit (Bild 4.17). Diese „Finger" können auch ohne Temperaturunterschied sichtbar gemacht werden, indem Sie eine Zuckerlösung auf eine Salzwasserlösung gießen. (Verwenden Sie wieder etwas Farbe als Indikator.) Was läßt diese Finger wachsen und warum sind sie so stabil?

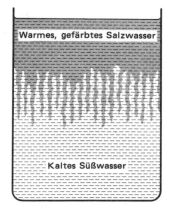

Bild 4.17 Salzfinger (vergrößert)

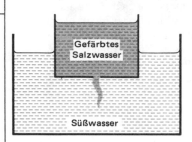

Bild 4.18

4.18

Salz als Schwingungserreger

Nehmen Sie eine Blechbüchse, bohren ein Loch in den Boden, füllen sie mit einer gesättigten Salzlösung und bringen Sie sie in einen Behälter mit Süßwasser. Werden sich die beiden Flüssigkeiten, von denen Sie wieder eine gefärbt haben, vermischen? Ja, und zwar auf eine ganz erstaunliche Weise: es findet ein wechselnder Austausch von Flüssigkeiten statt. Das Salzwasser fließt aus dem Loch nach unten, dann wieder Süßwasser nach oben usw. (Bild 4.18). Bei einer Schwingungszeit von etwa vier Sekunden kann dieser Wechsel bis zu vier Tagen andauern. Warum findet solch ein wechselweiser Flüssigkeitsaustausch statt und wodurch wird die Periodendauer bestimmt?

Bernoulli-Effekt

4.19 bis 4.40

4.19

Dünnerwerden eines Wasserstrahls

Drehen Sie einen Wasserhahn auf und betrachten Sie den gleichmäßig fließenden Strahl: Er wird nach unten dünner. Warum? Gibt es eine Kraft, die ihn zusammendrückt? Können Sie die Änderung des Durchmessers des Wasserstrahls als eine Funktion des Abstands zum Hahn abschätzen?

4.20

Verkaufspraktiken eines Staubsaugervertreters

Um die Aufmerksamkeit der Kunden zu wecken, führen Staubsaugervertreter manchmal einen hübschen Gag vor: Sie lassen einen leichten Ball auf der ausströmenden Luft tanzen (Bild 4.20). Der Ball auf dem Luftstrahl hat eine beachtliche Stabilität. Er läßt sich nicht vo leicht von dem Strahl trennen, auch wenn er einen relativ kräftigen Schlag erhält oder der Staubsauger ganz schräg gehalten wird. Woher kommt diese

Bild 4.20

Stabilität? Rotiert der Ball im Luftstrom?

4.21

Ein folgsamer Ball

Es gibt ein Spielzeug, bei dem dieser Balancetrick auch verwendet wird. Durch leichtes Anblasen in das Mundstück wird der Ball zunächst zum Schweben gebracht (Bild 4.21); durch anhaltendes kräftiges Blasen wird der Ball weiter angehoben; er schlüpft dann durch die obere Rohröffnung und saust in die Ausgangslage zurück. Das Ziel ist, den Ball auf diese Weise so oft wie möglich im Kreis zu treiben, ohne dazwischen Luft zu holen. (Mein Rekord liegt bei fünf Runden.) Was hält den Ball

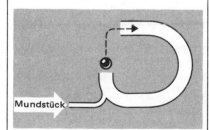

Bild 4.21 Durch Anblasen wird der Ball im Kreis getrieben.

im Gleichgewicht und was zieht ihn in die obere Öffnung des Hauptrohres?

Impulsübertragung

Benetzung

Bild 4.22 Ein Ball tanzt auf einem Wasserstrahl.

4.22

Balancieren auf einem Wasserstrahl

Bei einem ähnlichen Kunststück tanzt ein Ball auf einem Wasserstrahl (Bild 4.22). Gewöhnlich wackelt und hüpft er, doch hin und wieder hält er sich auch einige Sekunden ganz ruhig. Warum kann er nicht vom Strahl wegfliegen? Was hält ihn hier fest? Sind es dieselben Kräfte wie bei dem Ball im Luftstrom (siehe 4.20)?

Um ehrlich zu sein, manchmal entkommt der Ball dem Wasserstrahl nach oben, doch wird er beim Herunterfallen wieder seine Ausgangslage einnehmen. Auch wenn sich dieser Vorgang in einem Vakuum abspielt, ändert

sich nichts. Welche Kraft holt den Ball wieder in den Strahl zurück?*

* Vergleiche auch 5.104

4.23

Ei im Wasserstrahl

Lassen Sie aus einem Hahn Wasser langsam auf ein in einem Glas schwimmendes Ei laufen (Bild 4.23). Drehen Sie nun den Hahn weiter auf bis zu einer ganz bestimmten Stärke des Strahls, so wird das Ei aufsteigen, als würde das herabfließende Wasser das Ei wie einen Magneten anziehen. Wie kommt das und was bestimmt die erforderliche Stärke des Strahls?

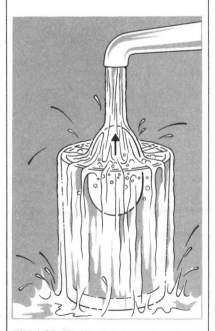

Bild 4.23 Ein Ei wird durch den Wasserstrahl angezogen.

4.24

Ein Löffel unter einem Wasserstrahl

Wenn Sie einen leichten Löffel mit der runden Seite in einen Wasserstrahl halten (Bild 4.24), scheint er am Strahl wie angeklebt zu sein. Sie können den Löffel loslassen, Sie können ihn ganz schräg halten – er wird sich weigern, den Strahl zu verlassen! Man sollte eher meinen, das herausfließende Wasser würde den Löffel wegschieben, nicht festhalten. Was ist die Ursache?

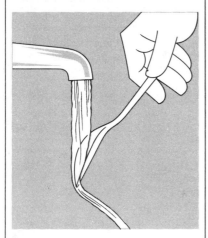

Bild 4.24 Der Löffel wird vom Wasserstrahl festgehalten.

4.25

Wasserzerstäuber

Bringen Sie das eine Ende eines kurzen Rohres in einen Wasserbehälter und blasen Sie über das offene Ende (Bild 4.25): Wasser wird im Rohr aufsteigen. Je kräftiger Sie blasen, desto höher steigt das Wasser und wird schließlich vom

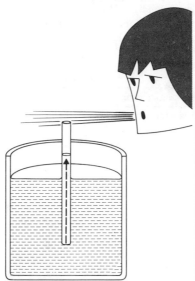

Bild 4.25 Wasser steigt im Rohr hoch durch die darübergeblasene Luft.

Luftstrom mitgerissen. Das ist das Prinzip der Zerstäuberspritzen, die jeder Blumenfreund kennt. Wie arbeiten diese Wasserzerstäuber?

4.26

Eisenbahnzüge

Schnellzüge, die sich auf offener Strecke begegnen, müssen mit der Geschwindigkeit heruntergehen, oder es besteht die Gefahr, daß ihre Fensterscheiben zerbrechen. Warum? Werden die Scheiben in den Zug hineingedrückt oder herausgezogen? Kann das auch geschehen, wenn ein Zug den anderen überholt? Werden Sie von einem Schnellzug, der nahe an Ihnen vorbeifährt, angezogen oder abgestoßen – oder vielleicht beides zugleich?

4.27

Ventilatorabdeckung und Höhleneingang eines Präriehundes

Warum wird der Luftstrom eines Ventilators verbessert, wenn ein Konus auf das Rohr aufgesetzt wird (Bild 4.27a)? Ähnlich ist es

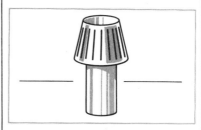

Bild 4.27a Ventilatorrohr mit konischem Aufsatz.

mit der Belüftung der Wohnhöhlen der Präriehunde. Die Eingänge zu diesen Höhlen sind von hohen, konischen Wällen umgeben (Bild 4.27b).

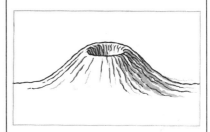

Bild 4.27b Eingang zur Höhle eines Präriehundes.

4.28

Insektenleichen auf der
Windschutzscheibe

Werden die Insekten direkt auf
der Windschutzscheibe schnell fah-
render Autos zerquetscht oder
schon vorher in der Luft, um dann
schön verteilt die Scheibe zu ver-
zieren? Wenn das letztere der
Fall ist — warum zerplatzen die
Mücken dann? Sind die Luftwirbel die Ursache für ihr grausames
Ende? Aber sind die Wirbel wirklich so stark? Werden die Insekten
nicht mit den „Stromlinien" über
das Fahrzeug hinweggetragen?
Bild 4.28 zeigt eine Möglichkeit,
die Insektenplage zu vermeiden.

Bild 4.28 [Mit Genehm. John Hart „Field Enterprises"]

4.29

Flatternde Fahnen

Warum flattern Fahnen im Wind,
auch dann, wenn er ganz gleichmäßig weht? Was bestimmt die
Frequenz des Flatterns?

4.30

Stabilisierung von Rennwagen

Rennwagen haben sich im Lauf
der Jahre mehr oder weniger auf-
fallend verändert. Eine der besten
Entwicklungen bestand in dem
Aufbau eines horizontalen Tragflü-
gels über dem Heck des Wagens.
Fuhr ein solcher Wagen in eine
Kurve, konnte der Fahrer den
Flügel nach vorne anstellen. Beim
Verlassen der Kurve wurde der
Flügel wieder waagrecht gestellt.
Dieser verstellbare Flügel erwies
sich als sehr nützlich, da der Wagen beim Kurvenfahren eine bessere Straßenlage bekam und somit mit größerer Geschwindigkeit gefahren werden konnte.
Die Bruchgefahr war bei diesen
Tragflügeln sehr groß. Sie wurden
deshalb wieder aus dem Verkehr
gezogen und die Rennfahrer
durften nur noch starre Aufbauten verwenden; daraus entstand
dann der „Spoiler". Wie kann
ein Flügel, sei er fest oder beweg-
lich, dazu beitragen, die Straßenlage zu verbessern?
Eine der seltsamsten Ausführun-
gen eines Rennwagens war der
Chaparral 2 J, den Jim Hall baute.
(Er hatte auch den beweglichen
Flügel eingeführt.) Der Chaparral
2 J hatte zwei riesige Ventilatoren
am Heck des Wagens. Sie sollten
Luft unter dem Wagen ansaugen
und durch die Ventilatoren nach
hinten ausstoßen. An seinen beiden Seiten bekam der Wagen eine
Schürze, die auf der Straße schleif-
te, um eine Art Tunnel für die
Luft zu bilden. Ja, Jim Hall konnte die Geschwindigkeit seines
Autos durch Erhöhung der Zugkraft enorm steigern. Aber wie
machte er das? Konnte ein solcher Luftstrom die Zugkraft vergrößern? Können Sie die maximale Erhöhung der Zugkraft und Geschwindigkeit abschätzen?

4.31

Wie ein Flugzeug Höhe gewinnt

„Wie steigt ein Flugzeug auf?"
Das ist eine Standardfrage der
Physik. Und die Standardantwort
lautet: „Mit Hilfe des Bernoulli-
schen Effekts". Ist diese Antwort
vollständig und der Bernoulli-
Effekt das Wesentliche? Durch
die Form der Flügel (Bild 4.31)
wird dieser Effekt erzielt, doch
wie wäre es einem Flugzeug
dann möglich, in Rückenlage
zu fliegen?
Die ausschlaggebenden Argumen-
te der allgemein üblichen Antwort sind folgende: Die Luft
über den Tragflächen bewegt
sich schneller als die unter den
Tragflächen und dadurch entsteht, nach Bernoulli, ein größerer Druck auf der Flügelunter-
seite. Warum bewegt sich die
Luft auf der Oberseite schneller?
Nun, die beiden Luftströme müssen die Flügel in derselben Zeit
überqueren. Der obere muß eine
größere Strecke zurücklegen und
bewegt sich infolgedessen schneller. Hier enden die üblichen Erklärungen. Warum der obere
Luftstrom den Flügel in derselben Zeit überqueren muß wie der
untere, wird nur selten deutlich gemacht. Tatsächlich brauchen die
beiden Luftströme nicht die gleiche Zeit, um an der Tragfläche

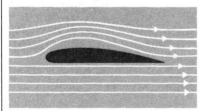

Bild 4.31 Querschnitt durch den Flügel
eines Flugzeuges.

vorbeizustreichen. Woher kommt
jetzt der Auftrieb?

$$V = \sqrt{\frac{2mg}{c_D \varrho A}}$$

Auftrieb!
$$L = c_L \frac{\varrho}{2} V^2 A$$

4.32

Sturzflug eines Flugzeuges

Stellen Sie sich ein Flugzeug im
steilen Abwärtsflug vor. Kann der
Pilot es bei normaler Geschwindigkeit wieder hochziehen oder bedarf es dazu einer höheren Geschwindigkeit?

4.33

Gegen den Wind segeln

Es ist nicht schwierig sich vorzustellen, wie ein Segelboot voran-
getrieben wird, wenn der Wind direkt oder schräg von hinten
kommt. Segelboote können aber
auch vorwärts fahren, wenn der
Wind von der Seite kommt (90°
zur Fahrtrichtung), ja sogar wenn
er unter einem Winkel von 45°
und mehr von vorne auf das Boot
trifft. Wirkt hier der Wind nicht
gegen die Bewegung des Schiffes?
Was treibt es dennoch vorwärts?
Wenn man von Wasserströmun-
gen einmal absieht, bei welcher
Windrichtung erreicht das Segel-
schiff die größte Geschwindigkeit?

4.34

Fliegende Untertassen

Was hält ein Frisbee* in der Luft?
Muß es sich drehen? Es muß
nicht immer eine Scheibe sein,
Ringe tun es fast genauso gut.

* Spielzeugwurfscheibe aus Plastik

4.35

Der Traum vom Fliegen

Ist es für einen Menschen möglich, mit eigener Kraft zu fliegen (Bild 4.35)? Diese Frage ist schon sehr alt, aber immer noch aktuell. Es scheint, daß die gegenwärtigen Versuche durchaus erfolgversprechend sind.

Zwei Fragen sind dabei von besonderer Bedeutung. Wieviel Kraft kann ein Mensch aufbringen und wieviel wird für einen solchen Flug benötigt? Außerdem ist zu bedenken, wie groß die Flügel sein müßten und ob sie flattern sollten. Und wird der Auftrieb verbessert, wenn man sich nahe am Erdboden befindet?

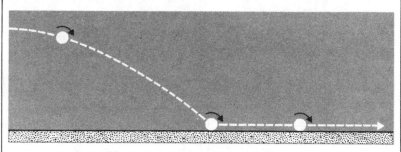

Bild 4.36 Golfball mit Drall.

4.36

Kreiselbewegung eines Golfballs

Manche Golfspieler geben ihrem Ball einen Drall, damit er nach dem Aufschlagen auf der Erde noch ein gewisses Stück weiter rollt und somit eine noch größere Strecke zurücklegt. Ist das wirklich eine so gute Idee, wenn man die Gesamtbahn des Balls in Betracht zieht?

4.37

Flettners seltsames Schiff

Im Jahre 1925 überquerte ein seltsames Schiff den Atlantik. Es wurde von zwei riesigen vertikalen rotierenden Zylindern angetrieben (Bild 4.37). Wie trieben diese Zylinder das Schiff vorwärts?

Die NASA verwendete in etwas modernerer Form dasselbe Prinzip, als sie an den Flügeln eines Flugzeuges horizontal rotierende Zylinder anbrachte. Wie kann ein solcher Zylinder einem Flugzeug zusätzlichen Auftrieb geben?

Bild 4.35 Der Schneider von Ulm.

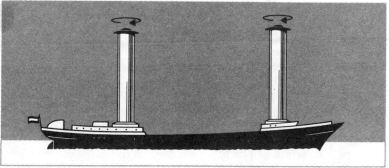

Bild 4.37 Flettners Rotorschiff

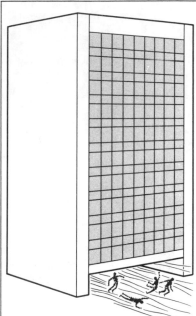

Bild 4.38 Starker Luftzug unter einem Gebäude.

4.38

Starker Luftzug unter einem Gebäude

Manche Architekten lieben es, Gebäude wie Brücken zwischen zwei festen Mauern aufzuhängen, so daß das Erdgeschoß frei bleibt (Bild 4.38). Das sieht recht hübsch aus, ist in windigen Gegenden jedoch nicht sehr praktisch. So wurden z. B. bei einem frischen Frühlingswind unter einem solchen Gebäude im Massachusetts Institute of Technology Windgeschwindigkeiten von mehr als 150 km/h gemessen. Das war sicherlich mehr als auf dem übrigen Universitätsgelände. (Studenten, auch der fortgeschrittenen Semester, wurden von dem Wind erfaßt und herumgewirbelt; nur „gestandene" Professoren konnten sich aufrecht-

halten.) Was verursacht diese Steigerung der Windgeschwindigkeit?

4.39

Gefürchtete Bälle

Beim Baseball gibt es Pitcher (siehe 2.9), die von ihren Gegnern gefürchtet werden, da sie besonders „gemeine" Bälle werfen können, Bälle, deren Flugbahn alle Vorausberechnungen zunichte machen. Sie weichen seitwärts aus, brechen den Flug vorzeitig ab oder schlagen gar Haken, wie einige Spieler behaupten. Was ist der Grund für diese Abweichungen, treten sie ruckartig auf und können sie vom Werfer kalkuliert werden?

4.40

Kurvenwerfen mit einem glatten Ball

Mit einem glatten Ball kann man nicht „um die Ecke" werfen wie mit einem Baseball, der eine rauhe Oberfläche besitzt und sich an der Luft „festhalten" kann. Trotz-

dem können Sie auch mit einem glatten Ball so werfen, daß er eine Kurve beschreibt. Doch wird bei der gleichen Wurftechnik die Bahnkrümmung entgegengesetzt zu der eines Baseballs sein. Wie kommt das?

Wellen

4.41 bis 4.59

Wellenanregung

4.41

Wellen im Wasser

Wie entstehen durch Windböen, die in unregelmäßiger Folge auf die Wasseroberfläche treffen, periodische Wellen im Wasser? Ist der Zug des Windes über die Oberfläche stärker als die ungeordnete Bewegung des Wassers? Bedarf es einer Mindestgeschwindigkeit des Windes, um die Wellen anzuregen? Gibt es eine Rückkopplung zwischen Wellen und Wind, durch die sich die Wellen vergrößern?

Interferenz

4.42

Riesenwellen

Viele Seeleute erzählen von unglaublich riesigen Wellen, denen sie auf See begegnet sind. Ein Schiffskapitän sah 1956 bei Kap Hatteras, North Carolina, eine 30 m hohe Welle, und 1921 sollen im Nördlichen Pazifik Wellen von 25 m Höhe gesichtet worden sein. Ebenfalls im Nördlichen Pazifik erschreckte 1933 eine Welle, die man auf 35 m Höhe schätzte, die Mannschaft der U.S.S. Ramapo. Ein angenehmer Gedanke, auf einem Schiffsdeck unter einer 35 m hohen Welle zu stehen! Warum erscheinen plötzlich solche Wellen und verschwinden dann wieder? Wenn ein Sturm sie ins Leben ruft, sollten dann nicht mehrere Wellen entstehen, nicht nur eine große? Könnte ein plötzliches Unterwasserbeben sie auslösen? (Kann ein Schiff auf hoher See die Wellen eines Seebebens überhaupt feststellen?)

Wellengeschwindigkeit

Lichtbrechung

4.43

Schaumkronen

Warum bilden sich Schaumkronen auf den Wellen im Meer und anderen Gewässern und warum sind sie weiß? Bei mäßigem Wind folgt eine der anderen ziemlich regelmäßig im Abstand von einigen Sekunden, wobei die Schaumkronen auf der dem Wind abgewandten Seite der Welle entstehen.

Schwerewellen und Kapillarwellen

4.45

Wasserläuferkäfer

Eilt ein Wasserläuferkäfer auf der Wasseroberfläche mit schnellen Schritten vorwärts, entstehen vor ihm ausgeprägte Wellenfronten, hinter ihm sind sie jedoch kaum oder gar nicht sichtbar (Bild 4.45a). Bewegt er sich langsam über das Wasser, entstehen keine Wellen, weder vor noch hinter ihm. Warum? Ein schwimmendes Boot erzeugt nur hinter sich Wellen. Was ist an dem Wasserkäfer so anders?

Ein ähnliches Wellenmuster kann man an einem schmalen Gegenstand, z. B. einem Stock, beobachten, der als Hindernis in einem Wasserlauf steht: die Wellen flußaufwärts haben eine viel kleinere Wellenlänge als die flußabwärts (Bild 4.45b). Woher kommt diese Unsymmetrie und was bestimmt die unterschiedlichen Wellenlängen?

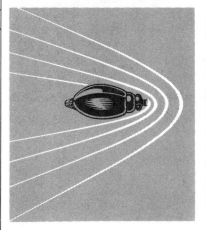 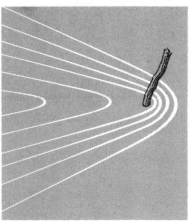

Bild 4.45a Wellen um einen Wasserläuferkäfer. [Nach V. A. Tucker, Physics Teacher, 9, 10 (1971)]

Bild 4.45b Wellen um einen Stock in einem Wasserlauf.

Sog

Bernoulli-Effekt

4.44

Geschwindigkeit von Booten

Was bestimmt letztlich die Geschwindigkeit von Booten, Enten und anderen schwimmenden Gegenständen, die größer als ein Insekt sind, auf dem Wasser? Wird sie durch die Reibung des Wassers bestimmt? Warum haben dann längere Boote im allgemeinen eine größere Höchstgeschwindigkeit als kurze? Müßte es nicht gerade umgekehrt sein?

Warum kann ein Tragflügelboot wesentlich schneller vorankommen als ein normales Schiff gleicher Größe? Das Tragflügelboot hebt sich, wie Sie sicher wissen, teilweise aus dem Wasser. Wie wird das bewerkstelligt und wie ermöglicht es so hohe Geschwindigkeiten?

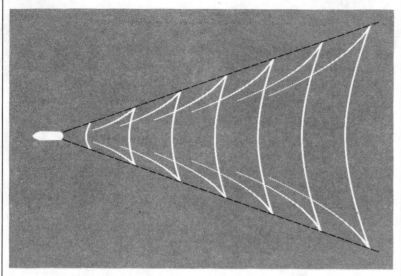

Bild 4.46 Wellen hinter einem Schiff, von oben gesehen. [Nach H. D. Keith, Am. J. Phys., 25, 466 (1957)]

4.46

Schiffswellen

Haben Sie schon einmal Gelegenheit gehabt, von einem Flugzeug aus Schiffe über tiefem Wasser zu beobachten? Ist Ihnen das schöne Muster der Wellen aufgefallen? Das Gebiet, in dem die Wellen auftreten, ist immer V-förmig mit demselben Öffnungswinkel (38° 56'), „ganz gleich, ob ein Kriegsschiff oder eine Ente auf dem Wasser schwimmt", wie einmal jemand es ausdrückte. Warum ist das so?

Innerhalb der V-Form wird das Muster komplizierter (Bild 4.46). Können Sie erklären, wie die beiden verschiedenen Wellentypen entstehen? Und entstehen sie hinter einem Kriegsschiff genauso wie hinter einer Ente? Wird sich das Muster in seichtem Gewässer ändern? Doch zunächst, können Sie erklären, was „seicht" bedeutet? Seicht im Vergleich womit?

4.47

Wellen an Kanten

Während Faraday sich mit dem Phänomen der Wasserwellen befaßte, entdeckte er eine ganz besondere Wellenform. Sie entstand an einer einfachen horizontal schwingenden Platte, die ins Wasser gebracht wurde (Bild 4.47a). Läßt man einmal die von den Seitenwänden reflektierten Wellen außer acht, sollte man nicht annehmen, daß nur ganz gewöhnliche ebene Wellen entstehen? Sobald die schwingende Platte etwa 5 mm im Wasser war, sah Faraday jedoch ganz anders geformte Wellen, die er wie folgt beschreibt: „Sofort bildeten sich Erhebungen, Wellen oder Kräuselungen von ganz besonderer Form aus. Diese kaum sichtbaren Erhebungen formten sich längs der Platte und erstreckten sich senkrecht zu ihr etwa 1—2 cm auf der Wasseroberfläche. Sie erinnern an die Zähne eines kurzen, sehr groben Kammes (Bild 4.47b)." [Faraday's Diary, Vol. 1, G. Bell & Sons, Ltd., London 1932]

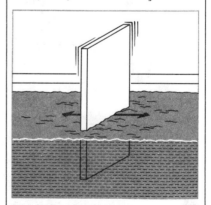

Bild 4.47a Schwingende Platte im Wasser.

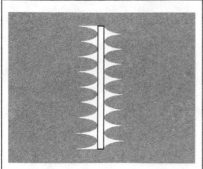

Bild 4.47b Wellenform an einer schwingenden Platte, von oben gesehen.

Faraday beobachtete auch bestimmte Zusammenhänge zwischen der Frequenz der schwingenden Platte und der sich ausbildenden Wellenform. Wie kann eine schwingende Platte stehende Wellen erzeugen, deren Wellenkamm senkrecht zur Platte verläuft?

Brechung

4.48

Brandung

Warum schlagen die Wellen des Meeres ziemlich genau parallel zur Küste an den Strand? Sicherlich kommen sie doch ursprünglich aus ganz verschiedenen Richtungen.

Wellen in seichtem Wasser

Bernoulli-Effekt

4.49

Gleiten auf seichtem Wasser

Haben Sie Lust Surfing zu lernen? Eine leichtere Art des Surfing besteht darin, auf einer hölzernen Scheibe über das seichte Wasser einer Brandung zu gleiten (Bild 4.49). Werfen Sie die Scheibe flach auf das Wasser und springen dann auf, sobald die Scheibe genügend Geschwindigkeit hat: sie wird Sie bis zu 5 m weit tragen. Wieso können Sie auf dem Wasser stehen und wieso gehen Sie unter, wenn die Geschwindigkeit der Scheibe nachläßt? Warum können längere Bretter längere Strecken zurücklegen? Gibt es bei einem längeren Brett nicht eine größere Reibung und würde dadurch die Fahrt nicht schneller zu Ende gehen?

Bild 4.49

Wellen in seichtem Wasser

Wellengeschwindigkeit

4.50

Surfing

Was treibt Sie beim Wellenreiten ans Ufer? Werden Sie von der Welle geschoben oder „reiten" Sie ständig auf der auslaufenden Welle? Warum kann man am besten auf Wellen reiten, die sich gerade brechen, und an Küsten mit leicht ansteigendem Strand? Warum steht der Surfer auf der Wellenvorderseite relativ fest? Kann er besser auf einem langen oder auf einem kurzen Brett das Gleichgewicht halten?

Auftrieb

Sog

4.51

Tümmler als Schiffsbegleiter

Bei einer Schiffsreise kann man oft in der Nähe des Schiffsbugs Tümmler sehen, die 1 bis 2 m unter der Wasseroberfläche fast bewegungslos das Schiff begleiten. Da sie gar keine Schwimmbewegungen machen, müssen sie ihre Antriebskraft vom Schiff bekommen. Und diese Technik muß sehr gut funktionieren, denn ein Tümmler kann länger als eine Stunde ohne Anstrengung unbeweglich mit dem Schiff ziehen, auf die andere Seite schnellen oder sich langsam um seine eigene Achse drehen. Es kommt sogar vor, daß zwei bis drei Herden von Tümmlern in unterschiedlicher Tiefe so das

Schiff begleiten. Was treibt sie
vorwärts?
Jacques Cousteau hat einen ähnlichen Fall in einem seiner Bücher
beschrieben. Haie werden oft von
kleinen Pilot- oder Lotsenfischen
begleitet, die, wie manchmal gesagt wird, dem Hai den Weg weisen. Cousteau beobachtete einen
solchen, sehr kleinen Fisch direkt
vor dem Maul des Hais. Eine sehr
heikle Situation! Der kleine
Fisch benutzte offensichtlich
die Kräfte des großen zum Antrieb, aber wie? Und wie konnte
er dabei das Gleichgewicht halten?

Schwerkraft

Theorien zu Ebbe und Flut

4.52

Gezeiten

Was verursacht die Gezeiten des
Meeres? Vielleicht sind Sie mit
einer Antwort zufrieden, die be-
sagt, daß die Gezeiten durch die
Anziehungskraft des Mondes und
der Sonne hervorgerufen werden.
Doch möchte ich dazu noch ein
paar Fragen stellen.
Steigt das Wasser auf der dem
Mond zugekehrten Seite der Erde
auf, weil der Mond das Wasser
senkrecht von der Erde weg-
zieht? Das wäre doch seltsam,
denn ist nicht die Anziehung für
das Wasser von der Erde her größer als die vom Mond? Wenn die
Meere auf der Erde zum Mond
hin gezogen werden und dadurch
die Flut entsteht, warum erscheint die Flut dann zweimal
an einem Tag? Im Lauf eines

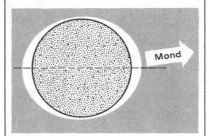

Bild 4.52 Die zwei Gezeiten auf der
Erde (im Maßstab übertrieben).

Tages dreht sich die Erde einmal
um sich selbst und so zeigt jeder
Punkt der Erdoberfläche nur einmal am Tag zum Mond. Dürfte
es dann nicht nur e i n e Flut
pro Tag geben? Es ist nun so,
daß das Wasser zweimal pro Tag
anschwillt, je einmal auf der dem
Mond zugekehrten Seite und einmal auf der dem Mond abgekehrten Seite (Bild 4.52). Wie erklären
Sie das Anschwellen auf der dem
Mond abgekehrten Seite? Bei
einigen Meeren (z. B. dem südlichen Chinesischen Meer, dem
Persischen Golf, dem Golf von
Mexiko und dem Golf von Siam)
tritt die Flut nur einmal am Tag
ein. Warum nicht zweimal? In
anderen Gegenden, wie beim
Indischen Ozean, gibt es abwechselnd ganztägige und halb-
tägige Gezeiten. Auch hier möchte ich Sie wieder fragen, warum?
Und warum folgt die Flut dem
Stand des Mondes immer mit
einer Verzögerung?

4.53

Sonne kontra Mond

Wer zieht bei den Gezeiten stärker
am Wasser, der Mond oder die
Sonne? Wenn Sie das herausfinden wollen, würden Sie wohl einfach die Masse der beiden Him-
melskörper vergleichen und dann
zu dem Schluß kommen, daß die
Sonne größeren Einfluß hat.
Woher kommen aber dann die
großen Springfluten bei Voll-
mond und Neumond? Und woher
die Nippfluten bei Halbmond?

Erhaltung des Drehimpulses

4.54

Folgen der Reibung durch die
Gezeiten

Der Strom der Gezeiten fließt über
den Grund des Meeres, und durch
die Reibungswärme geht Energie
verloren. Dieser Energieverlust hat
auch zur Folge, daß die Erdum-
drehung gebremst wird und die
Tage länger werden.
Hat der Energieverlust noch andere Folgen? Der Gesamtdrehimpuls
eines Systems kann sich nicht ändern, solange nicht ein äußeres
Moment einwirkt. Auf das System
Erde – Mond wirkt aber kein solches Drehmoment, und dennoch
nimmt der Drehimpuls der Erde
ab. Wie steht es dann mit der Erhaltung des Gesamtdrehimpulses?
Soll das immer so weitergehen?
Werden die Erdentage immer länger werden? Wird es eine Veränderung bei der scheinbaren Bewe-

gung des Mondes geben? Eine Voraussage geht dahin, daß der Mond eines Tages rückwärts über den Himmel wandern wird!

4.55

Schaukelwellen

Oft schwappt das Wasser in einem See vor und zurück, gerade so wie in einem kleinen, rechtwinkligen Gefäß. Vor langer Zeit schon kannten die Menschen, die am Genfer See wohnten, diese Schaukelwellen, deren Amplitude bis zu einem Meter groß werden kann. Man konnte sich die Ursache dafür nicht erklären, geschweige denn, wodurch die Periodizität bestimmt wurde. Was bestimmt die Frequenz der Schaukelwellen in einem rechtwinkligen Gefäß? Welche Periodizität würden Sie beim Genfer See vermuten, dessen mittlere Tiefe 150 m und Länge etwa 60 km beträgt? Und was bringt den See zum Schaukeln?

4.56

Flußhochwasser durch Gezeiten

Bei den meisten Flüssen, die ins Meer fließen, ist der Unterschied der Wasserhöhe durch die Gezeiten gering, manchmal kaum festzustellen. Bei anderen kann der Wasseranstieg so schnell erfolgen, daß eine fast senkrechte Wasserwand mit großer Gewalt flußaufwärts jagt (Bild 4.56). In England treten solche Wassermauern bei den Flüssen Severn und Trent auf, in Kanada beim Peticodiacfluß. Das Fluthochwasser des Amazonas bietet einen furchterregenden Anblick. Es ist stellenweise 1 1/2 km lang und 5 m hoch und fegt mit 12 Knoten flußauf-wärts. Das Überwältigendste auf diesem Gebiet leistet allerdings der chinesische Fluß Tsien-Tang-Kiang, dessen Wasser sich bis zu einer Höhe von 8 m erheben kann. Die Chinesen nützen diese rasenden Wassermauern sehr geschickt aus, um ihre Dschunken flußaufwärts treiben zu lassen, ungeachtet der Gefahr bei dieser stürmischen Fahrt. Warum bilden sich solche Wasserwälle und warum findet man sie nicht bei allen Flüssen, die ins Meer münden? Hängt ihre Geschwindigkeit von ihrer Höhe oder von der Tiefe des Flusses ab?

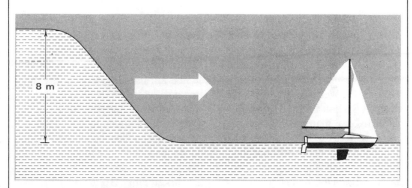

Bild 4.56 Eine Wassermauer rast flußaufwärts.

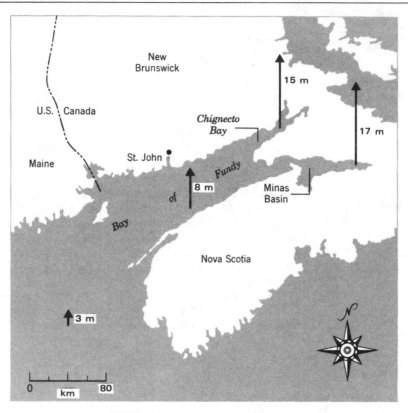

Bild 4.57 Tidenhub in der Bay of Fundy.

4.57

Gezeiten in der Bay of Fundy

Warum gibt es in der Bay of Fundy in Neuschottland den größten Tidenhub (das ist der Unterschied der Wasserhöhe auf Grund der Gezeiten) der Welt (Bild 4.57)? An einigen Stellen ist der Unterschied so groß, daß man auf eine ganz besondere Weise Fische fangen kann: Die Fischer stellen während der Ebbe riesige Netze auf und sammeln einfach dann bei der nächsten Ebbe die Fische ein, die sich während der Flut im Netz gefangen haben. Am Eingang der Bucht ist der Tidenhub nicht so groß, etwa 3 m während einer Springflut. Weiter nordwärts, in der Bay of St. John, beträgt der Hub bis zu 8 m und in der Chignecto Bay 15 m. Den größten Gezeitenhub aber kann man am Ende des Minas-Beckens erleben, wo sich das Wasser bis zu einer Höhe von 17 m erhebt. (Ein günstiger Wind kann das noch einmal um 2 Meter erhöhen.) Ist es möglich, daß in einer Bucht auf Grund ihrer besonderen Länge der Gezeitenhub vergrößert werden kann? Welche Länge müßte das für eine Bucht sein, die wie die Bay of Fundy 75 m tief ist? Wie kann man das zur wirklichen Länge dieser Bucht in Beziehung setzen?

4.58

Abgestufte Wasserhöhe

Drehen Sie bei Ihrem Waschbecken den Wasserhahn auf und beobachten Sie, wie sich das Wasser in einer relativ dünnen Schicht nach allen Seiten ausbreitet. Bei einer bestimmten Entfernung vom Wasserstrahl nimmt die Wasserhöhe plötzlich zu, als würde das Wasser eine Stufe hinaufsteigen (Bild 4.58). Eine ähnliche Stufe entsteht, wenn der Wasserstrahl auf einen flachen Teller fließt, doch ist der Höhenunterschied nicht so ausgeprägt. Was verursacht diese unterschiedliche Wasserhöhe und was bestimmt den Radius des Wasserringes? Wie hoch ist eine solche Stufe?

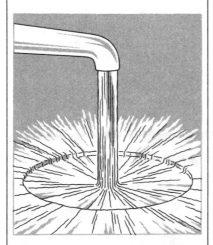

Bild 4.58 Abgestufte Wasserhöhe in einem Wasserbecken.

Bild 4.59 Stehende Wellen im ausfließenden Wasserstrahl.

4.59

Stehende Wellen im ausfließenden Wasserstrahl

Halten Sie einmal Ihre Finger oder die Klinge eines Messers quer unter einen dünnen Wasserstrahl: eine stehende Welle wird sich darin bilden (Bild 4.59)*. Warum? Was bestimmt den Abstand der Knoten und Bäuche in dieser Welle? Wie hängt diese Verteilung mit dem Abstand zwischen Ausflußöffnung und Hindernis zusammen?

* Elisabeth Wood, persönliche Mitteilung.

4.60

Bogenförmige Wellenausläufer

An sandigen Stränden kann man oft beobachten, daß die Wellen bogenförmig auslaufen, wobei auf einer Seite des Bogens kleine Steine und Muscheln angeschwemmt werden (Bild 4.60). Wie kommt das? Sollten die Meereswellen, die mit gleichmäßiger Wellenfront auf einen flachen Strand auftreffen, nicht gleichmäßig auslaufen?

An manchen Stränden finden sich lange, regelmäßige Ketten dieser bogenförmigen Wellen, manchmal treten sie aber auch einzeln auf.

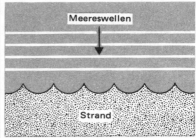

Bild 4.60 Bogenförmige Wellenausläufer (Draufsicht).

4.61

Ekman-Spirale

Stellen Sie sich einen gleichmäßigen Wind vor, der irgendwo mitten auf dem Meer über das Wasser bläst. In welche Richtung wird das Wasser unter Berücksichtigung aller einwirkenden Kräfte bewegt werden? In Richtung des Windes? Oder ein wenig nach links? Oder nach rechts? Nun, ich habe gelernt, daß die Wassermassen auf der nördlichen Erdhalbkugel um 90° nach rechts und auf der südlichen um 90° nach links getrieben werden. Warum gerade um 90°? Der Strom des Wassers vor der kalifornischen Küste ist ein Beispiel dafür in nicht so tiefem Wasser. Die Winde blasen hier meist südwärts und parallel zur Küste, aber die obere Schicht des Meereswassers bewegt sich nach Westen.

4.62

Starke Meeresströmungen

Erscheint es Ihnen nicht auch seltsam, daß es auf der nördlichen und der südlichen Hemisphäre die stärkeren Meeresströmungen an den Westseiten der Ozeane gibt? Im Nördlichen Atlantik ist es der Golfstrom, im Südlichen Atlantik der Brasil Strom, im Nördlichen Pazifik der Kuro Schio und im Indischen Ozean der Agulhas-Strom. (Der Südliche Pazifik macht eine Ausnahme; es gibt dort keine größere Meeresströmung, die von Australien kommt.) Warum gibt es sie bevorzugt an den Westseiten der Ozeane?

Nebenströmung	
Zentrifugalkraft	4.63; 4.64
Reibung	

4.63

Teeblätter

Warum sammeln sich beim Umrühren die Teeblätter in der Mitte der Tasse? Da sich der Tee im Kreis bewegt, möchten Sie es wohl gerne ein Beispiel für die Zentrifugalkraft nennen. Aber halt! Bewegen sich die schwereren Teilchen in einer Zentrifuge nicht nach außen? Und wird durch dieses Argument das Verhalten der Teeblätter nicht geradezu unverständlich?

4.64

Flußmäander

Der Verlauf von Flüssen und Strömen, die nicht reguliert wurden, ist selten über eine längere Strecke gerade; meist winden sie sich in Mäanderform durch die Landschaft (Bild 4.64). Manchmal sind die Windungen so extrem, daß eine Schleife abgeschnitten wird, wodurch ein Altwasser entsteht. Sicherlich zwingt die Landschaftsstruktur den Fluß zu solchen Krümmungen, doch sollte es nicht trotzdem längere gerade Strecken geben? Was verursacht die Mäanderform?

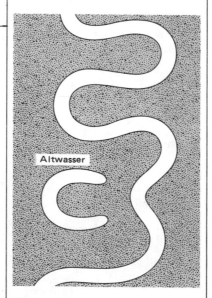

Bild 4.64

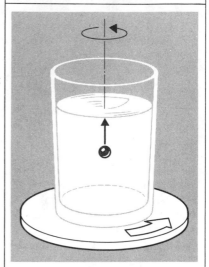

Bild 4.65 Im rotierenden Wasser braucht der Ball länger zum Aufsteigen.

4.65

Aufsteigender Ball in rotierendem Wasser

Verändern Sie das Gewicht eines kleinen Balles (indem Sie ihn teilweise mit Wasser füllen) so, daß er etwa zwei Sekunden braucht, um aus einer Wassertiefe von 10 cm aufzusteigen. Befindet sich ein Glas mit Wasser auf einer rotierenden Drehscheibe und derselbe Ball auf der Mittelachse in gleicher Tiefe (Bild 4.65), müßte die Zeit für den Aufstieg nicht dieselbe sein wie beim unbewegten Wasser? Tatsächlich ist es aber so, daß für diese Strecke, bei einer Drehgeschwindigkeit von 33 1/3 Umdrehungen pro Minute, nun 30 Sekunden benötigt werden. Woher kommt dieser große Unterschied in der Aufstiegszeit? Ja, warum gibt es überhaupt einen Unterschied?

Druckgradient	Wirbel 4.67 bis 4.78	Drehscheibe und lassen Sie sie mit
Zentrifugalkraft	Corioliskraft	

4.66

Tinte und wozu man sie gebrauchen kann

Lassen Sie einen Tropfen Tinte in ein Glas mit klarem Wasser fallen; das verfärbte Wasser wird sich etwa einen halben Zentimeter weit ausbreiten. Nehmen Sie nun ein frisches Glas Wasser und stellen es in die Mitte einer rotierenden Drehscheibe. Lassen Sie wieder einen Tropfen Tinte ins Wasser fallen, aber nicht in die Mitte: Die Verfärbung bildet einen Hohlzylinder, der sich um die Achse des Glases dreht (Bild 4.66). Was hält die Farbe in der Form des Zylinders und warum vermischt sie sich nicht mit dem klaren Wasser?

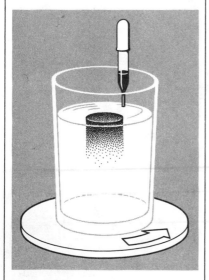

Bild 4.66 Figur aus Tinte in einem rotierenden Glas mit Wasser.

4.67

Wirbel im Abfluß der Badewanne

Ist es wahr, daß sich auf der nördlichen Hemisphäre über dem Abfluß von Badewannen, in denen das Wasser gerade abfließt, Wirbel bilden, die sich gegen den Uhrzeigersinn drehen? Und auf der südlichen Hemisphäre im Uhrzeigersinn? Bedeutet das, daß sich direkt auf dem Äquator das Wasser im Abfluß einer Badewanne gar nicht dreht?

4.68

Tornados und Wasserhosen

Ziehen Tornados und Wasserhosen in eine bestimmte Richtung wie die Orkane? Was läßt sie sichtbar werden? Steigt das Wasser in einer Wasserhose auf oder ab? Warum bewegen sich einige Tornadotrichter sprunghaft? Ziehen sich benachbarte Trichter an oder stoßen sie sich ab? Und zum Schluß, warum erscheinen uns manche Trichter doppelwandig, so als bestünden sie aus zwei konzentrischen Trichtern?

4.69

Sturm in der Sprudelflasche

Stellen Sie eine gerade geöffnete Flasche Sprudel in die Mitte einer Drehscheibe und lassen Sie sie mit 78 Umdrehungen pro Minute rotieren. Wie Sie sicher erwarten würden, steigen nun Blasen auf. Schütten Sie noch ein wenig Zucker oder eine andere körnige Substanz in das Mineralwasser, so bildet sich ein Trichter, wie bei einem Wirbelsturm. Was verursacht diese Wirbel und woher kommt ihre Energie?

4.70

Wirbel in der Kaffeetasse

Rühren Sie in einer Tasse mit heißem Kaffee bis er eine gleichmäßige Drehbewegung erreicht hat und lassen Sie dann vorsichtig einen dünnen Strahl kalte Milch in die Mitte laufen; es wird sich dort ein Wirbel bilden und eine Vertiefung bemerkbar werden. Nicht so bei heißer Milch! Warum gibt es im ersten Falle einen Wirbel, beim zweiten aber nicht?

4.71

Staubwirbel

Welche Kraft treibt die Staubwirbel an, die man oft in der Wüste antrifft oder in anderen Gegenden, in denen es viel feinen Sand und Staub gibt? Bewegt sich die Luft in ihrem Inneren nach oben oder nach unten und gibt es für sie eine Vorzugsrichtung wie bei Wirbelstürmen? Wie können kleine,

Bild 4.71 Staubwirbel

örtliche Luftveränderungen sie auslösen? So kann z. B. ein Kaninchen, das über die Wüste hoppelt, eine Spur von Staubwirbeln hinter sich hervorrufen. Warum legen sich fast alle diese Wirbel nach 3 bis 4 Minuten wieder? Kommt das von der Bewegung der Luft oder hat sich die Energie verbraucht? Und warum haben sie die Form eines ungleichmäßigen Stundenglases (Bild 4.71) und nicht die eines Tornadotrichters?

4.72

Feuerstürme

Warum bilden sich oft tornadoähnliche Feuerstürme in der Nähe von Vulkanen, Waldbränden und anderen großen Feuern?

4.73

Dampfwirbel

Es gibt noch eine andere Art natürlicher Wirbel, die man jedoch nur selten zu sehen bekommt. Im dichten Nebel über einem winterlichen See, dem Michigansee z. B., tauchen plötzlich Dampfwirbel auf wie Geister. Sie können selbst solche Geister erscheinen lassen, indem Sie kalte Luft über das warme Wasser einer Badewanne in einem feuchten Badezimmer blasen. Was treibt die Dampfwirbel an?

4.74

Tintenringe

Fällt ein Tropfen Tinte in ein Glas mit klarem Wasser, können Sie einen Wirbelring beobachten, der durch das Aufplatschen des Tropfens entsteht und sich beim Absinken immer weiter ausdehnt (Bild 4.74). Können Sie mit ganz einfachen Worten erklären, warum sich ein solcher Ring bildet und immer größer wird? In welcher Richtung dreht sich das Wasser innerhalb des Ringes? Und warum entstehen auch noch an-

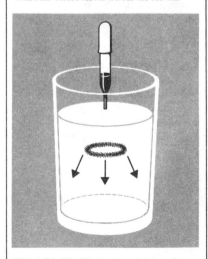

Bild 4.74 Ein Tintenring sinkt und vergrößert sich.

dere, doch nicht so ausgeprägte Ringe durch das Auftreffen des Tropfens auf das Wasser?

4.75

Gespenstischer Sog

Bewegen Sie ganz schnell eine senkrecht stehende Postkarte waagrecht über das Wasser in einem größeren Gefäß (Bild 4.75a) und es wird sich rechts und links davon auf der Wasseroberfläche durch den Sog ein Wirbel bilden. Warum? Wiederholen Sie diese Bewegung, aber halten Sie die Karte dabei schräg (Bild 4.75b), so entsteht nur ein Wirbel. Warum nur einer?

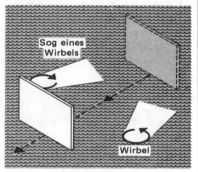

Bild 4.75a Zwei Wirbel bilden sich (Draufsicht).

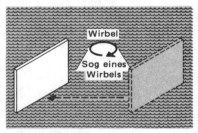

Bild 4.75b Ein Wirbel bildet sich, wenn die Karte schräg gehalten wird (Draufsicht). [Nach C.W. McCutchen, Weather, 27, 33 (1972)]

4.76

Heiße und kalte Luft in einem Wirbelrohr

Das Wirbelrohr nach Ranque-Hilsch kann auf geheimnisvolle Weise, ohne die Hilfe beweglicher Teile, heiße und kalte Luft trennen. Preßt man verdichtete Luft bei etwa Raumtemperatur durch einen seitlichen Stutzen in das Wirbelrohr (Bild 4.76), wird heiße Luft von etwa 200 °C aus dem einen Ende des Rohres und kalte Luft von etwa −50 °C an der gegenüberliegenden Seite ausströmen. In dem Rohr befindet sich weder Heizung noch Kühlung, es ist ein zylindrischer Hohlraum mit einer kleinen Austrittsöffnung an dem einen Ende und einem Ventil am anderen Ende, das ist alles. Wie wird so ein großer Temperaturunterschied durch eine so einfache Vorrichtung erzeugt? Sitzt ein kleines grünes Männchen im Rohr, das in fieberhafter Eile die heiße und die kalte Luft aus der Luft bei Raumtemperatur aussortiert?

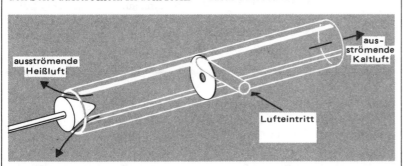

Bild 4.76 Verdichtete Luft wird in ein Wirbelrohr geblasen und trennt sich in heiße und kalte Luft.

4.77

Vogelflug

Gibt es wohl einen physikalischen Grund dafür, daß die in den Süden ziehenden Vogelschwärme sich zu einem V formieren? Oder glauben Sie, daß es sich dabei nur um eine besonders interessante Verhaltensform handelt, die keinen wirklichen Nutzen hat? Gibt es vielleicht aerodynamische Gründe für diese Formation und ist auch die Symmetrie wichtig? Ist auch ein gleichzeitiges Flügelschlagen aller Vögel nötig? Welche Vorteile hat eine V-Formation vor anderen (z. B. alle Vögel fliegen in einer Reihe nebeneinander oder im Zickzack)? Warum bilden die Vögel bei ihrem großen Zug in den Süden nicht einen Schwarm, so wie die Fische?

4.78

Münzen im Brunnen

Wirft man eine Münze in einen großen Wasserbehälter, wird sie dann mit der Kante oder der Breitseite nach unten sinken? Verhält sie sich in einer zähen Flüssigkeit wie Öl oder in einer Zuckerlösung genauso? Und wie macht es ein zylinderförmiger Körper? Ihr Gefühl wird Ihnen sicherlich sagen, daß ein sinkender Körper immer die Stellung einnehmen wird, bei der sich die günstigsten Umströmungsbedingungen ergeben. Es ist jedoch so, daß die Münze und auch der Zylinder unter bestimmten Bedingungen immer in der Lage absinken, in der Sie sie ursprünglich gehalten haben. Verdicken Sie die Flüssigkeit noch mehr oder vergrößern Sie die Scheibe, so wird sie auf jeden Fall mit der Breitseite nach unten sinken. Warum sinkt sie gerade mit der Breitseite voran? Und warum ist es bei kleinen Münzen und Zylindern nicht so?

4.79

Rennwagen im Windschatten

Welchen Vorteil hat es bei einem Autorennen für einen Wagen, dicht hinter dem vorausfahrenden zu bleiben (d. h. im Windschatten zu fahren)? Wirkt sich das auch auf den vorderen Wagen aus? Wenn der Hintermann plötzlich ausschert um zu überholen, erhält er beim Vorbeifahren eine schlagartige Beschleunigung. Warum?

4.80

Wechselwirkung zwischen sinkenden Gegenständen

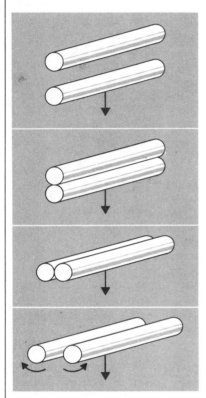

Bild 4.80a Zwei Zylinder fallen in eine zähe Flüssigkeit.

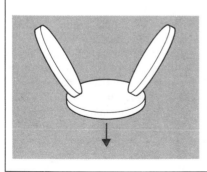

Verschiedene Gegenstände wirken auf verschiedene Art und Weise aufeinander ein, während sie in zähe Flüssigkeiten, wie z. B. Öl, oder in eine Zuckerlösung sinken. Hier sind drei Beispiele: Lassen Sie in eine dicke Flüssigkeit zwei Zylinder kurz nacheinander fallen. In einem bestimmten Bereich der Viskosität, der Zylindergröße und -geschwindigkeit kann es vorkommen, daß der zweite den ersten Zylinder einholt, sich dreht, bis er in der Horizontalen parallel zu ihm liegt und schließlich beide zu rotieren beginnen. Danach schieben sie sich beim Sinken waagrecht auseinander (Bild 4.80a).
Ein etwas einfacheres Beispiel von Wechselwirkung wird im folgenden beschrieben: In eine zähe Flüssigkeit fällt eine Scheibe, der zwei weitere in kurzem Abstand folgen. Diese beiden werden die erste einholen und zusammen eine stabile „Schmetterlingsfigur" bilden (Bild 4.80b).
Nun das dritte Beispiel: Man läßt drei oder sechs Kugeln gleichzeitig an einer Stelle in eine solche Flüssigkeit fallen. Sie werden in der Horizontalen zu einem gleichmäßigen Polygon auseinanderstreben, welches sich beim Sinken langsam vergrößert.
Können Sie dieses Phänomen, ohne in Einzelheiten zu gehen, ungefähr erklären?

Bild 4.80b „Schmetterlingsfigur" dreier Scheiben, die in einer zähen Flüssigkeit absinken. [Nach K. O. L. F. Jajaweera u. B. J. Mason, J. Fluid. Mech. 22, 709 (1965)]

4.81

Seltsame Luftwirbel im Wasser

Beobachten Sie einmal ganz genau die Blasen, die in einem Wasserbehälter aufsteigen. So wie Sie es sich vorstellen würden, steigen die ganz kleinen kugelförmigen Blasen (mit einem Durchmesser von weniger als 1,5 mm) genau senkrecht nach oben. Die etwas größeren (Durchmesser bis zu 6 mm) sind auch kugelig, doch steigen sie im Zickzack oder in einer spiraligen Bewegung auf. Noch größere Luftblasen (Durchmesser über 6 mm) steigen wieder genau senkrecht auf, und Blasen mit einem Durchmesser von 2 cm und mehr haben die Form einer Kugelkappe und erinnern an kleine Schirmchen (Bild 4.81).
Warum hängt die Form einer aufsteigenden Blase von ihrer Größe ab? Was zwingt eine mittelgroße Blase, im Zickzack oder in einer Spirale aufzusteigen? Und welche Parameter bestimmen die Frequenz dieser Bewegung?

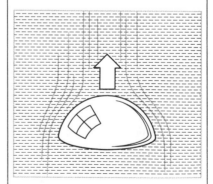

Bild 4.81 Eine große Blase in Form einer Kugelkappe steigt nach oben.

4.82

Verhaltensforschung bei Fischen

Das Verhalten der Fische, in großen Schwärmen zu schwimmen, hat sicherlich soziale Ursprünge, doch bietet es dem Fisch auch praktische Vorteile.

Schwimmt der Fisch in einem großen Schwarm, erhöht sich seine Lebenserwartung etwa um das Sechsfache. Welche Vorteile haben Fische ähnlicher Form und Größe, wenn sie in regelmäßigen Reihen mit gleichmäßigen Bewegungen schwimmen? Was bestimmt den Abstand von einem Fisch zum nächsten? Ist es für einen Fisch günstig, direkt hinter einem anderen zu schwimmen? Warum findet man bei Fischen nicht eine V-Formation so wie bei den Vögeln?

4.83

Eine windige Sache

Warum ist es bei einem starken, böigen Wind auf der dem Wind zugewandten Seite eines Gebäudes ruhiger als auf der dem Wind abgewandten Seite? Sollte es nicht gerade umgekehrt sein?

Resonanzanregung

Harmonische Schwingungen

4.84

Der Einsturz der Tacoma-Narrows-Brücke

Vielleicht haben Sie schon einmal vom Einsturz der Tacoma-Narrows-Hängebrücke im U.S.-Staat Washington gehört. Der berühmte Film, der darüber berichtet, wird oft gespielt und zeigt das Schwingen der Brücke und schließlich ihren Einsturz. Die Brücke begann schon zu schwingen, als sie noch im Bau war; ja, die pulsierenden Bewegungen des Bauwerks mach-

ten die Bauarbeiter seekrank. Als sie für den Verkehr freigegeben wurde, war die Bewegung schon so ausgeprägt, daß Auto- und Motorradfahrer von weit her angereist kamen, nur um diese Attraktion als Nervenkitzel zu erleben. An manchen Tagen, an denen die Brücke bis zu 1 1/2 m auf- und abschwang, konnte es schon vorkommen, daß ein Autofahrer den vor ihm fahrenden Wagen aus dem Auge verlor.

Trotzdem kam der Einsturz der Brücke völlig überraschend. Am Morgen des Einsturzes hörte das Schwingen plötzlich auf, und nach einer kurzen Pause begann die Brücke eine wilde Drehschwingung. Zu der Zeit befanden sich zwei Menschen auf der Brücke, die nur noch auf allen Vieren entkommen konnten. Ein Professor, der versucht hatte, einen auf der Brücke zurückgebliebenen Hund zu retten, konnte sich nur dadurch in Sicherheit bringen, daß er sich längs der Knotenlinie der Drehschwingung vorwärts bewegte. (Im Film wird das sehr ausführlich gezeigt.)

Etwa dreißig Minuten nach dem Beginn der Schwingungen löste sich die erste Bodenplatte aus der Fahrbahndecke. In den nächsten 30 Minuten brachen dann die Platten auf einer Länge von 200 m heraus. Danach hörten die Drehbewegungen kurz auf, um in den nächsten paar Minuten durch erneutes Schwingen die verbliebenen Platten zum Einsturz zu bringen.

Man konnte dem Erbauer der Brücke (er starb kurz nach diesem tragischen Ende seiner Karriere) kaum einen Vorwurf machen, denn zu jener Zeit wußte man noch sehr wenig über das aerody-

Bild 4.82 „Es hat damit angefangen, daß wir ‚Schwan kleb an' gespielt haben.“

namische Verhalten von Hänge-
brücken. Die Rückwirkungen
dieser Katastrophe waren enorm
groß und machten sich lange Zeit
bei der Projektierung neuer Brük-
ken bemerkbar.

Der Einsturz der Brücke wird im
Physikunterricht als ein Beispiel
für erzwungene Resonanzschwingungen vorgestellt. Obwohl an
jenem Tag der Wind gar nicht besonders stark blies, steigerten sich
die Schwingungen der Brücke bis
zu einem katastrophalen Ausmaß.
Aber warum und wie bewirkte
das der Wind? Wie konnte ein
fast gleichmäßiger Wind das Pulsieren hervorrufen, das bald in
Drehschwingungen überging?
Warum entstanden longitudinale
Schwingungen? Da die erzwungene Resonanz eine bestimmte
Übereinstimmung in der Frequenz
zwischen der antreibenden Kraft
und dem angetriebenen Objekt
erfordert, müssen Sie jetzt erklären, wie der Wind diese Übereinstimmung erzeugen konnte.

Wie kann die aerodynamische
Instabilität einer Brücke auf ein
Minimum gebracht werden? Aus
dem Einsturz hatte man einiges
gelernt; etwas Neues z. B. war es,
Längsspalten auf der Brücke an-
zubringen, und zwar zwischen den
beiden Fahrbahnen. Wie kann das
dazu beitragen, das Bauwerk zu
stabilisieren?

Instabilität nach Kelvin-Helmholtz

Konvektion

4.85

Turbulenzen

Warum werden die Passagiere eines
Düsenflugzeugs so oft durch ein
plötzliches Absacken durchge-
schüttelt? Manchmal sind es einzelne Stöße, manchmal geht es auf
und ab wie auf hoher See. Wieder
andere heben das Flugzeug schnell
in die Höhe, ja, sie können sogar bewirken, daß der Pilot die Kontrolle
verliert. Oft gibt es vorwarnende
Zeichen bei diesen verschiedenen
Arten von Luftstörungen, doch
gibt es auch Turbulenzen bei völlig klarem Wetter, bei wolken-
losem Himmel und in Höhen von
einigen Kilometern. Man kannte
sie nicht, bis es Düsenflugzeugen
im 2. Weltkrieg zum erstenmal
gelang, in solche Höhen zu steigen.
Was ist verantwortlich für solche
Schönwetterturbulenzen und die
anderen Arten von Störungen in
der Atmosphäre? Warum treten
sie hauptsächlich in großen Höhen
auf?

4.86

Gangfehler einer Uhr im Hoch-
gebirge

Geht eine Uhr, die durch Feder-
kraft angetrieben wird, in höher
gelegenen Gegenden schneller oder
langsamer als in Meereshöhe?

Turbulenz   4.87; 4.88

4.87

Drahtsieb im Wasserhahn

Warum wird oft ein feines Drahtsieb am Auslaß eines Wasserhahnes
angebracht? Kleine Steine und
Verunreinigungen sammeln sich
in ihm, doch wird auch oft behauptet, das Wasser würde dadurch
„glatter" und „weicher". Wie ist
das möglich?

Welleninterferenz

4.88

„Schnelle" Schwimmbecken

Wie kann man von einigen
Schwimmbecken behaupten, sie
seien „schnell"? Könnte es sein,
daß unterschiedliche Wassertiefen, verschiedenartige Abflußvor-
richtungen, chemische Zusätze
usw. die Geschwindigkeit eines
Schwimmers merklich beeinflussen?

Schwingungen an Kanten

4.89

Schwingungen an einem Wasser-
überlauf

Läuft Wasser über das Ablaufwehr
einer Talsperre, kann es sein, daß
das herabfallende Wasser in heftige Schwingungen gerät (Bild 4.89).
Der dabei entstehende Lärm, zusätzlich zum normalen Lärm des
aufschlagenden Wassers am Fuß
der Mauer, kann für die Nachbarschaft unerträglich werden. Was
verursacht diese Schwingungen
und woher kommt der enorme zusätzliche Lärm?

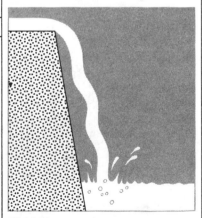

Bild 4.89

4.90

Löcher im Fallschirm

Warum haben Fallschirme oft ein Loch in ihrer Mitte (Bild 4.90a), besonders die normalen Fallschirme der Luftlandetruppen? Ist ein vorsätzlich eingebautes Loch in einem Schirm nicht ein sehr seltsamer Bestandteil? Widerspricht es nicht dem eigentlichen Sinn eines Schirmes? Wenn das Loch den Luftwiderstand reduzieren soll, warum macht man dann nicht einfach den Fallschirm kleiner?

Um die Wirkungsweise eines unkonventionellen Fallschirmes zu begreifen, bedarf es einiger weiterer Erklärungen. So erinnern z. B. einige Bremsfallschirme von Rennwagen an zwei gekreuzte Heftpflaster (Bild 4.90b). Warum sollte jemand einen solchen Bremsfallschirm verwenden? Ist der Luftwiderstand nicht sehr niedrig? Sogar an einem windstillen Tag schwingen die Fallschirmspringer während des Absprungs hin und her. Da dieses Pendeln für die Landung sehr gefährlich sein kann, geschieht es sicherlich nicht mit Absicht. Was verursacht das Schwingen und was bestimmt die Schwingungsdauer?

Bild 4.90a
Konventioneller Fallschirm

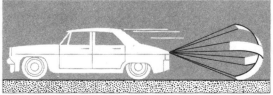

Bild 4.90b Bremsfallschirm

4.91

Geschwindigkeit eines treibenden Bootes

Man sagt, daß sich ein treibendes Boot schneller bewegt als das Wasser des Flusses, auf dem es schwimmt. Und muß es nicht so sein, da man das Boot ja noch lenken kann? Aber wie kann es sich schneller vorwärts bewegen als der Fluß, der es trägt?

4.92

Schneezäune

Warum stellt man an Autobahnen und Straßen im Winter Schneezäune auf, um den Verkehr vor starken Schneestürmen zu schützen? Warum baut man nicht eine geschlossene Mauer? Sicherlich ist ein Zaun billiger, aber wäre eine Mauer nicht viel sinnvoller als ein Zaun mit all seinen Zwischenräumen?

4.93

Schneewehen

Bei einem Schneesturm ist das Schneetreiben um Stangen und Bäume viel heftiger als an den windzugewandten Seiten der Häuser. Warum wird hinter schmalen Hindernissen viel mehr treibender Schnee abgelagert?

4.94

Stromlinienförmige Tragflächen

Warum enden die Tragflächen von Flugzeugen in einer scharfen Kante? (Das Stichwort „stromlinienförmig" reicht mir nicht.) Warum sind bei einigen Flugzeugen die Flügel schräg nach hinten gerichtet (Pfeilform) und bei manchen nicht?

115

4.95

Aerodynamik beim Skilauf

Welche Haltung ist, vom aerodynamischen Standpunkt aus gesehen, die günstigste bei einem Abfahrtsrennen? Die Abfahrtszeiten der Sieger bei den Olympischen Winterspielen und anderen großen Weltmeisterschaften unterscheiden sich oft nur um Bruchteile von Sekunden. Eine genaue Kenntnis der Vor- und Nachteile einer bestimmten Haltung sowie der Beschaffenheit der Skier ist von ausschlaggebender Bedeutung. Die Franzosen experimentieren in Windkanälen und kreierten die „Eiform" (Bild 4.95a). Obwohl diese Haltung noch nicht die beste ist, um den Luftwiderstand zu reduzieren, wird sie doch oft bei anstrengenden Rennen eingenommen.

Wie steht es mit den beiden anderen Haltungen, die hier gezeigt werden? Früher haben die Skifahrer sich instinktiv immer so tief wie möglich gebückt und dabei ihre Arme an der Seite herabhängen lassen (Bild 4.95b). Es hat sich jedoch herausgestellt, daß der Luftwiderstand bei einer Haltung wie Bild 4.95c zeigt wesentlich geringer ist als bei der tiefgebückten Haltung wie in Bild 4.95b, doch noch nicht so gering wie bei der „Eiform". Warum?

(a) „Eiform"   (b) gebückt in der Hocke   (c) gebückt mit gestreckten Beinen

Bild 4.95 Drei verschiedene Haltungen beim Abfahrtslauf.

4.96

Golfball mit Grübchen

Warum haben Golfbälle viele kleine Vertiefungen auf ihrer Oberfläche? Früher waren sie alle glatt, und nur durch Zufall entdeckte man, daß Bälle mit Vertiefungen weiter fliegen konnten. Einer Schlagweite von 200 m eines Balles mit diesen Vertiefungen entspricht eine Schlagweite von 50 m eines glatten Balles. Wie kann man sich das erklären? Sollte ein glatter Ball nicht weiter fliegen, da er weniger Luftwiderstand hat?*

---

* In den letzten Jahren wurde ein neuer Golfball entworfen, der anstelle der regelmäßigen, über die Oberfläche verteilten Vertiefungen jetzt solche besitzt, die unregelmäßig verteilt und hexagonal sind. Er soll noch etwa 5 m weiter fliegen.

Luftdruck

Impulsübertragung

4.97

Gestutzte Flügel

Wie fliegen die Vögel? Ich weiß schon, daß sie ihre Flügel auf- und abbewegen, aber wie hält sie das in der Luft und wie trägt es sie vorwärts? Vielleicht ist es so, daß der Vogel sich bei der Abwärtsbewegung seiner Flügel abstößt und dadurch nach vorne fliegt. Doch nein, so kann es nicht sein. Bei der Zeitlupenaufnahme eines Vogelfluges sieht man, daß die Flügel bei der Abwärtsbewegung nicht nach hinten, sondern nach vorne schlagen. Sie finden die Lösung dieses Geheimnisses vielleicht, wenn Sie an die alte griechische Sage von Ikarus denken, der zu nahe an die Sonne flog, die an seine Arme geklebten Federn verlor und dann in den Tod stürzte. Muß ein Vogel Federn haben, um sich in die Höhe und nach vorne zu schwingen? Kann ein Vogel mit gestutzten Flügeln noch fliegen?

4.98

Die Lerche schwingt sich in die Luft . . .

Wie können sich Vögel so mühelos und ohne abzusetzen in die Höhe schwingen? Lassen sie sich vom Aufwind der Bäume und Hügel

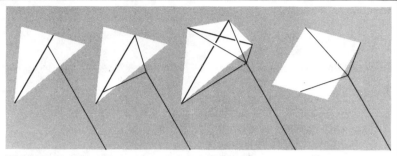

Bild 4.99 Verschiedene Arten der Schnurbefestigung.

4.99

Drachen

Was hält einen Papierdrachen in der Luft? Welche Form ist die günstigste für seine Stabilität? Warum haben einige Drachen einen Schwanz? Was haben die verschiedenen Techniken der Schnurbefestigung (Bild 4.99) für Vorteile?

tragen? Aber warum können sie es dann genauso gut über flachem Land oder einer großen Wasserfläche? Erhalten sie Auftrieb, indem sie sich in einen Wind gleiten lassen, dessen Stärke in der Höhe zunimmt? Warum scheinen die Vögel dann an windstillen Tagen noch viel besser aufsteigen zu können? Oder lassen sie sich von der Thermik nach oben tragen? Wie ist es dann möglich, daß Sie manchmal einen Vogelschwarm mühelos aufsteigen sehen, während sich ein anderer Schwarm über oder unter dem ersten mit heftigem Flügelschlagen in der Luft hält? Und außerdem, wenn der Auftrieb von der Bodenwärme kommt, müßten sich dann nicht größere Vögcl in der Nähe des Bodens leichter aufschwingen können? Gerade das ist aber nicht der Fall. Einige Vögel begleiten Ozeandampfer über lange Strecken auf dem Meer; sie scheinen ihren Auftrieb irgendwie in der Nähe der Schiffswellen zu erhalten. Wie ist das möglich?

4.100

Wolkenstraßen

An manchen Tagen ist der Himmel bedeckt mit langen, geraden Reihen von Kumuluswolken; diese Art der Bewölkung nennt man Wolkenstraßen. Was zwingt die Wolken, sich in Reihen zu ordnen, und was bestimmt den Zwischenraum zwischen den Reihen? Warum sieht man solche „Wolkenstraßen" nicht oft?

4.101

Spitzendeckchen auf der Kaffee-tasse

Beobachten Sie eine Tasse heißen Kaffee unter einem starken Licht, das fast parallel zur Oberfläche des Kaffees einfällt, und Sie werden entdecken, daß er über und über mit polygonen Zellen bedeckt ist (Bild 4.101a). Beim Abkühlen

Bild 4.101a Muster auf dem Kaffee. [Nach V. J. Schaefer, Amer. Scientist 59 (1971)]

des Kaffees verschwinden sie wieder. Sie können das feine Muster auch zum Verschwinden bringen, indem Sie einen aufgeladenen Gegenstand in die Nähe des Kaffees bringen. (Ziehen Sie dazu Ihren Kamm ein paarmal durch Ihr Haar.) Andere Flüssigkeiten zeigen auch Oberflächenmuster. James Thomson, der spätere Lord Kelvin, beobachtete die sich schnell ändernden Muster bei heißem Seifenwasser und auch bei starken Weinen. Später gelang es dem Franzosen C. Bérnard, regelmäßige Muster auf der Oberfläche von Öl zu erzeugen, indem er das Öl langsam von unten erhitzte. Diese regelmäßigen Polygone entfalteten sich zu wunderschönen Honig-

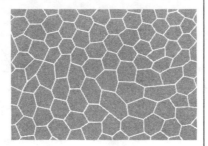

Bild 4.101b Bérnards hexagonale Zellen.

wabenmustern (Bild 4.101b). Eine lockenähnliche Verzierung kann man auf anderen Flüssigkeiten finden (Bild 4.101c). Kürzlich bemühte man sich an Bord von Raumfahrzeugen, in schwerelosem Zustand zellenförmige Oberflächenstrukturen zu erzeugen.

Bild 4.101c Lockenförmige Muster auf der Oberfläche.

Warum bilden sich Locken- und Polygonmuster (hauptsächlich wabenförmige) auf allen diesen verschiedenen Flüssigkeiten? Gelten dieselben physikalischen Voraussetzungen für alle genannten Beispiele? Spielt die Schwerkraft eine Rolle? Und warum verschwindet das Muster in der Kaffeetasse, wenn man einen geladenen Gegenstand in seine Nähe bringt?

4.102

Sanddünen

Blickt man von einem Flugzeug aus sehr großer Höhe auf ein Wüstengebiet mit Sanddünen, kann man entdecken, daß sich „seltsame lange, schmale Dünenkämme ungefähr in Nord-Südrichtung in fast schnurgeraden Reihen erstrecken"* (Bild 4.102). Man glaubt, viele parallele Straßen zu sehen. Solche Dünenzüge sind charakteristisch für praktisch alle großen Wüsten der Erde; sie verlaufen immer ungefähr in nord-südlicher Richtung und erstrecken sich über eine Länge von 1 bis 3 km.
Laub oder Tang auf der Oberfläche eines Sees sammeln sich auch in Reihen, jedoch in viel kleinerem Maßstab. Der Abstand von einer Reihe zur nächsten beträgt nur etwa 100 bis 200 m und ihre Länge reicht bis zu 500 m. Was be-

* W. J. H. King, Geography J., 51, 16 (1918)

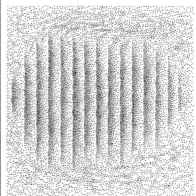

Bild 4.102

stimmt bei diesen Beispielen die Richtung, in der die Reihen und Bänder sich ausbilden? Ist es der Wind? Laufen sie dann in Richtung des Windes oder senkrecht dazu? Was bestimmt den Abstand zwischen ihnen?

4.104

Waschbrettmuster im Sand

Warum sind die Seiten einer Sanddüne nicht glatt, sondern wellig? Wodurch wird der Abstand der Wellen bestimmt? Ein sandiges Flußbett ist auch oft so gewellt. Wie entsteht dieses Muster und was bestimmt die Abstände? Nehmen Sie sich einmal viel Zeit und beobachten Sie in aller Ruhe diese Wellen; Sie werden feststellen, daß sie flußaufwärts wandern. Wie kommt das?

4.103

Rauchringe

Mein Großvater war ein großer Künstler im Blasen von wundervollen Rauchringen und konnte mir damit großes Vergnügen bereiten. Ein einfacher Trick war, einen Ring gegen eine Wand zu blasen, der sich dabei immer mehr vergrößerte. Das großartigste Kunststück aber war, einen kleineren Rauchring durch einen größeren zu blasen. Der schnellere zweite Ring schlüpfte durch den ersten, der sich nun zusammenzog und selbst schneller wurde, während-dessen der zweite sich ausdehnte und langsamer wurde (Bild 4.103). Sie hatten nun ihren Platz getauscht und das Spiel begann von neuem, wie beim Bockspringen, bis die Rauchringe sich auflösten. Dasselbe Spiel kann man beobachten, wenn man einen Farbtropfen in ein Wassergefäß fallen läßt. Sobald der Tropfen die Oberfläche berührt, formt er sich zu einem Ring, der sich ausdehnt und da-bei absinkt (siehe 4.74). Ein zweiter, kurz darauf folgender Tropfen bildet wieder einen Ring, der durch den ersten schlüpft usw.
Wie werden diese Rauchringe geformt und wie können sie ihre Form solange halten? Warum dehnt sich ein Ring aus, wenn er sich einer Wand nähert? Wie ist es möglich, daß zwei Rauch- oder Wasserringe miteinander Bockspringen spielen?

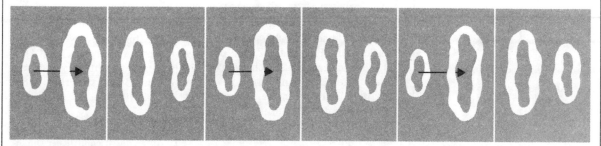

Bild 4.103 Meines Großvaters Kunststück mit den Rauchringen.

4.105

Siphon

Wie arbeitet ein Siphon? Schon Heron von Alexandria konstruierte im 1. Jahrh. v. Chr. erstaunliche Arten von Siphons. Wenn seine Wirkung auf atmosphärischem Druck beruht, wie kann ein Siphon dann im Vakuum arbeiten, was bei verschiedenen Flüssigkeiten möglich ist? Oder hängt die Wirkung von der Schwerkraft ab? Warum beginnt die Flüssigkeit nicht von selbst zu steigen, wenn man das Steigrohr (A−B in Bild 4.105) in die Flüssigkeit taucht? Was hebt sie schließlich gegen die Schwerkraft? Wodurch wird die Höhe eines Siphons begrenzt, besonders wenn er in einem Vakuum arbeitet?

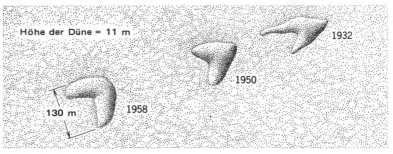

Bild 4.106 Der Weg einer Sanddüne innerhalb eines Zeitraumes von 26 Jahren. [Nach J.S. Shelton, Geology Illustrated, W.H. Freemann & Co., 1966]

4.106

Wanderdünen

Ich habe immer gedacht, daß der Wind den Sand einer Sanddüne nach und nach verteilt. In Bild 4.106 sieht man ein typisches Beispiel für die Wanderung einer Sanddüne über die Wüste. Der Charakter und die Identität sind noch nach einer 26jährigen Wanderung gleich geblieben. Wie bewegt der Wind eigentlich eine Düne?

4.107

Wasserspülereien

Wie arbeitet ein Spülklosett? Was treibt das Wasser und anderes (vor allem das andere!) in die Abflußrohre? Läuft das Wasser einfach aus dem höher gelegenen Spülkasten in die Schüssel? Warum haben die meisten Toilettenschüsseln ein zweites, kleineres Loch?
Als ich den „Fliegenden Zirkus der Physik" schrieb, mußte ich mich durch einen Berg von Literatur arbeiten. Eines der interessantesten Bücher war dabei „Flushed with Pride"*, die Geschichte des Thomas Crapper. Er war es, der das Spülklosett entwickelte.

Halten Sie es für unfein, darüber zu reden? Es erforderte jedoch harte Arbeit, das Spülklosett zu entwickeln, und Crapper und andere führten ernsthafte Untersuchungen durch. Natürlich mußten sie das Material, das normalerweise von Toiletten abgeschwemmt wird, durch anderes ersetzen! Den Höhepunkt erreicht die Forschung auf diesem Gebiet sicherlich 1884, als die Entwicklung gelang einer

„Superspülung, die folgendes komplett abschwemmen konnte:
10 Äpfel, durchschnittlicher Durchmesser 45 mm,

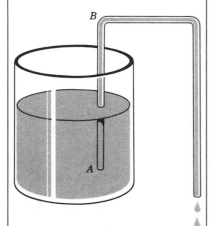

Bild 4.105 Siphon

1 flachen Schwamm, Länge 115 mm,
3 Luftballons,
div. Unrat von der Installation,
4 Blatt Papier, die fest an der be-
schmutzten Schüssel klebten."
[Aus W. Reyburn, "Flushed with
pride" Prentice Hall, 1969]

Ein höchst bemerkenswerter Erfolg
der Technik!

* Wortspiel im Englischen:
to flush = erröten; spülen.
Titel des Buches: „Vor Stolz erröten"
oder „Mit Stolz gespült".

Aerodynamik von Tropfen

4.108

Ölflecken auf der Straße

Auf Schnellverkehrsstraßen sind
die Ölflecken ringförmig, wobei
die Innenfläche des Flecks ölfrei
ist (Bild 4.108). Bei langsamer
fließendem Verkehr sind die
Flecken einfache, auf die Straße
gewalzte Kleckse. Woher kommen
diese ringförmigen Flecken und
wie schnell muß ein Auto fahren,
damit sie entstehen?

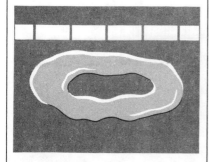

Bild 4.108 Ölfleck auf der Straße.

Oberflächenfilm   4.109 bis 4.111

Grenzschicht

4.109

Linien auf der Oberfläche eines
Sees

Hin und wieder kann man auf der
Oberfläche eines Sees oder eines
Flusses dünne, fast unsichtbare
Linien erkennen. Bei fließendem
Wasser sind sie leichter auszumachen, denn dann bildet sich ein
schmaler Wasserrücken auf einer
Seite der Linie (Bild 4.109). Was
glauben Sie, was das für Linien
sind und warum bildet sich dieser Kamm?
Wenn man Pulver auf einen solchen Wasserkamm streut, wird
ein zweidimensionales Strömungs-
muster erkennbar mit straßenähn-
lichen Kanälen auf der dem Kamm
abgewandten Seite der Linie. Wie
entsteht ein solches Muster?

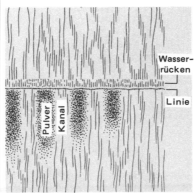

Bild 4.109 Eine Linie und ein Wasserrücken auf einem See oder einem
Fluß (Draufsicht).

4.110

Milch ist gesund

Wenn Sie das nächste Mal bei
einem Glas Milch meditieren, be-

---

obachten Sie einmal genau was
passiert, wenn Sie das Glas kippen:
Am Boden des Glases bleibt eine
Milchschicht zurück und zwischen
der Milch und dieser Schicht entsteht eine milchfreie Zone von
einigen Millimetern Breite (Bild
4.110). Wie entsteht diese Zone?

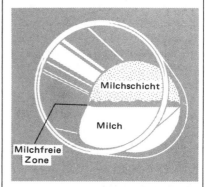

Bild 4.110 Milchfreie Zone in einem
gekippten Glas mit Milch.

Oberflächenspannung

4.111

Öl auf die Wogen gießen

Lawrence Durrell, der bekannte
englische Schriftsteller, hat in
seinem Buch „Prosperos Zelle"*
das nächtliche Fischen mit Spee-
ren im Albaner See beschrieben.
Zum Speerfischen muß das Wasser
ganz klar und ruhig sein, denn
schon ein leiser Windhauch kann
das Bild des Fisches im Wasser
verwischen. Die einheimischen
Fischer jedoch wissen sich zu
helfen — sie spritzen ein paar
Tropfen Olivenöl auf das Wasser.
Wie können ein paar Tropfen Öl
das Wasser beruhigen?

* L. Durrell, "Prospero's Cell", Dut-
ton, 1962

4.112

Organische Substanzen auf der Meeresoberfläche

Biologisch aktive Meeresgegenden sind oft mit einer Schicht organischer Substanzen bedeckt, die die Wellenbewegung des Wassers unterdrücken. Bei entsprechender Beleuchtung kann das wunderschön aussehen. Diese Streifen hängen offensichtlich nicht vom Wind ab, wie die Straßen aus Seetang (siehe 4.102), denn man kann sie am besten bei einer leichten Brise sehen, nicht jedoch bei starkem Wind. (Die Brise erhöht nur den Kontrast zwischen der Höhe der Wellenkämme innerhalb und außerhalb der Streifen.) Was bringt die Oberflächenschicht dazu, sich auf diese Weise in Streifen zu formen?

4.113

Spritzende Milchtropfen

Spritzen Sie einen Tropfen Milch auf die Oberfläche einer Flüssigkeit; ein kraterförmiger Kegel wird sich erheben, der sich eventuell zu einer kronenähnlichen Figur ausbildet (Bild 4.113). Sobald diese Krone in sich zusammenfällt, wird ein Flüssigkeitsstrahl (der „Rayleighstrahl") aus der Mitte des ehemaligen Kraters aufsteigen, der sich dann einschnürt und einen oder mehrere kleine Tropfen nach oben stößt. Warum bildet sich die Kraterkante um zu einer kronenähnlichen Form und warum bildet sich der Strahl aus der Mitte und warum schnüren

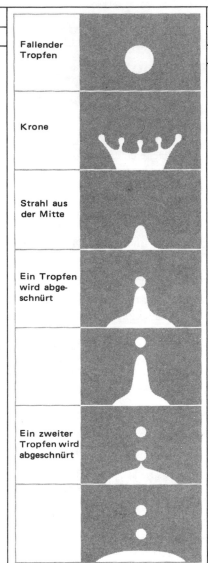

Fallender Tropfen	
Krone	
Strahl aus der Mitte	
Ein Tropfen wird abgeschnürt	
Ein zweiter Tropfen wird abgeschnürt	

Bild 4.113 [Nach P. V. Hobbs & A. J. Kezweeny, Science, 155 (3766) 1112–1114 (1967). Am. Assoc. f. Advancement of Science]

sich Tropfen ab? Wie kommt es überhaupt zu dem Abschnüreffekt? Stellen Sie sich dieses Experiment im Weltall vor, im Zustand der Schwerelosigkeit. Wird es dieselbe Form der Spritzer geben? Ja, wird es überhaupt spritzen?

4.114

Wasserglocke

Stellen Sie sich einen Wasserstrahl vor, der auf die Mitte einer Scheibe fällt. Das Wasser verteilt sich über die Scheibe und bildet beim Herabfließen eine dünne, durchsichtige Wand. Vielleicht schließt sich diese Wand sogar wieder etwas unterhalb der Scheibe und rundet sich so zu einer wunderschönen Glocke (Bild 4.114). Was zwingt das herabfließende Wasser, diese Form anzunehmen, und wodurch wird sie bestimmt?

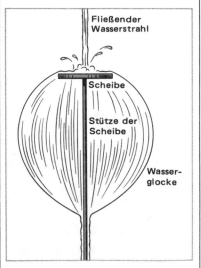

Bild 4.114 Fließender Wasserstrahl.

4.115

Wasserscheiben

Werden zwei gleichstarke Wasserstrahlen gegeneinander gerichtet, bildet sich zwischen ihnen eine schöne dünne Wasserscheibe (Bild 4.115). Warum? Und warum löst sich die Scheibe bei einem bestimmten Abstand vom Punkt des Zusammenpralls der beiden Strahlen auf?

Die Form der Begrenzung der Scheibe und ihre Stabilität sind verschieden, abhängig u. a. von der Stärke der Wasserstrahlen. Bei einer geringen Geschwindigkeit ist die Scheibe stabil und eben. Bei einer etwas größeren Geschwindigkeit gibt es zwei Möglichkeiten: entweder wellt sich die Kante bogenförmig oder auf der ganzen Scheibe bilden sich Wellen. Werden die beiden Wasserstrahlen noch stärker aufgedreht, wird die Scheibe wie eine Fahne im Wind flattern. Können Sie sich denken, woher diese Unterschiede kommen?

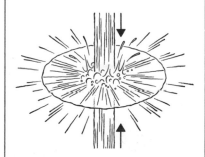

Bild 4.115 Eine Wasserscheibe bildet sich, wenn zwei Wasserstrahlen aufeinander treffen. [Nach G. I. Taylor, Proc. Royal Soc. A 209, 1 (1960)]

4.116

Zusammenfließende Wasserstrahlen

Bohren Sie ein paar Löcher in gleicher Höhe nebeneinander in eine Blechdose. Füllen Sie sie dann mit Wasser und streichen Sie mit einem Finger über die auslaufenden Wasserstrahlen. Aus irgendeinem Grund laufen sie jetzt zusammen und bleiben auch so, wenn Sie Ihren Finger entfernen (Bild 4.116). Was hält sie zusammen?

Bild 4.116 Drei Wasserstrahlen fließen zusammen.

4.117

Pfeffer und Seife

Halten Sie ein kleines Stück Seife in ein Gefäß mit Wasser, auf dem eine Anzahl von Pfefferkörnern schwimmt; die Körner werden sich nun fluchtartig von der Seife entfernen. Warum? Wie schnell, glauben Sie, werden sie sich bewegen?

4.118

Dosenbier

Wenn ich mir ein Bier aus einer Dose in ein Glas schütten will, läuft es immer ein Stück an der Dosenwand entlang und nicht von der Kante direkt nach unten (Bild 4.118). Warum? Was bestimmt die Länge der Strecke, auf der das Bier an der Dose „klebt"? Wie schnell muß ich das Bier ausgießen, um dies zu vermeiden? Sicher glauben Sie, daß dies mit der Oberflächenspannung oder der Haftfähigkeit der Flüssigkeit am Behälter zu erklären ist. Keines von beiden ist jedoch verantwortlich für das verschüttete Bier! Was könnte es dann sein?

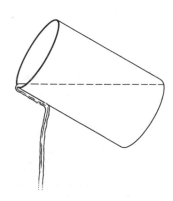

Bild 4.118 Ein Flüssigkeitsstrahl läuft an der Dose entlang.

Kriechende Oberflächenschicht

4.119

Schnapstränen

Nachdem Sie einen Schuß Whisky in ein Glas gegeben haben, können Sie eine Flüssigkeitsschicht beobachten, die zunächst an der Innenwand des Glases hinaufkriecht und dann einen Kranz von Tränen bildet. Was verursacht dieses Hinaufkriechen?

4.120

Aquaplaning

Es ist außerordentlich gefährlich, bei großer Geschwindigkeit auf einer nassen Straße zu bremsen. Ihr Wagen wird sich wie ein Wasserschlitten verhalten, d. h. die Reifen gleiten auf einer dünnen Wasserschicht und berühren die Straße praktisch überhaupt nicht. Warum ist das so? Und warum nicht auf allen nassen Straßen und nicht nur beim Bremsen? Gibt es eine Möglichkeit, das Reifenprofil so zu gestalten, daß diese Gefahr bedeutend herabgesetzt wird?

4.121

Schwimmende Wassertropfen

Man kann oft Wassertropfen beobachten, die auf einer Wasseroberfläche dahintreiben und erstaunlicherweise nicht gleich von ihr geschluckt werden. Was verzögert ihren Seemannstod?

Nicht Newtonsche Flüssigkeiten

4.122 bis 4.131

4.122

Der Tanz der Suppen

Wenn Sie sich das nächste Mal eine Suppe kochen, rühren Sie sie im Topf gut um und nehmen dann den Löffel heraus. Die Kreisbewegung nimmt ab — so wie zu erwarten war —, doch kurz bevor die Suppe zum Stillstand kommt, wird sie sich in die entgegengesetzte Richtung drehen. Was zwingt sie dazu?

Elastische Flüssigkeiten

4.123

. . . des Springquells flüssige Säule . . .
Einige Haarshampoos* (und verschiedene andere Flüssigkeiten)

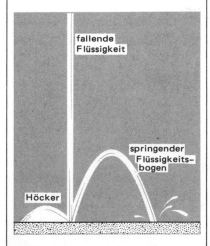

fallende Flüssigkeit

springender Flüssigkeitsbogen

Höcker

Bild 4.123 [Nach A. Kaye, Nature, 197, 1001 (1963)]

entwickeln eine seltsame Neigung zum Springen, wenn man sie auf eine Platte gießt. Wenn der Strahl dünn genug ist, wird er neben der Aufschlagstelle einen kleinen Höcker bilden. Danach springt er in hohem Bogen zurück (Bild 4.123), wobei der kleine Höcker verschwindet. Es muß sich erst wieder ein neuer Höcker bilden, ehe das Spiel von neuem beginnt. Woher kommen dieser Höcker und der springende Flüssigkeitsbogen und was ist das Besondere an einer solchen Flüssigkeit?

* A. A. Collye, persönliche Mitteilung

Weissenberg-Effekt

Viskosität

Spannung

4.124

Eiweiß steigt an einem Stab empor

Stellt man ein Glas Wasser in die Mitte einer rotierenden Drehscheibe, steigt die Wasseroberfläche durch die Zentrifugalkraft an der Innenseite des Glases auf. Dasselbe erreicht man, wenn das Glas stillsteht und in die Mitte ein rotierender Stab gehalten wird.
Nicht alle Flüssigkeiten verhalten sich so. Eiweiß z. B. nimmt zunächst diese Form auf einer rotierenden Drehscheibe ein, jedoch nicht bei einem sich drehenden Stab. Es wird jetzt am Stab hochklettern (Bild 4.124). Gelatine, in heißem Wasser aufgelöst, verhält sich zunächst so wie Wasser, doch beim Abkühlen scheint auch sie das seltsame Verlangen zu haben, den Stab hinaufzuklettern. Sicherlich wirkt auch hier die Zentrifugalkraft durch den rotierenden

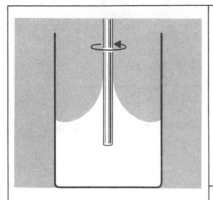

Bild 4.124 Eiweiß klettert an einem rotierenden Stab hoch.

Stab; so muß es eine noch stärkere Kraft geben, die die Flüssigkeit nach innen am Stab hinaufzieht. Welche Kraft ist das?

Strömung zäher Flüssigkeiten

4.125

Flüssigkeitskringel

Gießen Sie eine zähe Flüssigkeit, wie z. B. dickes Öl, Honig oder

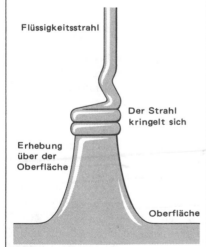

Flüssigkeitsstrahl

Der Strahl kringelt sich

Erhebung über der Oberfläche

Oberfläche

Bild 4.125 Flüssigkeitskringel [Nach G. Barnes u. R. Woodcock, Am. J. Phys. 26, 205 (1958)]

flüssige Schokolade auf eine Platte, so wird der Strahl in einer bestimmten Höhe beginnen sich aufzuwickeln (Bild 4.125). Woher kommt das? Was bestimmt den Durchmesser und die Höhe des Kringels bzw. den Abstand von der Flüssigkeitsoberfläche bis zum Beginn der Wicklung?

Viskosität

Scherung

Gel-Sol-Übergang

4.126

Margarine unterm Messer

Viele im Haushalt verwendeten Flüssigkeiten wären nutzlos, wenn sie nicht thixotrop wären (d. h. ihre Viskosität nimmt ab, sobald sie Scherkräften ausgesetzt sind). So würde sich z. B. Margarine bei Raumtemperatur nicht gut aufs Brot streichen lassen, würde die Viskosität nicht unter dem Druck des Messers abnehmen. Die Thixotropie ist auch sehr wichtig beim Malen mit Einschicht-Deckfarben. Die Farbe muß zäh genug sein, um einen glatten Auftrag zu ermöglichen. Wenn der Pinsel die Farbe verteilt, muß die Viskosität gering sein, sie muß jedoch schnell wieder zunehmen, um das Tropfen nach dem Auftragen der Farbe zu verhindern. Es gibt noch viele andere thixotrope Flüssigkeiten: Ketchup, Gelatinelösungen, Mayonnaise, Senf, Honig und Rasiercreme. Welche Auswirkungen müssen diese Scherkräfte auf die Struktur dieser Flüssigkeiten haben, damit die Viskosität abnimmt?

Volumenvergrößerung

Spannung

4.127

Kennen Sie Blobo?

Würden Sie es für möglich halten, daß eine zähflüssige Masse ihr Volumen ändert, wenn sie aus einem Rohr austritt, durch das sie gedrückt wurde? Bei kaum einer Flüssigkeit wird man das finden, ihr Durchmesser ist beim Austritt aus dem Rohr derselbe wie im Rohr. Eine Ausnahme bildet eine Weichplastikmasse zur Herstellung formbarer Luftballons („Blobo"), die man in Spielzeugläden kaufen kann. Füllen Sie ein kleines Rohr damit, lassen Sie es eine Weile stehen, bis es sich gesetzt hat, und drücken Sie es dann durch das Rohr heraus. Sobald die Masse austritt, vergrößert sie sich ganz beachtlich (Bild 4.127). Dieser Effekt stammt offensichtlich von einer besonderen Eigenschaft dieser Weichplastikmasse. Was ist es, das sie zum Anschwellen bringt? Gibt es andere viskose Flüssigkeiten, die ähnlich reagieren, und warum nicht alle?

Bild 4.127 Blobo dehnt sich aus, nac dem es durch ein Rohr gedrückt wur

4.128

Überraschende Eigenschaften von zähen Flüssigkeiten

Eine weiche Silikonkautschuk-masse entwickelt verschiedene Eigenschaften, die scheinbar überhaupt nicht zusammenpassen. Schlagen Sie mit einem Hammer darauf, wird sie zerplatzen. Formen Sie einen Ball daraus und sie wird besser springen als ein Gummiball. Lassen Sie diesen Ball ruhig liegen, wird er nach und nach zerfließen. Offensichtlich verhält sie sich wie eine Flüssigkeit, bedarf jedoch einer bestimmten Zeit, bis sie auf die Einwirkung äußerer Kräfte anspricht. Infolgedessen zerplatzt die Masse, wenn man sie schnell schlägt; schlägt man sie etwas langsamer, reagiert sie elastisch. Durch lang einwirkende Schwerkraft wird sie zu fließen beginnen, Was ist das Besondere in der Struktur solcher Materialien, das diese Ansprechzeit erfordert?

Saugheber	Hydrostatischer Druck
Elastizität	Viskosität

4.129

Eine Flüssigkeit klettert aus dem Glas

Einige Flüssigkeiten, wie z. B. Polyäthylen in Wasser, können sich selbst aus einem Gefäß herausziehen (Bild 4.129); Sie müssen diesen Vorgang nur dadurch einleiten, daß Sie etwas von der Flüssigkeit ausschütten. Was zieht eine solche Flüssigkeit über den Rand des Gefäßes und was hält den Strahl zusammen?

Bild 4.129 Eine Flüssigkeit läuft von selbst über den Rand des Glases.

4.130

Treibsand

Eine schreckliche Vorstellung: Sie versinken im Treibsand! Was tun? Das Beste wäre, sich auf den Rücken zu legen, die Beine freizumachen und dann zum Ufer zu rollen. Wenn Sie einen Menschen, ein Tier oder sich selbst aus dem Sand ziehen wollen, müssen Sie das ganz langsam machen. Ändert sich die Viskosität, wenn Sie schneller ziehen? Wenn ja, warum? Warum treten die Augen bei tief vergrabenen Menschen und Tieren stark heraus?

Flüssigkeitsströmung
Diffusion

4.131

Eine Farbmischung entmischen

Gibt es eine Möglichkeit, eine Mischung von einigen Farbtropfen mit einem Lösungsmittel durch Rotation wieder zu trennen? Gießen Sie zwischen zwei koaxiale Glaszylinder von fast gleichem Durchmesser etwas Glyzerin und fügen Sie vorsichtig einige Tropfen Farbe dazu (Bild 4.131). Durch etwa zehnmaliges Drehen des inneren Zylinders wird die Farbe gut gemischt; drehen Sie den Zylinder genauso oft zurück, so werden sich die Farbe und das Glyzerin wieder trennen, so daß in etwa der Anfangszustand wieder herge-

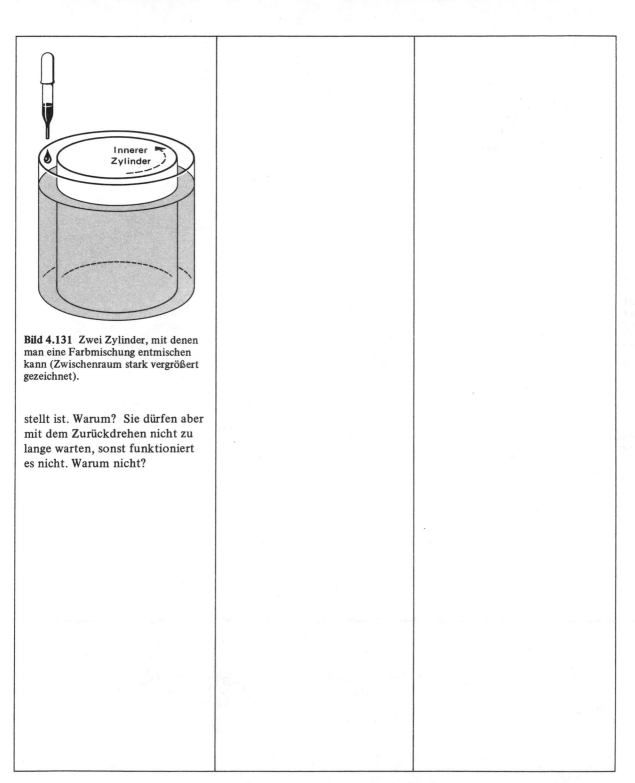

Bild 4.131 Zwei Zylinder, mit denen man eine Farbmischung entmischen kann (Zwischenraum stark vergrößert gezeichnet).

stellt ist. Warum? Sie dürfen aber mit dem Zurückdrehen nicht zu lange warten, sonst funktioniert es nicht. Warum nicht?

5
Die Modefarben
der Saison

Strahlenoptik

Reflexion

Brechung

Dispersion

5.1 bis 5.47

5.1

Taucherbrille

Warum können Sie beim Unterwasserschwimmen mit einer Taucherbrille sehr viel besser sehen als ohne? Der Anableps, ein Fisch, der in Zentralamerika vorkommt, ist für das Sehen über und unter Wasser raffiniert ausgestattet: Er schwimmt immer knapp unter der Wasseroberfläche, wobei seine großen, hervortretenden Augäpfel bis zur Oberfläche reichen. Jeder Augapfel ist teils über, teils unter dem Wasser.
Wie wir schon festgestellt haben, brauchen Sie eine Brille beim Tauchen. Wie aber macht es der Fisch, daß er in der Luft und im Wasser gut sehen kann?

5.2

Der Unsichtbare

Wer hätte sich nicht gern schon einmal unsichtbar gemacht? Der unsichtbare Mann in H. G. Wells' berühmtem Roman machte das so: Er veränderte den Brechungsindex seines Körpers bis zu einem passend gewählten Wert (Bild 5.2). Welcher Wert war das wohl? Niemand konnte den unsichtbaren Mann sehen. Aber konnte der

Bild 5.2 Der Unsichtbare.

Mann bei diesem Brechungsindex selbst etwas sehen?

5.3

Spiele in der Badewanne

Brauchen Sie wieder einmal etwas Neues zum Spielen, wenn Sie in der Badewanne sitzen? Nehmen Sie sich doch mal einen Bleistift mit und beobachten seinen Schatten auf dem Boden der Wanne. Wenn Sie den Stift zur Hälfte in das Wasser eintauchen, können Sie feststellen, daß der Schatten sich etwas vom Stift unterscheidet. Genauer gesagt, der Stift scheint in zwei abgerundete Teile zerbrochen zu sein; dazwischen befindet sich ein heller Spalt (Bild 5.3). Woher kommt dieser Zwischenraum und was bestimmt seine Breite?

Bild 5.3 Schatten eines Bleistifts, der ein Stück ins Wasser gehalten wird.
[C. Adler, Am. J. Phys. 35, 774 (1967)]

5.4

Bild einer Münze im Wasser

Legen Sie eine Münze in einen durchsichtigen, mit Wasser gefüllten Glasbehälter und schauen Sie unter einem bestimmten Winkel auf die Wasseroberfläche. Sie werden dann das Bild der Münze auf der Wasseroberfläche sehen können (Bild 5.4). Wenn Sie Ihre Hand auf die abgewandte Seite des Gefäßes legen, ändert sich nichts. Ist Ihre Hand dabei jedoch naß, wird das Bild verschwinden. Wie kommt das?

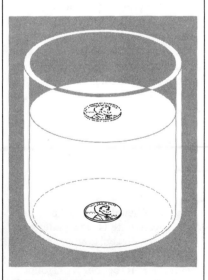

Bild 5.4 Abbild einer Münze auf der Wasseroberfläche.

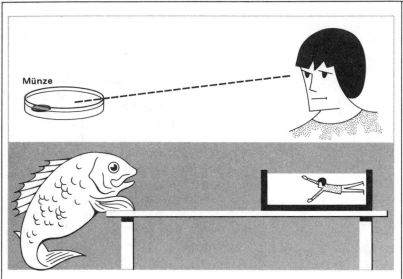

Bild 5.5

5.5

Fische im Aquarium

Schauen Sie auf einen Fisch in einem Aquarium herunter, dann sehen Sie ihn in einer Tiefe, die nicht mit der wirklichen Tiefe übereinstimmt. Ist der scheinbare waagrechte Abstand zum Fisch auch verzerrt? Die Verzerrung in waagrechter Richtung hängt davon ab, ob Sie mit einem oder mit beiden Augen schauen. Versuchen Sie es einmal! Legen Sie einen kleinen Gegenstand in ein flaches Gefäß mit Wasser und betrachten Sie ihn aus einiger Entfernung; Ihre Augen sollen dabei ungefähr auf gleicher Höhe mit der Wasseroberfläche sein (Bild 5.5). Schätzen Sie zuerst den Abstand mit normaler Kopfhaltung, dann neigen Sie Ihren Kopf um 90° und schätzen noch einmal. Haben Sie den Eindruck, daß der Abstand sich dabei verändert hat? Können Sie das erklären?

5.6

Geisterbilder an Doppelfenstern

Wie entstehen doppelte Abbildungen, sogenannte Geisterbilder, von entfernten Gegenständen an Doppelfenstern? Unter kritischen Umständen, z. B. bei der Kontrolle des Luftverkehrs auf Flugplätzen, können diese Geisterbilder nicht nur lästig, sondern auch gefährlich sein. Versetzen Sie sich in eine solche Lage — könnten Sie den Winkelunterschied zwischen dem echten Bild und seinem Geist abschätzen? Wie hängt der Unterschied von der Tageszeit und den Wetterbedingungen ab?

5.7

Eine optische Täuschung

Es gibt Plätze auf der Welt, von denen aus man am frühen Morgen oder späten Nachmittag Berge sehen kann, die sich am Horizont mitten aus dem Meer erheben. Die Berge sind echt, nur sind sie so weit entfernt, daß man sie normalerweise nicht sieht. Unter besonderen Umständen kann es jedoch sein, daß am frühen Nachmittag ein dunstiger Berggipfel über dem Horizont auftaucht. Der Berg wächst im Verlauf der nächsten Stunden, wobei seine Konturen bis zum Sonnenuntergang ganz scharf erkennbar werden. Man kann sogar bestimmte Gipfel erkennen. Wie kann man sich diese Erscheinung erklären?

5.8

Die Paläste der Fee Morgana

Eine Fata Morgana ist die schönste aller Luftspiegelungen. Es gibt nur wenige Gegenden auf der Erde, wo sie öfter zu beobachten ist, so z. B. in der Straße von Messina. Legt sich eine Schicht kalter Luft über wärmeres Wasser, wachsen Märchenschlösser aus dem Meer, die in ständigem Wechsel aufsteigen und vergehen. Nach der Sage waren es die Glaspaläste der arabischen Zauberin Morgana.
Diese Luftspiegelungen sind sehr schwierig zu erklären, da hier mehrere miteinander verwobene Effekte zusammenwirken. Können Sie diese Zusammenhänge entwirren?

5.9

Oase als Fata Morgana

Wie entsteht das Bild eines Wasserspiegels, das man oft auf einer heißen Straße sehen kann? Wie kommt es dazu, daß Sie glauben, Wasser auf der Straße zu sehen? Auch in der Wüste gibt es solche Vorspiegelungen von Wasserflächen, die noch oft von Palmen umgeben sind, obwohl es sie in dieser Gegend gar nicht gibt. Sie bestärken einen Verdurstenden in dem Glauben, daß Wasser in der Nähe sei (Bild 5.9). Auf einer heißen Asphaltstraße im amerikanischen Mittelwesten entdeckte man eines Tages einen halbverendeten Pelikan, der wohl ein Opfer dieser Luftspiegelung geworden war. „Der arme Vogel", so berichtete eine New Yorker Zeitung, „war offensichtlich schon einige Stunden über trockene Stoppelfelder geflogen. Da entdeckte er etwas, von dem er glaubte, es wäre ein langer, schwarzer Fluß, schmal aber doch naß, mitten in der Prairie. Er ließ sich zu einem kühlen Bad nieder und verlor beim Aufschlagen das Bewußtsein."* Kann der Vogel ein Opfer der Luftspiegelung geworden sein?

* C.A. Goodrum, The New Yorker, 38 (8), 115 (1962)

Bild 5.9 Luftspiegelung. [Mit Genehm. von J. Hart, „Field Enterprises"]

Bild 5.10

5.10

Luftspiegelung an einer Mauer

M. Minnaert* beschreibt eine Mehrfachspiegelung, die man an einer ziemlich langen Mauer (etwa 10 m oder mehr), die von der Sonne beschienen ist, beobachten kann. Stellen Sie sich an das eine Ende einer solchen Mauer und schauen auf einen hellen Metallgegenstand, den jemand am anderen Ende einige Zentimeter vor die Mauer hält (Bild 5.10). Der Gegenstand erscheint etwas verschwommen, und sein reflektiertes Bild taucht in der Mauer auf, als wäre sie ein Spiegel. An einem sehr heißen Tag können Sie sogar ein zweites Bild sehen! Warum entsteht ein Bild des Gegenstandes in der Mauer?

* [M. Minnaert, Light and Colour in the Open Air, Dover, 1954]

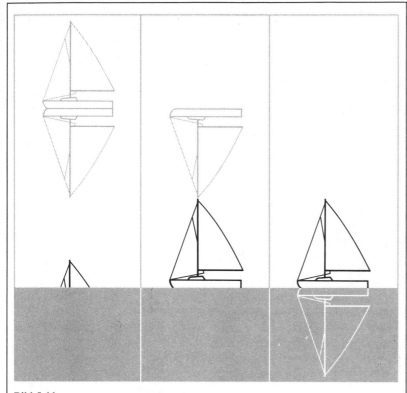

Bild 5.11

5.11 Luftspiegelungen in der Atmosphäre

Eine andere Art der Spiegelung projiziert ein oder mehrere Bilder eines Gegenstandes in die Atmosphäre (Bild 5.11). Wie entstehen sie?

5.12
Einwegspiegel

In Agenten- und Kriminalfilmen werden oft Spiegel verwendet, die in einer Richtung durchlässig sind. Versuchen Sie einmal ein einfaches Glas oder ein Spiegelglas so zu präparieren, daß es von einer Seite als Spiegel, von der anderen Seite als Fenster zu benutzen ist. Ob Sie das schaffen? Können Sie sich vorstellen, wie die sogenannten Einwegspiegel arbeiten?

5.13
Roter Mond

Warum ist der Mond rot, wenn er sich im Erdschatten befindet?

5.14
Geisterbild

Es gibt natürlich viele Geschichten von seltsamen Luftspiegelungen. Können Sie die folgende erklären: „An einem heißen Augustnachmittag pflückte eine Frau Blumen auf einer feuchten Wiese, als sie plötzlich eine Gestalt erblickte, die einige Meter vor ihr auftauchte. Die Gestalt stand auf einer feuchten Stelle, von der ein feiner, wallender Nebel aufstieg und sie umhüllte. Die Frau erzählte später, daß der Nebel in ständiger Bewegung gewesen sei und der Erscheinung den Ausdruck von Größe verliehen habe. Sie standen auf gleicher Höhe und bildeten mit der Sonne eine Art Dreieck. Die Frau stand in Richtung zur Sonne, blickte aber nicht zu ihr hin. Sie dachte zunächst, sie hätte sich getäuscht. Doch dann entdeckte sie, daß die ihr genau gegenüberstehende Gestalt ihr eigenes Ebenbild war. Genau wie sie hielt sie einen Blumenstrauß in der Hand. Sie bewegte den Strauß – die Gestalt tat das gleiche. Kleid und Blumen entsprachen einander genau, und die Farben waren so lebendig wie die wirklichen. Die Frau konnte alle Einzelheiten erkennen: es war, als blicke sie in einen Spiegel." Sie können sich vorstellen, daß die arme Frau zu Tode erschrak und „den steilen Hügel hinunterstürzte, oft stolpernd, um sich ihren Freundinnen anzuschließen, die beide auch die Gestalt gesehen hatten".

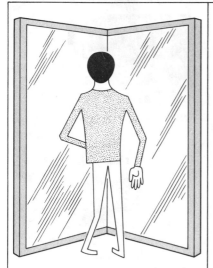

Bild 5.15 Wie oft können Sie sich sehen?

5.15

Vielfachspiegelungen

Wie oft können Sie sich sehen, wenn Sie vor zwei Spiegeln stehen, die in einem bestimmten Winkel zueinander aufgestellt sind? In Kleidergeschäften findet man öfter solche Winkelspiegel (Bild 5.15). Wie hängt die Zahl der Bilder vom Winkel zwischen den Spiegeln ab? Spielt es eine Rolle, wo Sie stehen? Und wenn ja, wo müssen Sie stehen, um die meisten Bilder sehen zu können? Sind die Antworten dieselben, wenn Sie nicht die Anzahl der Bilder von sich selbst zählen, sondern von einem neben Ihnen liegenden Paket?

5.16

Ein grüner Schein von der Sonne

Sobald die Sonne hinter einem klaren, ebenen Horizont verschwunden ist, können Sie manchmal noch einmal etwa 10 Sekunden lang einen deutlichen grünen Schein von der Sonne sehen. Wie ist das möglich? Könnte es sich um eine optische Täuschung handeln, vielleicht ein nachleuchtendes Bild der Sonne im Auge? Diese Meinung bestand lange Zeit allgemein, bis es gelang, diese Lichterscheinung fotografisch festzuhalten.

In der Nähe der Pole kann man dieses Leuchten etwas länger sehen. Es wird berichtet, daß die Mitglieder von Byrds Südpolexpedition den grünen Schein 35 Minuten lang sahen, während die Sonne am Ende einer langen Winternacht aufstieg und sich dabei fast genau parallel zum Horizont bewegte. Eine klare Sicht zum Horizont ist hier notwendig. „Während der Schlacht von Okinawa, 1945", so berichtete Admiral Kindell, „konnten ich und andere Angehörige der U.S. Navy starkes und glanzvolles Leuchten fast bei jedem Sonnenuntergang nach einem klaren Tag beobachten."

Eine ähnliche Erscheinung, die jedoch nur sehr selten auftritt, ist ein rotes Leuchten. Man kann es beobachten, wenn die Sonne hinter einer Wolke hervorspitzt.

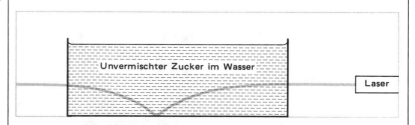

Bild 5.17 Beugung eines Laserstrahls in einer Lösung mit Zucker. [Nach W. M. Strouse, Am. J. Phys. 40, 913 (1972)]

5.17

Beugung eines Lichtstrahls

In einen Glasbehälter wird Wasser gefüllt und mehrere Zuckerstücke werden zugefügt, jedoch nicht umgerührt. Trifft nun ein scharf gebündelter Lichtstrahl (z.B. ein Laserstrahl) den Behälter, so wird der Strahl zum Boden gebogen und von dort wieder abgestoßen (Bild 5.17). Was zwingt den Strahl dazu?

5.18

Formänderung bei Sonne und Mond

Woher kommt es, daß Sonne und Mond in der Nähe des Horizonts scheinbar ihre runde Form verlieren und flacher werden? Können Sie ungefähr angeben, wie groß die Verformung ist?

Polarisation

Brewsterscher Winkel

5.19

Ein blaues Band am Horizont

Das Meer scheint zum Horizont hin oft viel dunkler blau oder grau zu werden, dunkler als der Himmel oder das übrige Meer. Ja, wenn Sie am Strand stehen und übers Meer schauen, haben Sie beinahe den Eindruck, als hätte jemand ein strahlendes blaues Band ausgebreitet, um den Horizont zu markieren. Liegen Sie flach auf dem Strand oder steigen Sie höher hinauf, wird das Band wieder verschwinden. Ein Anhaltspunkt dafür könnte sein, daß das Licht des Bandes fast völlig linear polarisiert ist. Können Sie die Entstehung des blauen Bandes und die Polarisation erklären?

5.20

Reflexionen 30° über dem Horizont

Blicken Sie aufs Meer hinaus auf eine Fläche direkt unterhalb des Horizonts, so können Sie die Spiegelbilder von Gegenständen sehen, die höher als 30° über ihm liegen. Tiefer liegende Objekte jedoch spiegeln sich nicht. Warum? Wird der kleinstmögliche Reflexionswinkel von der durchschnittlichen Wellenneigung bestimmt, die auf Grund Ihrer Beobachtung 15° betragen muß? Nein, so ist es nicht. Können Sie sich einen anderen Grund denken, warum es in diesem Gebiet keine Spiegelung gibt?

5.21

Der Mond spiegelt sich im Wasser

Warum ist das Spiegelbild des Mondes im Meer oder in einem See ein Dreieck auf der Wasseroberfläche (Bild 5.21)? Was bestimmt die Form und die Größe der erhellten Fläche? Woher kommt das entsprechende dunkle Dreieck im Himmel über dem Wasser?

Bild 5.21 Ein helles Monddreieck im Wasser und ein dunkles Dreieck im Himmel.

[Mit Genehm. von John Hart; „Field Enterprises"]

5.22

Glänzende schwarze Stoffe

Warum glänzen manche schwarzen Stoffe und andere wieder nicht? Schwarzer Filz hat eine glänzende Seite und eine matte Seite. Einige Wandfarben sind von einem glänzenden Schwarz, andere von einem matten Schwarz. Wie kann eine schwarze Oberfläche glänzen, da doch die schwarze Farbe das sichtbare Licht absorbiert?

5.23

Schatten stehen kopf

Bohren Sie mit einer Nadel ein Loch in ein lichtundurchlässiges Blatt Papier, halten Sie es ein paar Zentimeter vor eines Ihrer Augen, und schließen Sie das andere; heben Sie dann vorsichtig einen dünnen Nagel zwischen das Loch und Ihr Auge (Bild 5.23a). Bewegen Sie den Nagel so lange, bis ein etwas verschwommenes Bild im Lichtkreis des Nadellochs auftaucht (Bild 5.23b). Wie entsteht dieses Bild und warum sind oben und unten vertauscht? Warum kommt es uns auch so vor, als befände es sich jenseits des Loches?

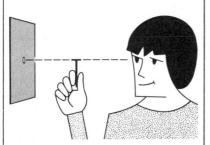

Bild 5.23a Ein dünner Nagel zwischen Ihrem Auge und dem Nadelloch.

Bild 5.23b Ein verschwommenes Bild des Nagels.

| Ablenkung |
| Abbildungsfehler |
| Auflösung |
| Fotometrie |

5.24

Lochkamera

Die Lochkamera ist die einfachste Ausführung einer Kamera und am leichtesten zu bauen. Es hat auch einige bestimmte Vorteile, ein Loch statt einer Linse zu verwenden. So gibt es z. B. keine lineare Verzerrung, und die Schärfentiefe ist sehr groß. Aber vielleicht gibt es gravierende Abbildungsfehler? Oder genauer gesagt, treten bei einer einfachen Lochkamera Farbfehler auf? Welche Größe des Loches ist am günstigsten und was passiert mit Ihren Bildern, wenn das Loch größer oder kleiner ist als das mit dem optimalen Durchmesser?

5.25

Sonnenfinsternis

Beobachten Sie einmal während einer Sonnenfinsternis in Ihrem Garten den Schatten der Blätter auf dem Boden. Sie werden dort Bilder der sich verfinsternden Sonne sehen können! Wie entstehen diese Bilder? Sind sie immer da oder nur während einer Finsternis?

5.26

Heiligenschein

Haben Sie schon einmal an einem schönen Morgen, wenn das Gras vom Tau glitzert, auf den Schatten Ihres Kopfes geachtet? Um den Schatten herum breitet sich ein helles Licht aus, das man „Heiligenschein" nennt. Wie kann der Tau dieses Leuchten hervorbringen und warum ist es nicht um den ganzen Schatten vorhanden? Spielen die Grashalme dabei eine Rolle, außer der, daß die Tautropfen auf ihnen liegen? Können Sie auch den sehr hellen Heiligenschein erklären, den die Astronauten sehen konnten, während sie auf dem Mond spazierengingen? (In dem Fall ist sicher nicht das taubedeckte Gras dafür verantwortlich.)

5.27

Rückstrahler am Fahrrad

Auf die Rückstrahler eines Fahrrads kann praktisch aus jeder Richtung Licht fallen — es wird immer zur Lichtquelle hin reflektiert. Wie ist das möglich? Ein gewöhnlicher Spiegel reflektiert natürlich auch, aber das Licht kehrt nicht zur Lichtquelle zurück, es sei denn, es träfe senkrecht zur Spiegeloberfläche auf. Was ist bei den Rückstrahlern anders? Wie breit ist der reflektierte Lichtstrahl, wenn ein eng gebündelter Strahl auf einen Rückstrahler fällt?

5.28

Braune Flecke auf Blättern

Es ist nicht besonders gut, bei großer Mittagshitze die Blätter eines Baumes oder Strauches mit Wasser zu bespritzen, denn die Wassertropfen hinterlassen braune Flecke auf ihnen. Was verursacht sie?

5.29

Strahlenkranz um den Schatten eines Kopfes

„Ich blickte auf die feinen zentrifugalen Strahlen, die meinen Kopf umgaben auf dem sonnenbeschienenen Wasser ... Auseinanderstrebende zarte Lichtstrahlen, die von meinem Kopf ausgingen, von jedermanns Kopf, im sonnenbeschienenen Wasser!"

frei nach Walt Whitman
„Auf der Fähre nach Brooklyn"
Grashalme

Diese Lichtstrahlen umgeben den Schatten Ihres Kopfes, wenn der Schatten auf unruhiges Wasser fällt. Sie erscheinen jedoch nicht, wenn das Wasser ganz ruhig ist oder ganz regelmäßige Wellen hat.

5.30

Katzenaugen im Dunkeln

Warum scheinen die Augen einer Katze in der Dunkelheit so hell, wenn Licht auf sie fällt? Warum glänzen sie tagsüber nicht so?

Hängt die Stärke des reflektierten Lichts von dem Winkel ab zwischen Ihrer Blickrichtung und der Richtung des einfallenden Lichts? Warum scheinen unsere Augen nicht auch so hell, wenn sie bei Nacht beleuchtet werden oder ein Blitzlicht auf sie fällt?

5.31

Am Tag als der Regen kam

Gelegentlich kann man weit entfernt fallenden Regen beobachten, und unter besonderen Umständen sieht man etwas Seltsames: Werden diese Niederschlagsgebiete von direktem Sonnenlicht getroffen, wird eine deutliche horizontale Linie erkennbar, über welcher der Niederschlag sehr viel heller erscheint als darunter. Was ist der Grund für diese unterschiedliche Helligkeit?

5.32

Regenbogenfarben

Die Farbtrennung bei einem Regenbogen wird im allgemeinen mit einer einfachen Brechung und Beugung der Lichtstrahlen in den Wassertropfen erklärt. Da die Lichtstrahlen jedoch unter sehr verschiedenen Winkeln auf der Tropfenoberfläche einfallen (Bild 5.32), müßten dann die austretenden Strahlen, sogar die einer bestimmten Farbe, nicht den Tropfen ebenfalls in einem großen Winkelbereich verlassen? Warum ordnen

Bild 5.32 Sonnenlicht fällt auf einen Wassertropfen.

sich die Farben im Regenbogen in der bekannten Weise? Ist die Farbzerlegung im Regenbogen genauso exakt wie bei einem Prisma? Wenn die einfache Erklärung mit der Brechung stimmt, müßte der Regenbogen dann nicht ganz reine Farben haben? Selten sieht man über dem hier beschriebenen Hauptregenbogen einen weiter geöffneten „Nebenregenbogen". Seine Farbfolge ist umgekehrt zu der des Hauptbogens. Warum sieht man höchstens zwei Regenbogen am Himmel? Der erste Regenbogen resultiert aus einer einmaligen Reflexion der Lichtstrahlen innerhalb der Regentropfen, der zweite aus einer doppelten Reflexion. Müßte es nicht noch mehr Regenbogen geben, die durch weitere innere Reflexionen entstehen? Einen Doppelbogen kann man auch während eines leichten Regens bei Nacht im Licht eines Suchscheinwerfers sehen. Wenn der Lichtstrahl über den Himmel streicht, gleiten die Regenbogen am Strahl auf und ab, verschwinden manchmal auch kurz. Können Sie sich denken, woher diese Bewegung der Regenbogen kommt?

5.33

Reines Rot in einem Regenbogen

Warum findet sich reines Rot nur in den senkrechten Teilen eines Regenbogens, wenn die Sonne relativ niedrig steht? * (Die Sonne muß niedrig stehen, damit man die senkrechten Abschnitte eines Regenbogens überhaupt sehen kann; von einem etwas höheren Standpunkt aus muß die Sonne nicht so niedrig stehen.)

* Sogar die alltäglichen Erscheinungen des Himmels müssen von uns neu überdacht werden und bereiten uns immer viele Überraschungen. A. B. Fraser [A. B. Fraser, J. Atmos. Sci., 29, 211 (1972)] weist auf die einfache Tatsache hin, daß das reine Rot auf die senkrechten Teile des Reogenbogens beschränkt bleibt, was bis zu seiner, Frasers, Veröffentlichung 1972 nicht beachtet worden war. Auch die fotografischen Aufnahmen des infraroten Regenbogens, die erst vor kurzem gemacht wurden, sind ein Beispiel moderner Untersuchungen. Sie ermöglichen es dem Menschen, zum erstenmal etwas zu sehen, das schon seit Millionen von Jahren immer wieder einmal am Himmel erscheint.

5.34

Zusätzliche Regenbogen

Manchmal kann man auch einige rosa und grüne Bogen innerhalb des Hauptregenbogens sehen. Sehr selten treten sie beim Nebenregenbogen auf; sie befinden sich dann außerhalb des Bogens. Wie entstehen diese zusätzlichen Bogen? Sind sie nicht eine Überraschung für denjenigen, der sich die Entstehung eines Regenbogens zu einfach erklärt? Warum findet man sie nicht zwischen Haupt- und Nebenbogen?

5.35

Dunkler Himmel zwischen den Regenbogen

Warum ist das Stück Himmel zwischen dem Haupt- und dem Nebenregenbogen dunkler als der restliche Himmel?

5.36

Polarisation des Regenbogens

Ist der Regenbogen polarisiert? Und wenn ja, können Sie die Polarisation erklären?

5.37

Regenbogen vom Mondlicht

Regenbogen, die durch Mondlicht entstehen, sind sehr selten. Ist das nur deshalb der Fall, weil das Mondlicht so viel blasser ist als das Sonnenlicht, oder gibt es einen anderen Grund?

5.38

Entfernung eines Regenbogens

Wie weit von uns entfernt entsteht ein Regenbogen, d. h. wie weit weg sind die Wassertropfen? Ist es möglich, daß ein Regenbogen ein paar Meter von Ihnen entfernt entsteht? Wenn Sie zu dem Wassersprenger in Ihrem Garten schauen, kann es vorkommen, daß Sie zwei sich kreuzende Regenbogen sehen (Bild 5.38). Warum?

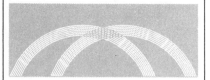

Bild 5.38 Zwei sich kreuzende Regenbogen im Strahl eines Wassersprengers.

5.39

Regenbogenpfeiler

Sehr, sehr selten bekommt man die Lichtpfeiler zu sehen, die am Fuß eines Regenbogens entstehen können. (M. Minnaert hat einen solchen Pfeiler fotografiert; er sagt aber auch, daß es noch keine Erklärung dafür gibt.) Vielleicht finden Sie eine?

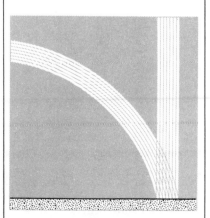

Bild 5.39 Lichtpfeiler am Fuß eines Regenbogens.

Bild 5.40

5.40

Sich spiegelnde Regenbogen

Haben Sie wohl einmal die Gelegenheit gehabt, einen Regenbogen und sein Spiegelbild im Wasser zu sehen? Wenn ja, ist Ihnen aufgefallen, daß sie sich in Form und Lage unterschieden haben? Man merkt es z. B. an einer hinter dem Regenbogen stehenden Wolke, die sich auch spiegelt (Bild 5.40). Warum erscheint die Lage des Wolkenspiegelbildes verschoben?

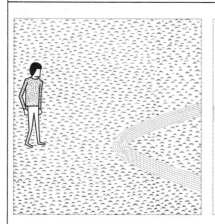

Bild 5.41a Bogen im Tau eines Rasens

Bild 5.41b Bogen im Tau bei Nacht unter einer Straßenlaterne, vom Betrachter aus gesehen.
[Nach J. O. Mattsson, S. Nordbeck und B. Rystedt, Lunds Studies Geography, Ser. C, Lund Universitet, 1971]

5.41

Regenbogen im Tau

Was verursacht die Regenbogen, die man auf einem taubedeckten Rasen und auf ölbedeckten Wasserflächen sehen kann (Bild 5.41a)?

Auch Straßenlaternen können solche „Regenbogen im Tau" hervorrufen; diese Bogen haben jedoch eine andere Form (Bild 5.41b). Warum?

5.42

Nebensonnen

Nebensonnen (falsche Sonnen oder Parhelions) sind spiegelgleiche Bilder der Sonne, die unter bestimmten Umständen auf einer oder auf beiden Seiten der Sonne gesehen werden können. Sie befinden sich normalerweise außerhalb des $22°$–Halo, sofern er sichtbar ist, und ihr Abstand zur Sonne ist desto größer, je höher die Sonne am Himmel steht (siehe Bild 5.43). Steht sie jedoch höher als $60°$, verschwinden die Nebensonnen wieder. Können Sie den Ursprung der Nebensonnen erklären und warum ihre Existenz und Lage von der Sonnenhöhe abhängt? Und warum sind sie viel farbintensiver als der $22°$–Halo?

5.43

Der 22°–Halo

Jeder von uns hat schon einmal den „Hof" um den Mond gesehen; seltener ist der Hof, der Halo, um die Sonne. Der Abstand des Haupthofes von der Sonne oder vom Mond erscheint von der Erde aus unter einem Öffnungswinkel von 22° (Bild 5.43). Er ist oft farbig, zur Mitte hin rot, nach außen weiß oder blau. Der Himmel innerhalb dieses Kreises, die allernächste Nähe von Sonne und Mond ausgenommen, ist ganz dunkel. Sicherlich wird der Halo durch Lichtstreuung irgendwo in der Atmosphäre erzeugt, doch welche Art von Streuung kann eine so genau begrenzte Form hervorbringen? Könnten Sie sich z. B. vorstellen, daß Sonnenlicht, an Nebel in großer Höhe gestreut, einen 22°–Halo bildet? Und warum ist das Gebiet innerhalb dieses Kreises so dunkel? Allgemein glaubt man, daß ein Halo das Zeichen für einen unmittelbar bevorstehenden Regen ist. Ist da etwas Wahres daran?

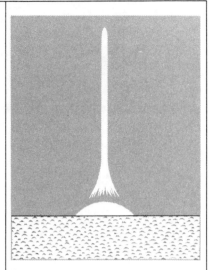

Bild 5.45

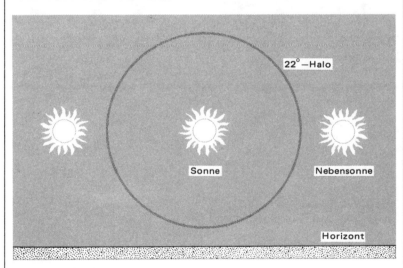

Bild 5.43 22°–Halo und Nebensonnen.

5.44

Nebelbogen

Warum sind Nebelbogen, das sind Regenbogen, die sich im Nebel bilden, weiß mit einem orangenen Außenrand und blauem Innenrand? Warum sind sie etwa zweimal so breit wie normale Regenbogen?
Kann auch eine Straßenlaterne einen Nebelbogen erzeugen? Wenn ja, wie würde er sich von einem Nebelbogen bei Sonnenlicht unterscheiden?

5.45

Lichtsäulen

Pfeiler aus Sonnenlicht über und unter der Sonne (Bild 5.45) kann man relativ oft bei Sonnenaufgang oder kurz vor Sonnenuntergang sehen. Die Säulen können sehr schöne Farben haben: weiß, hellgelb, orange oder rosa. Unter bestimmten Bedingungen sind sie auch bei Straßenlampen oder anderen künstlichen Lichtquellen im Freien sichtbar. Woher kommen sie?

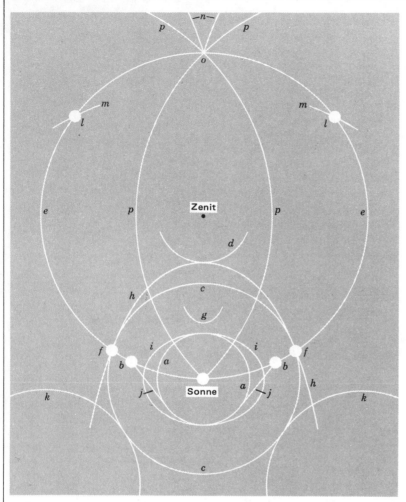

a) Kleiner Ring (22° Radius)
b) Nebensonnen des Kleinen Ringes
c) Großer Ring (46° Radius)
d) Zirkumzenitalbogen
e) Nebensonnenkreis
f) Nebensonnen des Großen Ringes
g) Parryscher Bogen
h) oberer Berührungsbogen des Großen Ringes
i) Berührungsbogen des Kleinen Ringes
j) Lowitzscher Bogen
k) unterer Berührungsbogen des Großen Ringes
l) Nebengegensonnen
m) Nebengegensonnenbogen
n) Spitzwinkel-Schrägbogen der Gegensonne
o) Gegensonne
p) Weitwinkel-Schrägbogen der Gegensonne

Bild 5.46 Einige der möglichen Bogen, Sonnenhöfe und Nebensonnen um die Sonne. (Nicht alle gleichzeitig sichtbar.)

5.46

Andere Bögen und Sonnenhöfe

Das gäbe ein schönes Durcheinander am Himmel, wenn alle möglichen Bögen und Sonnenhöfe zur selben Zeit sichtbar wären (Bild 5.46)! Normalerweise sieht man aber nur einige wenige. Einige sind in der Tat so selten, daß sogar ihre Existenz bestritten wird. Für den Lowitzschen Bogen hat man wohl erst kürzlich eine Erklärung gefunden. Einige der Bogen verändern ihre Form beträchtlich je nach Sonnenstand, so daß es sich lohnt, sie so lange wie möglich zu beobachten und immer wieder eine Skizze von ihnen anzufertigen! Versuchen Sie einmal mit Hilfe der Skizzen festzustellen, um welchen der vielen möglichen Bogen es sich handeln könnte, und überlegen Sie sich eine Ursache für ihr Zustandekommen.

5.47

Kronenblitz

Gleichzeitig mit dem Blitz aus einer Gewitterwolke entsteht manchmal in der Wolke ein helles Leuchten, das sich nach oben und zur Seite zum Wolkenrand hin ausbreitet. Ist dieses Aufleuchten, das man „Kronenblitz" oder „Flächenblitz" nennt, eine ungewöhnliche Art der Entladung oder ist es eine besondere Reflexion des Lichtes des ursprünglichen Blitzes?

Polarisation

5.48 bis 5.57

5.48

Polarisiertes Licht von Autoscheinwerfern

Es kann sehr unangenehm, aber auch gefährlich werden, wenn man bei Nacht von einem entgegenkommenden Wagen geblendet wird. Um diese Gefahr zu vermindern, wurden polarisierte Plastikscheiben für Autoscheinwerfer entwickelt. Wie geht das vor sich und welche Orientierung der polarisierten Scheiben ist die beste? Vergessen Sie dabei nicht, daß Sie schon noch etwas sehen wollen! So darf natürlich nicht die Reichweite der Scheinwerfer wesentlich verringert werden. Spielt die Neigung der Windschutzscheibe eine Rolle? Könnte man mit polarisierten Brillengläsern dasselbe erreichen?

5.49

Polarisierte Brillengläser

Warum vermindern polarisierte Gläser einer Sonnenbrille den blendenden Glanz des Sonnenlichts? (Eine unpolarisierte Sonnenbrille reduziert nur die Gesamtlichtmenge, die in das Auge fällt, und nicht bevorzugt das gespiegelte Licht.) Wie kann eine polarisierte Sonnenbrille die Fähigkeit eines Fischers verbessern, in das Wasser hineinzusehen?

5.50

Polarisation am Himmel

Warum ist das Licht eines klaren Himmels polarisiert? Wo müßte das Gebiet der größten Polarisation sein? Können Sie Ihre Antwort mit Hilfe einer Sonnenbrille mit polarisierten Gläsern beweisen? Ist das von den Wolken kommende Licht polarisiert? Warum gibt es auch einige nichtpolarisierte Zonen am Himmel? Warum steht die Polarisationsrichtung einiger Himmelsgegenden senkrecht zu der Richtung, die landläufig angenommen wird? Können Sie auch die neutralen Punkte und die Gebiete mit senkrechter Polarisation mit Ihrer Sonnenbrille finden?

5.51

Farbige Eisblumen

Betrachten Sie am Morgen nach einer sehr kalten Nacht die dünnen, durchsichtigen Eisblumen an einem in der Sonne liegenden Fenster. Die Blumen beginnen langsam zu schmelzen, und es bildet sich eine kleine Pfütze auf dem Fensterbrett. Auf der Pfütze können Sie nun Spiegelbilder der Eisblumen finden (Bild 5.51), die ein Muster mit farbigem Rand bilden. Wieso sind die Spiegelbilder farbig?

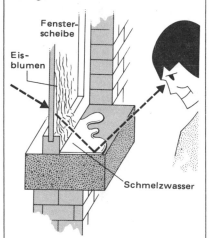

Bild 5.51 Schmelzende Eisblumen. [Nach S. G. Cornford, Weather, 23, 39 (1968)]

5.52

Zellophan zwischen zwei Polarisationsfiltern

Licht kann nicht zwei polarisierte Scheiben durchdringen, deren Polarisationsrichtungen senkrecht aufeinanderstehen. Die Scheiben werden jedoch lichtdurchlässig, wenn durchsichtiges Zellophan dazwischengelegt wird. Dabei hängt der Betrag der Durchlässigkeit von der Orientierung des Zellophans ab. Ersetzen Sie das Zellophan durch ein Stück einer dünnen Plastikfolie, werden Sie feststellen, daß nur sehr wenig Licht die Scheiben durchdringt. Straffen Sie die Folie jedoch, können Sie wieder eine gute Durchlässigkeit erhalten. Welcher grundlegende Unterschied zwischen Zellophan und ungestraffter Plastikfolie ist verantwortlich für die unterschiedliche Lichtdurchlässigkeit? Wie werden die optischen Eigenschaften der Plastikfolie durch das Strecken verändert? *

* Wenn Sie mehr über optische Spielereien und Tricks mit Zellophan, Klebebändern und anderem wissen wollen, lesen Sie F. S. Crawford Jr.'s ausgezeichnetes Buch „Waves" (Wellen), McGraw-Hill, New York, 1968 Kapitel 8 und 9.

5.53

Flecke auf der Heckscheibe

Wenn Sie beim Autofahren eine polarisierte Sonnenbrille tragen, haben Sie sicher schon die großen, in Mustern geordneten Flecke beobachtet, die auf der Heckscheibe der vor Ihnen fahrenden Wagen auftauchen. Was sind das für Flekke und warum kann man sie nur mit einer polarisierten Sonnenbrille sehen? Sind die Flecke farbig?

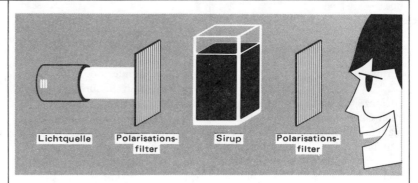

Bild 5.54 Polarisationsänderung bei Sirup.

5.54

Optische Fähigkeiten von Sirup

Obwohl Sie sicher alle schon Sirup auf Brot gegessen haben und es Ihnen gut geschmeckt hat, kennen Sie sicher die überraschendste Eigenschaft von Sirup noch nicht: seine Fähigkeiten auf dem Gebiet der Optik! Versuchen Sie einmal folgendes Experiment: Stellen Sie ein Glas Sirup zwischen zwei polarisierte Filter (z. B. die Gläser einer polarisierten Sonnenbrille). Bringen Sie dann eine Lampe, die weißes Licht abgibt, hinter das eine Glas und schauen Sie durch das andere auf den Sirup (Bild 5.54). Wie entstehen diese wundervollen Farben, die Sie jetzt sehen? Drehen Sie nun ein Filter (das andere bleibt stehen) und versuchen Sie, die Polarisation des austretenden Lichts zu finden; damit finden Sie auch den Wechsel der Polarisation, den das Licht im Sirup erfahren hat. Wiederholen Sie das alles bei verschiedener Schichtdicke des Sirups, so werden Sie entdecken, daß der Polarisationswechsel vom Weg abhängt, den das Licht im Sirup zurücklegt. Warum? Um wieviel dreht sich die Polarisationsrichtung pro Zentimeter Sirup und dreht sie sich im Uhrzeigersinn oder gegen den Uhrzeigersinn? Und warum immer nur in einer Richtung?

5.55

Flieg nur aus in Wald und Heide

Bienen, Enten und viele andere Tiere verwenden die vom Himmel ausgehende Polarisation des Lichts als Navigationshilfe. Wie können sie den Polarisationswinkel des Lichts feststellen? Und wie können sie diese Fähigkeit zur Orientierung verwenden?

5.56

Magische Sonnensteine

Dichroidische Kristalle zeigen verschiedene Farben, wenn sie von verschieden polarisiertem Licht angestrahlt werden. Es kann sein, daß ein Kristall unter Licht einer bestimmten Polarisationsrichtung durchsichtig mit leichter Gelbfärbung ist; dreht sich die Polarisationsrichtung um 90°, wird er dunkelblau.

Man glaubt, daß die Wikinger solche Steine zur Ortung der Sonne verwendeten. Alten Überlieferungen nach sollen sie eine Art „magischer Sonnensteine" verwendet haben, mit deren Hilfe sie die Sonne finden konnten, sogar wenn sie hinter den Wolken oder hinter dem Horizont verschwunden war. Da die Sonne in der Nähe der Pole sogar mittags unter dem Horizont liegen kann, dürften solche Zaubersteine schon eine große Hilfe bei der Navigation gewesen sein. Warum erscheinen diese Kristalle in verschiedenen Farben, wenn verschieden polarisiertes Licht auf sie fällt? Können sie wirklich verwendet werden, die Sonne zu finden, sogar wenn es wolkig oder die Sonne unter dem Horizont verschwunden ist?

5.57

Haidingersche Büschel

Vielleicht ist Ihnen noch gar nicht bewußt geworden, daß Sie auch mit bloßem Auge polarisiertes Licht wahrnehmen können. Schauen Sie durch eine polarisierte Scheibe (z. B. die polarisierten Gläser einer Sonnenbrille) in ein

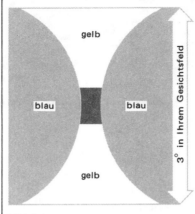

Bild 5.57

helles Licht, so werden Sie für einen Moment eine gelbe Figur erkennen, die an ein Stundenglas erinnert, und rechts und links davon eine blaue Wolke (Bild 5.57). Leichter können Sie dieses „Stundenglas" finden, wenn Sie das Filter in seiner Ebene rotieren lassen. Diese Figur wird „Haidingersches Büschel" genannt und beruht auf der linearen Polarisation, die das Filter bewirkt. Aber warum? Welcher Teil des Auges reagiert auf polarisiertes Licht und wie entsteht dieses besondere Muster? Wie hängt die Richtung des Stundenglases von der Polarisationsachse ab? Warum verschwindet das Muster nach einigen Sekunden? Ich kann das Büschel ganz gut ohne ein polarisiertes Filter in dem teilweise polarisierten Licht des Himmels sehen. Einige Leute sehen es so deutlich, daß es schon lästig ist.

Sie können auch zirkular polarisiertes Licht mit dem bloßen Auge wahrnehmen: Links zirkular polarisiertes Licht ergibt ein gelbes, um etwa 45° nach rechts geneigtes Büschel, bei umgekehrter Polarisation ist das Büschel um 45° nach links geneigt. Warum?

Streuung

5.58 bis 5.90

Rayleighsche und Miesche Streuung

Ablenkung

Dispersion

5.58

Farborgien am Abendhimmel

Selten macht man sich über den Sonnenuntergang besondere Gedanken. Für die Physiker ist er mit der „Rayleighschen Streuung" hinreichend erklärt. Können Sie diese wundervolle Vielfalt der Farben am abendlichen Himmel erklären? Wenn die Sonne untergeht, färbt sich der westliche Himmel erst gelb und dann orange. Sobald die Sonne feuerrot geworden ist, ändert sich die Farbe des nachglühenden Himmels von gelb-orange zu blau-violett. Und gelegentlich verfärbt sich das 25° über dem westlichen Horizont befindliche Gebiet rosenrot (siehe 5.60).

Besonders glanzvolle Farben im Dämmerlicht kann man oft nach einem heftigen Vulkanausbruch sehen. Wie kommt es zu diesen Farborgien?

5.59

Der blaue Himmel

Die physikalische Standardfrage „warum ist der Himmel blau?" wird oft mit der simplen Antwort „Rayleighsche Streuung" abgetan. Ganz gewiß verdient die Frage eine genauere Untersuchung. Warum z. B. ist der Himmel nicht von einer gleichmäßigen Farbe und welcher Teil hat das intensivste Blau? Stimmt die Farbe des Himmels bei Tageslicht mit den Rayleighschen Annahmen überein? Warum ist der Himmel in Vollmondnächten nicht blau? Woran wird das Sonnenlicht gestreut, daß wir einen blauen Himmel sehen? Wäre der Himmel auch blau, wenn die Streuung an wesentlich größeren oder kleineren Teilchen stattfände? Und warum ist der Himmel über dem Mars nur in einem schmalen Bereich über dem Horizont blau und darüber schwarz?

5.60

Pupurlicht in der Abenddämmerung

Wie entsteht das Purpurlicht (das eigentlich eher rosa als purpurfarbig ist) am westlichen Abendhimmel, wenn die Sonne gerade hinter dem Horizont verschwunden ist (Bild 5.60)? Am hellsten erstrahlt es 15 bis 40 Minuten nach Sonnenuntergang.
Sind dieselben physikalischen Gründe für das „zweite" Purpurlicht verantwortlich, das manchmal nach dem Verlöschen des

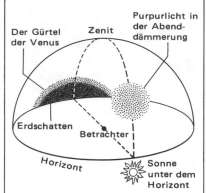

Bild 5.60 Sonnenuntergang. [Nach H. Neuberger, Introduction to Physic. Meteorology, PA State University]

ersten erscheint und bis zu 2 Stunden nach Sonnenuntergang anhalten kann? Wie kann die Sonne so lange noch Licht spenden?

5.61

Tiefblauer Zenit

Ist Ihnen schon einmal aufgefallen, daß der Himmel direkt über Ihnen während eines Sonnenuntergangs eine tiefblaue Farbe annimmt? Ist das nicht verwunderlich? Sollte er nicht eher rot werden wie die untergehende Sonne?

5.62

Gürtel der Venus

Wie kommt es zu dem rosigen Schein in der Abenddämmerung, „Gürtel der Venus" genannt, der den im Osten aufsteigenden Erdschatten umgibt (siehe Bild 5.60)?

5.63

Grüne Straßenlaternen und rote Christbaumlichter

Fliegt man über eine Stadt, hat man oft den Eindruck, die Straßen wären grün beleuchtet; bei einer Fahrt durch dieselben Straßen sieht man jedoch, daß die Straßenlampen keineswegs grünes Licht, sondern normales weißes Licht abgeben. Woher kommen diese unterschiedlichen Farbeindrücke? So erscheint uns auch das Kerzenlicht eines entfernten Christbaumes rot, während es in der Tat verschiedenen Farben haben kann. Warum?

5.64

Hell wie der lichte Tag

Warum ist der Himmel tagsüber strahlend hell? Können Sie ungefähr angeben, wie hell er ist?

5.65

Gelbe Skibrillen

Tragen Skifahrer gelbe Sonnenbrillen nur, weil sie so rasant aussehen? Die Skifahrer behaupten, sie könnten damit bei leicht bedecktem Himmel besser sehen, z. B. die Schneebuckel auf der Piste schneller erkennen. Nun, etwas Wahres muß schon daran sein. Auch der berühmte kanadische Polarforscher Vilhjalmur Stefansson empfahl schon um die Jahrhundertwende gelbliche Brillengläser für eine Reise in Schnee und Eis. Wie können gelbe Gläser schützen? Dominiert z. B. an solchen Tagen der Gelbanteil in dem vom Schnee reflektierten Licht?

5.66

Mit dem Ofenrohr . . . nach den Sternen sehen

Schon seit Aristoteles' Zeiten glaubt man, Sterne auch am Tag sehen zu können, wenn man den Himmel durch einen hohen Schacht, z. B. einen Kamin, betrachtet. Durch einen Schacht kann man nur einen kleinen Teil des Himmels sehen. Dadurch, so vermutet man, wird es möglich, einen Stern besser von seiner Umgebung zu unterscheiden. Wegen des geringeren Lichteinfalls stellt sich das Auge teilweise auf Dunkelheit ein, und das trägt auch dazu bei, den Stern zu finden. Glauben Sie, daß es tatsächlich möglich ist, auf diese Weise die Sterne am Tag ausfindig zu machen? Probieren Sie es doch einmal selbst.

5.67

Farbe der Seen und Meere

Welche Farbe hat ein klarer, sauberer Gebirgssee? Spielt es dabei eine Rolle, ob der Himmel klar oder wolkig ist? Oder wie der Boden des Sees beschaffen ist und welche Tiefe er hat? Warum haben andere Seen eine andere Farbe? Welche Farbe hat das Meer in der Nähe der Küste und weiter draußen? Welche Farbe kann man auf Meereswellen erkennen? Strecken Sie einmal Ihre Hand beim Tauchen waagrecht aus und achten Sie auf die verschiedenen Farben der Ober- und Unterseite Ihrer Hand. Wie kommt es zu diesem Farbunterschied?

5.68

Die Farben des Himmels

Haben Sie einmal auf dem Land gelebt und Gelegenheit gehabt, alle Jahreszeiten dort kennenzulernen? Dann ist Ihnen vielleicht aufgefallen, daß die Farbe des Himmels sich den Jahreszeiten entsprechend ändert. Einige Leute behaupten steif und fest, der Himmel wäre im Sommer leicht grünlich. Hier könnte man Vermutungen anstellen, woher das kommt, und versuchen, die Vermutungen zu begründen.

5.69

Der Mond ist aufgegangen

Wenn kurz nach Sonnenuntergang der Mond als schmale Sichel am Himmel aufgeht, kann man auch den „dunklen" Teil des Mondes sehen (das ist der Teil, der zum runden Mond fehlt). Wie ist das möglich?

5.70

Weiße Wolken

Warum sind die meisten Wolken weiß? Warum sind sie nicht blau wie der Himmel und warum sind Gewitterwolken dunkel?

5.71

Von Wolken gestreutes Sonnenlicht

Warum streut kondensiertes Wasser in den Wolken das Sonnenlicht stärker als Wasser in Dampfform? Ist die Zahl der Atome nicht gleich geblieben und sollte dann nicht das Licht in derselben Weise gestreut werden?

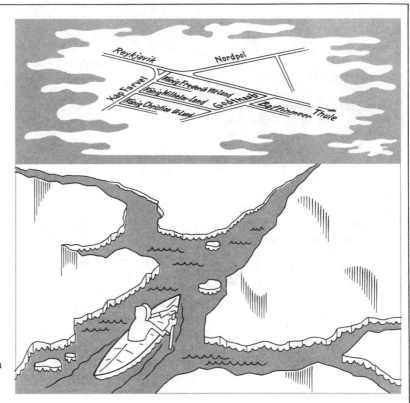

Bild 5.72 Ein Kajakfahrer findet seinen Weg mit Hilfe einer Landkarte am Himmel.

5.72

Landkarte am Himmel

Über den Schnee- und Eisfeldern des Hohen Nordens erscheinen manchmal an der Unterseite der Wolken große Landkarten der Umgebung. Diese Landkarten, die man „Eisspiegel" oder „Wolkenkarten" nennt, ermöglichen es einem Eskimo, beim Kajakfahren auf dem Wasser oder beim Schlittenfahren auf Schnee und Eis seinen Weg zu finden (Bild 5.72). „Dieses Phänomen des „Eisspiegels" kann man erleben, wenn man sich einem Gebiet mit Packeis oder anderem festem Eis nähert und der Horizont fast wolkenfrei ist, manchmal sogar bei dicht verhangenem Himmel. Der Eisspiegel tritt dann über der Eisfläche auf, in einer weißen, durchscheinenden Schicht der Atmosphäre, direkt anschließend an den Horizont. Sind die Voraussetzungen besonders günstig, bietet sich dem Betrachter eine wunderschöne und vollkommene Karte der Eislandschaft, die etwa 30 bis 40 km hinter dem Horizont liegt. Ist die Atmosphäre dunstiger oder dunkler, sind die Ausmaße der Karte nicht so groß. Der Eisspiegel zeigt nicht nur ein Abbild des Eises; ein erfahrener Beobachter kann daraus auch schließen, ob es sich um ebene Eisfelder oder Packeis handelt; im letzteren Fall unterscheidet er sogar massive Eisbrocken auf einer Schneefläche oder in einer offenen Bucht. Das hellste Blinken mit leichter Gelbfärbung ergibt sich über einer ebenen Eisfläche; über Packeis ist es ein reines Weiß und über dem Eis einer Bucht ist das Spiegelbild leicht gräulich. Über dem schneebedeckten Land ist das Blinken etwas gelblicher als über den Eisflächen." [W. A. Scoresby, An Account of the Arctic Regions, Vol. 1, Archibald Constable & Co., Edinburgh (1820).] Können Sie diese Karten in den Wolken erklären?

5.73

Perlmutterwolken

Nicht alle Wolken sind weiß oder dunkel; so können z. B. Perlmutterwolken (irisierende Wolken) sehr schöne zarte Farben haben. Sie sind sehr selten und können gewöhnlich nur in der Nähe der Pole und nur nach Sonnenuntergang gesehen werden. Gelegentlich sind sie von solcher Helligkeit, daß sie dem Schnee auf der Erde Farbe geben können. Was ist das Besondere an diesen Wolken, daß sie diese schönen Farben zeigen? Entsteht die Farbe durch uneinheitliche Größe der Wassertropfen in der Wolke? Warum sieht man diese Wolken gewöhnlich nur in Polnähe und warum nur in einer Höhe von 20 bis 30 km über dem Horizont?

5.74

Spieglein, Spieglein an der Wand

Stellen Sie sich hinter eine kleine Lampe, und betrachten Sie das Bild der Lampe in einem staubigen Spiegel; Sie werden entdecken, daß das Bild der Lampe von farbigen Ringen umgeben ist. Bei einem ganz sauberen Spiegel geht das nicht, nur bei einem staubigen oder leicht schmutzigen. Woher kommen die Ränder und welche Farbverteilung weisen sie auf? Und warum muß der Spiegel staubig oder ein bißchen schmutzig sein?

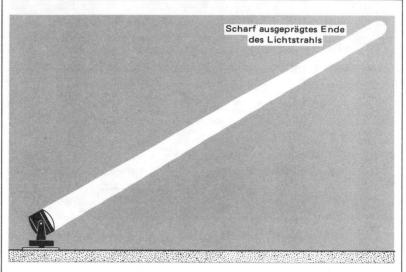

Scharf ausgeprägtes Ende des Lichtstrahls

Bild 5.75

5.75

Strahl eines Suchscheinwerfers

Warum enden die Strahlen eines Suchscheinwerfers, wie man sie z. B. in der Luftabwehr verwendet, ganz plötzlich in der Dunkelheit der Nacht (Bild 5.75)? Sollte man nicht eher annehmen, daß die Strahlen zum Ende hin langsam immer schwächer werden?

5.76

Zodiakallicht und Gegenschein

Sobald Sie wieder einmal Gelegenheit haben, in einer klaren, mondlosen Nacht auf einem freien Feld den Himmel zu betrachten, suchen Sie doch nach dem Zodiakallicht und dem „Gegenschein". Das Zodiakallicht ist ein milchig scheinendes Dreieck, das einige Stunden nach Sonnenuntergang im Westen zu sehen ist oder auch im Osten vor Sonnenaufgang. Das Dreieck ist fast so hell wie die Milchstraße und liegt in der Ebene der Ekliptik. (Das ist die Ebene, in der die Erde die Sonne umläuft.) Der Gegenschein ist ein ziemlich blasses Licht an einem der Sonne gegenüberliegenden Punkt des Himmels. Wie entstehen diese Lichterscheinungen am nächtlichen Himmel?

147

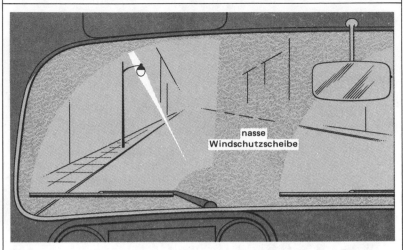

Bild 5.77 Lichtstreifen auf der Windschutzscheibe von einer Straßenlampe ausgehend.

5.77

Lichtstreifen auf der Windschutzscheibe

Ich kann mir etwas Schöneres vorstellen, als bei Nacht und Regen mit dem Auto zu fahren. Besonders lästig sind dabei die langen Lichtstreifen auf der Windschutzscheibe, die von Lichtquellen außerhalb des Wagens stammen (Bild 5.77). Jeder Streifen scheint durch die Lichtquelle zu laufen, und je kleiner sie ist, desto ausgeprägter ist der Streifen. Die Streifen bewegen sich mit Ihnen in Ihrem Wagen. Sie sind verschwunden, wenn Sie aussteigen oder aus einem anderen Wagenfenster schauen. Woher kommen diese Streifen? Treten sie auch auf, wenn es nicht regnet?

5.78

Dunstglocke

Großstadtbewohner verbringen einen Großteil ihres Lebens unter einer Dunstglocke. Warum ist eine Dunstglocke braun? Ist eine Art selektiver Absorption des Lichtes dafür verantwortlich? Wenn ja, wovon wird das Licht absorbiert? Oder kommt es durch ungleichmäßige Streuung des Lichtes? Könnte es davon abhängen, was Sie durch den Dunst hindurch betrachten?

„Am Ende gleicht sich alles wieder aus. Heute ist die Sicht schlechter, aber es riecht besser als gestern."

5.79

Aureole

Haben Sie schon einmal auf einem hohen Berg mit dem Rücken zur Sonne gestanden und in einen dicken Nebel unter sich geschaut? War da auch eine Reihe von farbigen Ringen um den Schatten Ihres Kopfes zu sehen? Diese farbigen Bogen und Kreise nennt man Aureole. Für einen Moment können Sie schon das Gefühl haben, ein göttliches Wesen zu sein, besonders wenn Sie feststellen, daß dieser herrliche Schmuck eines Heiligen bei Ihren Nachbarn nicht zu finden ist. Wie kommt es zu dieser scheinbaren heiligen Auserwählung?

Heutzutage sieht man Aureolen sehr oft vom Flugzeug aus. Wenn Sie das nächstemal fliegen, setzen Sie sich auf die sonnenabgewandte Seite und achten auf die Aureole um den Schatten des Flugzeugs auf den unter Ihnen liegenden Wolken oder dem Nebel. Ich habe schon einmal bei einer solchen Gelegenheit drei ganze Spektren auf einmal gesehen. Es wurden aber auch schon fünf gleichzeitig gesehen und auch fotografiert. Wie entsteht eine Aureole? Warum umgibt sie den Schatten Ihres Kopfes? Wie ist die Farbfolge bei jedem Kreis? Wie hängt die Aureole von der Größe der Partikel im Nebel ab?

5.80

Korona

Warum sind Sonne und Mond manchmal von hellen Rändern umgeben, die man Korona nennt? Normalerweise ist der Rand weiß, gelegentlich wird er noch durch einen blauen, grünen oder roten Streifen vergrößert. Im Glücksfall kann man sogar zwei solcher Spektren sehen. Woher kommt diese besondere Helligkeit des Randes und warum kann man nur gelegentlich Farben unterscheiden? Wodurch wird die Breite der Korona bestimmt? Können Sie die Farbfolge angeben?

5.81

Korona hinter einer zugefrorenen Fensterscheibe

Geht man in einer kalten Winternacht an den zugefrorenen Fensterscheiben eines Ladens vorbei, kann es einem auffallen, daß die Lampen der Innenbeleuchtung von Farbringen umgeben sind. Diese Farbringe scheinen zunächst denselben Ursprung zu haben wie die Korona bei Sonne und Mond. Hier jedoch ist das Bild der Lichtquelle von einem schwarzen Rand umgeben (nicht von einem weißen, wie in 5.80 beschrieben). Woher kommt dieser Unterschied? Und woher kommen auch hier die Farbringe?

5.82

Bischofsring

Eine besondere Form der Korona ist der weiße und rotbraune Bischofsring, der durch vulkanischen, in die Atmosphäre geschleuderten Staub hervorgerufen wird. Der Ringdurchmesser ist wesentlich größer; so beträgt der Öffnungswinkel etwa 30°. Die Abendsonne nimmt nach einigen aufeinanderfolgenden Eruptionsstößen eines Vulkans eine wundervolle goldene Farbe an, die Farben des Himmels einen intensiven Glanz. Man kann auch ein zweites Purpurlicht (siehe 5.60) erblicken, das noch Stunden nach Sonnenuntergang andauert. Welche Teilchengröße ist für das Auftauchen der rotbraunen Farbe verantwortlich? Wird der Bischofsring mehrfarbig, wenn Partikel sehr unterschiedlicher Größe vorhanden sind?

5.83

Korona um Straßenlaternen

Faszinierend sind doch die bunten Lichtringe um die Straßenlaternen bei einem nächtlichen Spaziergang. Hat diese Korona denselben physikalischen Ursprung wie die von Sonne, Mond und Licht in einem Schaufenster? Es gibt zumindest einen Unterschied, und der ist leicht festzustellen. Schirmen Sie das Licht der Straßenlaterne ab, das Licht hinter der Fensterscheibe und das Licht von Sonne oder Mond — wird die Korona in allen diesen Fällen bestehen bleiben?

Und wenn nicht, versuchen Sie zu klären, warum die Korona einmal verschwindet und einmal nicht.

5.84

Blauer Mond

Meine Großmutter wohnt in Aledo, Texas, Einwohnerzahl 100, Hunde und Hühner inbegriffen. Wenn man ihren Erzählungen Glauben schenken darf, wird die ländliche Ruhe in der Zeit zwischen zwei blauen Monden nur einmal durch ein aufregendes Ereignis erschüttert. Aber wie oft gibt es einen blauen Mond? Ja, warum sollte der Mond überhaupt blau werden? Gibt es auch eine blaue Sonne? Können Sie sich auch einen grünen Mond oder eine grüne Sonne vorstellen?

5.85

Gelbe Nebelscheinwerfer

Warum sind die Nebelscheinwerfer eines Wagens gelb? Ist die gelbe Farbe wirklich von Nutzen? Spielt es dabei eine Rolle, ob Sie in der Stadt oder über Land fahren?

5.86

Von den blauen Bergen kommen wir

In Gebieten üppiger Vegetation, die durch Industrieanlagen noch wenig verschmutzt wurden, breitet sich oft ein geheimnisvoller, farbkräftiger Dunst aus. Die blauen Berge von Tennessee und Australien sind bestens bekannt durch ihren wundervollen blauen Dunstschleier. Wie kommt es zu dieser Art von Dunst? Ist es Rauch? Nein, denn der Dunst findet sich in relativ unbewohnten Gegenden. Ist es Staub, den der Wind dorthin getragen hat? Nein, denn das tiefste Blau tritt während eines sehr leichten Windes auf. Der Dunst kann schließlich auch kein Nebel sein, denn das Blau ist im Sommer am schönsten. Was sonst könnte für den Dunst verantwortlich sein und warum ist er blau?

5.87

Schatten in einer Pfütze

Warum können Sie Ihren Schatten in leicht schmutzigem Wasser sehen, aber nicht in einem klaren? Warum können Sie die Schatten anderer Leute nur in sehr schmutzigem Wasser sehen? Vielleicht sind Ihnen die Farbränder um einen Schatten in einer Pfütze schon einmal aufgefallen? Die nahe bei Ihnen liegenden Kanten sind andersfarbig als die, die weiter entfernt sind. Was verursacht diese Farben? Hängen die farbigen Ränder davon ab, ob Sie zur Sonne hin oder von der Sonne weg schauen?

5.88

Die Farbe von Milch in Wasser

Nachdem Sie ein paar Tropfen Milch in ein Glas mit Wasser geschüttet haben, schauen Sie durch das Glas auf ein weißes Licht, z. B. eine Glühbirne; das Licht wird Ihnen rot oder blaßorange erscheinen. Schauen Sie dann auf das vom Glas reflektierte Licht; es ist blau! Woher kommt dieser beachtliche Farbwechsel?

5.89

Blauer Dunst

Betrachten Sie genau den Rauch einer Zigarette, er ist leicht bläulich. Wird der Rauch jedoch inhaliert und dann ausgeblasen, ist er weiß. Woher kommt dieser Unterschied? (Am Teer- und Nikotingehalt liegt es nicht!)

5.90

Rauch eines Lagerfeuers

Einen ähnlichen Farbwechsel kann man beim Rauch eines Lagerfeuers beobachten. Gegen einen dunklen Hintergrund (z. B. dunkle Bäume) scheint er blau zu sein, gegen den helleren Himmel erscheint er uns gelb. Warum wechselt er seine Farbe?

5.91

Farben von Ölflecken und Seifenblasen

Warum sind Ölpfützen auf der Straße farbig? Wie dick ist so eine Ölschicht? Muß die Straße dabei feucht sein? Sind sie nur an bedeckten Tagen sichtbar oder nur im direkten Sonnenlicht? Vergleichen Sie den geschätzten Innendurchmesser eines solchen Farbringes mit dem gemessenen Wert. Hat die Größe der Sonne einen Einfluß auf die Größe des Ringes?
Warum sieht man Farben auf einer Seifenblase? Wie dünn ist die Haut einer Seifenblase und bis zu welcher Dicke treten überhaupt Farben auf? Wodurch wird dieser Bereich bestimmt? Warum erscheinen einige Teile eines solchen Filmes schwarz? Und warum gibt es eine scharfe Trennung zwischen den schwarzen und den farbigen Bereichen? Wäre ein allmählicher Übergang nicht einleuchtender?

5.92

Farbeffekte nach dem Schwimmen

Warum können Sie gleich nach dem Schwimmen Farbringe um Lampen sehen?

Beugung	5.93 bis 5.98
Dispersion	5.93; 5.94
Kristallstruktur	
Belastung	

5.93

Flüssige Kristalle

Wird ein verformbarer Behälter mit Flüssigkristallen gedrückt, so erscheinen Farben um die Druckstelle herum. Die besondere Farbe jedoch, die Sie sehen können, hängt von Ihrem Blickwinkel ab. Wie steht es mit der Winkelabhängigkeit und Farbfolge im Vergleich zu der bei den Ölflekken? Könnten Sie einen Unterschied erklären?

5.94

Bunte Schmetterlingsflügel

Warum sind die Flügel der Schmetterlinge farbig? Stammen die Farben von einer Pigmentierung? Bei den meisten Schmetterlingen schon; bei einigen jedoch, z. B. dem südamerikanischen Morphofalter, haben die Farben einen anderen Ursprung. Vielleicht finden Sie die Antwort, wenn Sie einen Schmetterlingsflügel aus verschiedenen Blickwinkeln betrachten: Er wird immer eine etwas andere Farbe annehmen. Woher kommt das?

5.95

Dunkle Linie zwischen zwei Fingern

Ist Ihnen schon einmal die dunkle Linie aufgefallen zwischen Zeigefinger und Daumen, wenn sie sich fast, aber nicht ganz berühren (Bild 5.95)? Lassen Sie eine Gabel rotieren und schauen dann durch die Zinken, so können Sie viele solcher Linien sehen. Woher kommen sie? Könnten Sie sagen, ob der Zwischenraum zwischen den Linien bei einer bestimmten Drehung der Gabel zu- oder abnimmt?

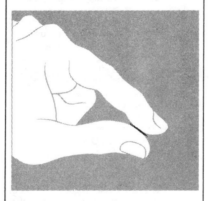

Bild 5.95 Dunkle Linien zwischen zwei Fingern.

5.96

Abstrakte Kunst

Was sind das für winzige, unscharfe Flecke, die Sie oft in Ihrem Gesichtsfeld herumschwimmen sehen können? Sind es Einbildungen? Sind es Staubteilchen auf der Augenoberfläche? Oder Teilchen im Auge? Schauen Sie durch ein feines Loch in einem lichtundurchlässigen Material auf eine sehr helle Lichtquelle, so können Sie ein schönes Bild von schwimmenden konzentrischen Kreisen und langen Ketten sehen (Bild 5.96). Wie können Sie Kreise und Ketten sehen, wenn diese Flecke nur Schatten sind? Und warum macht das feine Loch die Struktur der Flecke sichtbar?

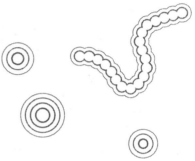

Bild 5.96 Struktur der Flecke in Ihren Augen.

5.97

Strahlende Sterne

Woher kommen die Sterne, die man gelegentlich von Autoscheinwerfern ausgehen sieht? Sie entspringen nicht der Einbildung, denn auch auf Fotografien sind sie sichtbar. Ähnlich ist es mit den Strahlen der Sterne, die auch schon fotografiert worden sind. Können die Sterne und die Autoscheinwerfer eine beliebige Zahl von Strahlen haben bzw. eine ungerade Zahl von Strahlen?

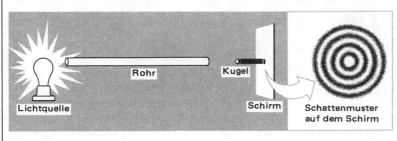

Bild 5.98 Versuchsanordnung zum Nachweis des Poissonschen Flecks.

5.98

Poissonscher Fleck

Woher kommt der helle Punkt in der Mitte des Schattens einer kleinen Scheibe oder Kugel (etwa 2 mm Durchmesser)? Größere Gegenstände haben dagegen einen normalen dunklen Schatten. Ein einfacher Versuch wird es Ihnen beweisen:
Bauen Sie ihn so auf, wie im Bild 5.98 gezeigt. Sie werden sehen, daß nicht nur ein heller Fleck in der Mitte des Schattens entsteht, nein, der ganze Schatten setzt sich aus mehreren konzentrischen hellen und dunklen Ringen zusammen. Wie entstehen der helle Punkt in der Mitte, der Poissonscher* Fleck genannt wird, und die Ringe? Warum treten sie nicht bei Ihrem Schatten auf?

* Als der französische Physiker A. J. Fresnel in den frühen Jahren des 19. Jahrhunderts seine Doktorarbeit über dieses Thema vorlegte, äußerte ein Mitglied des Prüfungsausschusses, S. D. Poisson, folgenden bemerkenswerten Satz: „Wenn Ihre Arbeit korrekt wäre, dann gibt es einen hellen Punkt im Schatten eines runden Gegenstandes!" Da er von der Lächerlichkeit dieser Aussage überzeugt war, folgerte er, daß die Arbeit von Fresnel verkehrt sein müsse. Tatsächlich war man auf den hellen Fleck schon etwa 50 Jahre früher aufmerksam geworden. Kurz nach der Poissonschen Folgerung wurde der Fleck von D. F. Arago wieder entdeckt.
Dies ist eine der seltsamen Verdrehungen in der Geschichte der Physik; der Mann, der nicht an den dunklen Fleck glauben wollte, hat ihm seinen Namen gegeben.

Brechung

Interferenz   5.99 bis 5.102

Turbulenz

5.99

Schattenbänder bei einer Sonnenfinsternis

Einige Minuten vor und nach einer totalen Sonnenfinsternis rasen dunkle Bänder, sogenannte Schattenbänder, über die Erde. Sie sind etwa zwei Zentimeter breit und einige Zentimeter voneinander entfernt. Woher kommen diese Bänder? Und warum erscheinen sie nur vor und nach einer Sonnenfinsternis? Werden sie in der Atmosphäre erzeugt oder entstehen sie, wenn das Sonnenlicht den Mond passiert?

5.100

Schattenbänder bei Sonnenuntergang

Eine Reihe von Schattenbändern kann auch hin und wieder während eines normalen Sonnenuntergangs beobachtet werden. Ronald Ives* berichtet, daß sie in 15 Jahren sechsmal gesehen wurden, und zwar immer von einem erhöhten Standpunkt aus mit Blick auf eine Ebene. Diese Bänder erstreckten sich über mehrere Kilometer und bewegten sich mit einer Geschwindigkeit von etwa 60 km/h. Sind diese Bänder eine andere Art von Schattenbändern? Können Sie sich ihren Ursprung erklären?

* R. L. Ives, J. Opt. Soc. Am. 35, 736 (1945)

5.101

Reflektiertes Licht mit Randstreifen

Stellen Sie sich vor, Sie sitzen in einem Flugzeug und fliegen auf einen kleinen See in der Ferne zu. Bei einem ganz bestimmten Einfallswinkel des Sonnenlichts können Sie das vom See reflektierte Licht von dunklen und hellen Bändern umgeben sehen. Warum?

Flimmern

5.102

Das Flimmern der Sterne

Warum flimmert ein Stern? Und wo ungefähr entsteht das Flimmern? Muß der Stern dazu seine Farben verändern oder sich bewegen? Flimmert ein Stern im Winter mehr als im Sommer? Und flimmert ein roter Stern mehr als ein weißer? Sieht man auch ein Flimmern beim Betrachten der Sterne mit einem Teleskop? Und flimmern auch der Mond und die Planeten?

Warum flimmern Gegenstände, wenn man sie über eine heiße Oberfläche hinweg betrachtet, z. B. über das Dach eines heißen Wagens oder über eine Straße? Wie hoch über einer erhitzten Oberfläche muß ein Gegenstand sein, damit Ihre Augen diesen Eindruck des Flimmerns nicht mehr haben? Bewirkt das die Luft in Ihrer Nähe oder die weiter entfernte Luft?

Photochemie

5.103

Bleichen durch Licht

Wie kann Sonnenlicht farbige Kleider ausbleichen? Hängt es von der Farbe ab, wie stark ein Stück Stoff gebleicht wird? Wie kann Sonnenlicht oder fluoreszierendes Licht die Farben eines Ölgemäldes zum Verblassen bringen? Warum muß man bestimmte Nahrungsmittel und Getränke, z. B. Bier, vor Sonnenlicht schützen? Wirkt eine bestimmte Frequenz des Lichtes besonders zerstörend?

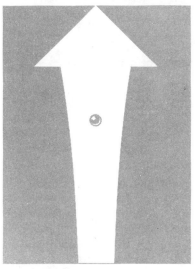

Bild 5.104 Eine Glaskugel wird von einem aufwärtsgerichteten Laserstrahl getragen. [Nach A. Ashkin u. J. M. Dziedzic, Appl. Phys. Let. 19 (8), 283 (1971)]

5.104

Schweben im Licht

Etwas weiter vorne in diesem Buch haben wir über Bälle gesprochen, die auf Luft- und Wasserstrahlen (siehe 4.20 und 4.22) schweben konnten, und haben in beiden Fällen eine überraschende Stabilität festgestellt. Auch ein Lichtstrahl kann einen Ball zum Schweben bringen und in Balance halten, so z. B. ein relativ starker Laserstrahl eine durchsichtige Glaskugel von etwa 20 Mikrometer Durchmesser (Bild 5.104). Wie kann Licht eine solche Kugel gegen die Schwerkraft heben? Und wodurch wird Stabilität gegen eine seitliche Auslenkung erzeugt?

5.105

Licht durch einen Schirm gesehen

Betrachtet man das Licht eines Autoscheinwerfers durch eine Rasterscheibe (z. B. den Stoff eines Regenschirms), so sieht es ganz anders aus als mit dem bloßen Auge gesehen (Bild 5.105). Woher kommt dieser Unterschied?

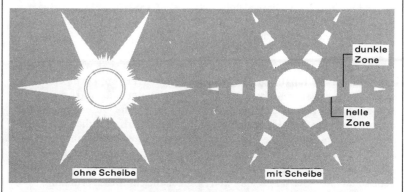

Bild 5.105 Durch eine Rasterscheibe betrachtet, sieht ein Licht ganz anders aus.

5.106

Die Farbe der Sterne

Einige Sterne sind rot, einige weiß. Gibt es blaue Sterne? Oder vielleicht sogar grüne?

5.107

Leuchtende Wirbelstürme

Viele mündliche und schriftliche Berichte beschreiben geheimnisvolle Lichterscheinungen im Zusammenhang mit Wirbelstürmen. Im allgemeinen wird ihnen kaum Glauben geschenkt; eine fotografische Aufnahme jedoch wurde vor einiger Zeit veröffentlicht, auf welcher offensichtlich leuchtende Säulen bei zwei nächtlichen Wirbelstürmen zu sehen sind. Augenzeugen dieser speziellen Stürme gaben erregende Beschreibungen der Lichterscheinungen: „Es war einfach einzigartig: ein zauberhaftes, elektrischblaues Licht umgab den Tornado und aus seiner Mitte stiegen orangene Bälle und Blitze."*
Beim Auftreten eines anderen Wirbelsturmes berichtet ein Beobachter das Folgende:
„Ich sah gerade hinauf zu den Wolken, als ich etwas erblickte, das wie der Strahl eines Scheinwerfers aussah und sich von der Wolke bis zum Horizont erstreckte. Es schien etwas heller zu sein als der Wolkenhintergrund. Die Kanten waren sehr scharf, die Seiten parallel und die Lichtintensität überall gleich,

die Breite etwa ein Bogengrad. Keine Bewegung oder Luftwirbel waren zu sehen. Dieses Phänomen war so interessant, daß ich meine Polaroidkamera holte und diesen „Strahl" durch sie betrachtete. Ich drehte dabei die Linse, um die Polarisation zu ermitteln, konnte aber keine feststellen. Dieser Strahl war so auffallend, daß die Leute auf der Straße stehen blieben und auf ihn starrten. Dies dauerte etwa 1 bis 2 Minuten oder auch mehr. Ganz plötzlich war er dann verschwunden und an seiner Stelle stand ein normaler Tornadotrichter. Kein Übergangsstadium war zu sehen, der Trichter kam nicht von der Wolke herunter. Er war einfach da." (Siehe auch 6.35.)
Ein solches Phänomen ist sehr schwer zu deuten. Hätten Sie ein paar Vorschläge? Und auch einige Erklärungen für Ihre Vorschläge?

*   B. Vonnegut u. J. R. Weyer, Science, 153, 1213 (1966)

5.108

Leuchtender Zucker

Eines Abends spät war ich gerade dabei, trockenen, körnigen Zucker in einem Glas umzurühren (was eine feine Gutenachtbeschäftigung ist), als plötzlich das Licht ausging. Ich rührte weiter und sah – kurz aufleuchtende Blitze in meinem Glas! Wie konnte die mechanische Beanspruchung beim Umrühren Licht erzeugen?

5.109

Sonnenbräune und Sonnenbrand

Was ist es, was die Sonnenbräune und den Sonnenbrand verursacht? Ist derselbe Wellenlängenbereich des Lichts für beides verantwortlich? Warum bekommt man nicht mehr so schnell einen Sonnenbrand, wenn man schon etwas gebräunt ist? Kann eine von Natur aus dunkle Haut auch so leicht „verbrennen" wie eine helle Haut? Wie können Sonnenöl, Sonnenlotion und Sonnencreme eine schnellere Bräunung bewirken, aber einen Sonnenbrand verhindern? Der springende Punkt ist natürlich, ob sie das auch alles können, was die Reklame verspricht! Wenn sie den Sonnenbrand verhüten, müßten sie dann nicht auch das Braunwerden behindern? Bei niedrig stehender Sonne kommt es kaum zu einer Bräunung, geschweige denn zu einem Sonnenbrand. Ebenso ist es, wenn Sie sich hinter einer Glaswand befinden; um so leichter jedoch am Meer oder im Gebirge, besser noch als im heimatlichen Garten.

5.110

Glühwürmchen

Zu meinen schönsten Kindheitser-
innerungen gehört das Fangen von
Glühwürmchen (Bild 5.110). In
Asien soll es Leuchtkäfer geben,
die gleichzeitig im Schwarm aufleuchten; das muß ganz besonders
faszinierend sein.
Stellen Sie sich einen 10 bis 15 m
hohen Baum vor, der dicht belaubt
mit kleinen, ovalen Blättern ist, und
auf jedem Blatt ein Glühwürmchen;
alle leuchten gleichzeitig auf, etwa
dreimal in zwei Sekunden, und
dazwischen befindet sich der Baum
in vollkommener Dunkelheit . . .
Stellen Sie sich weiter vor einen
Fluß, an dessen Ufer sich eine un-
unterbrochene Reihe von Bäumen
etwa 200 m hinzieht; Glühwürmchen sitzen auf jedem Blatt und
leuchten gleichzeitig auf, die am
Ende der Reihe genauso wie die
am Anfang. Das mag ein Bild
sein!*
Welcher Mechanismus bringt dieses Leuchten zuwege? Man be-
zeichnet ein solches Licht als
„kaltes Licht"; das bedeutet, daß
keine Energie durch Wärme verlo-
rengeht. (Eine glühende Lampen-
birne z. B. ist ein „heißes Licht".)
Ist der Leuchtkäfer so tüchtig, daß
er Energie zu 100 % in Licht um-
wandeln kann? Welche Farbe hat
das Licht? Und warum gerade diese Farbe? Und wie ist es möglich,
daß die asiatischen Leuchtkäfer
gleichzeitig leuchten?

* H. M. Smith, Science, 82, 151 (1935)

Bild 5.110 [Mit Genehm. von J. Hart
„Field Enterprises"]

5.111

Andere leuchtende Organismen

Es gibt noch viele andere Organismen, die auch ihr eigenes Licht
produzieren. Die Raupe eines bra-
silianischen Schmetterlings z. B.
hat ein rotes Licht auf dem Kopf
und an den Seiten grüne Lichter.
Zu einer anderen Art leuchtender
Organismen gehören die Dino-
flagellaten (Panzergeißelalgen), die
das „Meer anzünden", wenn sie
tagsüber gestört werden, z. B. von
einem Schiff. Bei Nacht reagieren
sie mit einem blauen Glühen. Eine
besondere Art von getrockneten
Krebsen kann man zum Leuchten
bringen, indem man sie befeuchtet.
Eine solche Lichtquelle verwendeten die japanischen Soldaten im
2. Weltkrieg, wenn ein stärkeres
Licht zu gefährlich war. Sie spuck-
ten auf ein paar getrocknete Kreb-
se und hatten genug Licht, um
eine Karte zu lesen!
Es gibt noch viele andere, nicht so
bekannte Beispiele für ein Leuchten in der Natur. In einen Fall
sollen geschnittene Kartoffeln so
stark geleuchtet haben, daß man
in dem sonst dunklen Raum lesen
konnte. Weniger gemütlich ist die
Geschichte, die berichtet, daß sogar ein Leichnam geleuchtet haben
soll. Daß auch der Urin leuchten
kann, ist besonders unangenehm
für denjenigen, der das Bedürfnis
hat, etwas im Dunkeln zu erledigen.
Kommen wir noch einmal auf die
Algen zurück. Warum leuchten sie
tagsüber rot und nachts blau? Und
woher kommt überhaupt das
Leuchten in all diesen Fällen?

5.112

Lichtempfindliche Sonnengläser

Einige Brillengläser sind im Haus klar, verdunkeln sich aber bald, wenn sie dem Sonnenlicht ausgesetzt werden. Der Vorgang läuft umgekehrt ab, wenn die Gläser aus dem Sonnenlicht kommen. Wie kommt es zu dieser besonderen Eigenschaft der umkehrbaren Durchlässigkeitsänderung des Glases?

Fluoreszenz   5.113; 5.114

5.113

Magische Poster

Wie funktionieren „magische Poster", die ohne sichtbare Beleuchtung in hellen Farben strahlen? Dieselben physikalischen Grundlagen erlauben es den Waschmittelfabrikanten, zu behaupten, ihre Produkte würden „weißer als weiß" machen. Was ist der Grund dafür?

5.114

Lichtumwandlung

Wie entsteht ultraviolettes Licht und wie wird es in einer Leuchtstofflampe in sichtbares Licht umgewandelt? Wie schnell sollte die Umwandlung vor sich gehen? So schnell möchten Sie es auch wieder nicht, daß Sie die 50 Schwingungen pro Sekunde der Netzspannung, an der die Lampe hängt, sehen können! Andererseits wollen Sie aber auch nicht, daß die Röhre zu lange nachleuchtet, nachdem Sie ausgeschaltet haben.

Sicht

Kohärenz	
Interferenz	5.115 bis 5.141

5.115

Maserung

Halten Sie ein glattes, schwarzes Stück Papier in einem Winkel von 45° direkt in die Sonne, so werden Sie eine körnige Maserung erkennen, die in vielen Farben auf dem Papier tanzt. Ähnliche Muster werden oft mit Laserlicht erzeugt, doch Sonnenlicht ist sicher leichter verfügbar. In beiden Fällen bewegt sich das Muster mit der Bewegung Ihres Kopfes. Ob es sich in derselben Richtung oder entgegengesetzt verschiebt, hängt davon ab, ob Sie weit- oder kurzsichtig sind oder

ganz normal sehen können. Was verursacht diese Muster und warum sind sie im Sonnenlicht farbig? Und wie können Sie die Bewegung des Musters und seine Abhängigkeit von Ihrer Sehfähigkeit erklären?

5.116

Die Zauberkraft Ihrer Stimme

Wollen Sie einmal das Fernsehprogramm etwas interessanter gestalten? Probieren Sie einmal das Folgende: Beginnen Sie zu summen, während Sie aus einiger Entfernung auf den Bildschirm schauen, so werden dort waagrechte Linien erscheinen. Durch entsprechende Wahl der Tonhöhe können Sie diese Linien auf dem Schirm hinauf- oder hinunterwandern oder auch stillstehen lassen. Bei einer ähnlichen Demonstration läßt man eine in schwarze und weiße Sektoren eingeteilte Scheibe auf einem Plattenspieler rotieren. Verwenden Sie ein Stroboskop, um die Scheibe zu beleuchten: Sie können dann die rotierenden Sektoren „einfrieren" oder sie in der einen oder anderen Richtung langsam weglaufen lassen, indem Sie die Blitzfrequenz variieren. Dasselbe erreichen Sie durch ein einfaches Summen in einer bestimmten Tonhöhe! Wie ist das möglich?

Lichtintensität

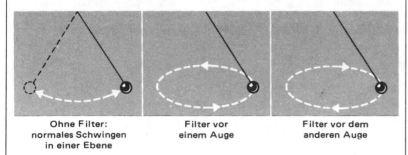

Ohne Filter:
normales Schwingen
in einer Ebene

Filter vor
einem Auge

Filter vor dem
anderen Auge

Bild 5.117 Ein normal schwingendes Pendel scheint eine Kreisbewegung auszuführen, wenn man ein polarisiertes Filter vor ein Auge hält.

5.117

Optische Täuschungen durch
Sonnenbrillen

Beobachten Sie mit einem Auge, vor das Sie ein Filter (z. B. das polarisierte Glas einer Sonnenbrille) halten, die Bewegung eines einfachen Pendels. Obwohl Sie genau wissen, daß das Pendel in einer Ebene schwingt, glauben Sie, mit dem Filter eine Ellipsenbahn zu sehen (Bild 5.117). Einem Uneingeweihten mag das ganz erstaunlich, ja geheimnisvoll vorkommen. Diese scheinbare dreidimensionale Bewegung kann noch verstärkt werden, indem Sie eine Schnur an der Drehachse des Pendels befestigen. Die Schnur wirkt nun als Festpunkt, um den sich das Pendel dreht.

Haben Sie einmal beim Autofahren nur vor einem Auge das Glas einer Sonnenbrille, so scheint ein überholendes Auto zu Ihrer Linken eine ganz andere Geschwindigkeit zu haben als ein solches zu Ihrer Rechten, auch wenn sie in Wirklichkeit gleich schnell fahren. Keiner dieser beiden Geschwindigkeitseindrücke ist richtig. Auch die Entfernungen von verschiedenen Gegenständen in der Landschaft sind falsch und unterschiedlich, je nachdem, aus welchem Seitenfenster Ihres Wagens Sie blicken.

Was verursacht die scheinbar dreidimensionale Bewegung des Pendels? Was hat das Filter mit dieser Bewegung und mit der Geschwindigkeitsveränderung eines Wagens zu tun und was mit der Entfernung von Gegenständen in der Landschaft?

5.118

Kreiselnde Bilder

Läßt man einen flachen Kreisel mit einem Muster auf der Oberfläche vor einem Bildschirm mit einem stillstehenden Bild (z. B. Testbild) kreiseln, so erscheinen psychedelische Bilder auf dem Kreisel. (Der Raum muß ansonsten dunkel sein.) Zweifellos hängen diese Bilder vom Muster des Kreisels ab, doch wozu bedarf es dann des Lichts vom Fernseher?

5.119

Sterngucker

Einen blassen Stern neben einem hellleuchtenden zu erkennen, ist nicht so einfach. Die Chance, ihn zu sehen, steigt, wenn Sie nicht direkt zu ihm hin, sondern etwas an ihm vorbeiblicken. Warum?

5.120

Blaue Bogen auf der Retina

Ein physiologisches Problem, auf das sich erst kürzlich wieder die Aufmerksamkeit gerichtet hat, sind die blauen Bogen auf der Retina. Der böhmische Physiologe J. Purkinje war der erste, der darüber berichtete. Er sah beim Anzünden eines Feuers zwei blaue Bogen, die sich etwa 30 Sekunden lang aus dem glühenden Zunder aufbauten. Unter bestimmten Voraussetzungen können auch

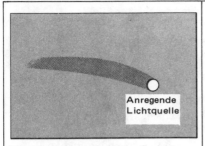

Bild 5.120 Blaue Bogen im Gesichtsfeld des linken Auges. [Nach J. D. Moreland, Vision Res. 8, 99 (1968)]

Sie die Bogen zu sehen bekommen.* Stechen Sie einige kleine Löcher in eine Postkarte und halten Sie sie über eine Lichtquelle. Warten Sie in der Dunkelheit etwa eine Minute (nicht länger!) und schalten Sie dann das Licht an. Sie können dann, abhängig von der Form der Löcher, verschieden geformte blaue Bogen bis zu einer Sekunde lang sehen (Bild 5.120).

Wie entstehen diese Bogen, dieses gestreute Licht im Inneren des Auges? Warum sind sie immer blau? Sollten sie nicht von der Farbe des gestreuten Lichtes abhängen? Vielleicht sind sie durch Biolumineszenz bedingt? Oder vielleicht entstehen sie durch eine zusätzliche elektrische Anregung von Nervenfäden oder Neuronen durch andere aktive Nervenfäden. Angenommen das letztere wäre der Fall, so könnte die Form der Bogen als eine Funktion der Form der Anregung etwas über die Gestalt der Retina aussagen. Auf jeden Fall bedarf die blaue Farbe der Bogen noch einer Erklärung.

* J.D. Moreland beschreibt in einem seiner Berichte [J.D. Moreland, ebenda] weitere Einzelheiten für eine optimale Beobachtung der blauen Bogen und wie man sie einem kleinen Auditorium vorführen kann.

5.121

Imaginäre Bilder

Gefangene, die lange Zeit in einer vollkommen dunklen Zelle verbracht haben, sehen manchmal glänzende, helle Lichterscheinungen, die „Kino der Gefangenen" genannt werden. Auch Lastwagenfahrer können solche Erscheinungen haben, wenn sie über längere Zeit auf schneebedeckte Straßen starren mußten. Ja, diese „Licht-Bilder" treten auf, sooft ein Mangel an äußeren Reizen für das Auge herrscht. Sie können absichtlich hervorgerufen werden, indem man die Fingerkuppen gegen die geschlossenen Augenlider drückt;

Ansprechverzögerung beim Sehen

Lichtintensität

5.122

Aufleuchten von Straßenlampen

Sicher haben Sie schon einmal beobachtet, wie Straßenlampen bei Dämmerung eingeschaltet wurden: sie leuchten eine nach der anderen auf, so wie sie hintereinander an einer Straße stehen. Braucht der elektrische Strom wirklich so lange, um von einer Lampe bis zur nächsten zu gelangen? Bei Kreuzungen mit mehreren Straßenlampen beginnen die direkt an der Kreuzung stehenden Lampen eher zu brennen als die dazwischen (Bild 5.122). Dies ist sicher nicht auf die „Bummelei" des elektrischen Stroms zurückzuführen! Woher kommen die Zeitabstände beim Aufleuchten der Straßenlampen?

Bild 5.122

auch einige Halluzinationen erzeugende Drogen sollen intensive Lichterscheinungen, die man auch „Phosphene" nennt, bewirken. Nicht zuletzt können sie durch elektrischen Schock entstehen. So galt es z. B. im 18. Jahrhundert als der letzte Schrei, eine Phosphen-Party zu geben (sogar Benjamin Franklin hat an einer teilgenommen). Die Menschen saßen dann im Kreis, hielten sich an den Händen und ließen sich von einem elektrostatischen Hochspannungsgenerator Schocks versetzen. Jedesmal, wenn der Stromkreis geschlossen und geöffnet wurde, hatten sie diese Lichterscheinungen.

„1819 veröffentlichte der böhmische Physiologe Johannes Purkinje eine sehr ausführliche Reihe von Phosphen-Bildern. Er befestigte eine Elektrode an seiner Stirn und nahm die andere in den Mund. Dabei schloß und unterbrach er den Stromkreis sehr schnell mit einer Reihe von Metallkugeln und konnte auf diese Weise wiederholt gleichartige Phosphen-Bilder erzeugen."*

Untersuchungen auf diesem Gebiet verfolgen heute einen ganz realen Zweck. Man hofft, eines Tages einem Blinden mit Hilfe der Phosphen-Bilder „künstliches Sehen" beibringen zu können. Eine winzige Fernsehkamera in einem künstlichen Auge soll ihre elektrischen Signale zu einem kleinen Computer in einer Brille senden. Dieser wiederum reizt in Abhängigkeit vom Bild das Gehirn über ein Netzwerk von Elektroden, die am Hinterkopf befestigt sind. Sobald z. B. die Kamera einen Gegenstand im linken Gesichtsfeld entdeckt, reizt der Computer die Elektrode, die ein Phosphen-

Bild in der linken Hälfte des Gesichtsfeldes des Menschen hervorruft. So könnte er die Welt um sich herum sehen.

Warum werden solche visuellen Erscheinungen unter elektrischen Reizen und Druckreizen oder bei einem Mangel an äußeren Reizen hervorgerufen?

* G. Oster, Phosphenes, Scientific American (1970)

5.123

Flecke vor den Augen

Starren Sie eine Weile in einen klaren Himmel, so werden Sie im ganzen Bereich Ihres Gesichtsfeldes bewegte Flecke vorfinden. Diese Flecke sind immer da, nur sieht man sie normalerweise nicht. Warum? In ihrer hüpfenden Bewegung scheint kein System zu sein. Doch fühlen Sie einmal Ihren Puls, während Sie die Flecke beobachten: Die Bewegung erfolgt im Takt mit Ihren Pulsschlägen, und die Flecke folgen immer demselben Weg in Ihrem Gesichtskreis. Was sind das für Flecke und warum nehmen sie immer denselben Weg?

5.124

Purkinjesche Schattenbilder

Schließen Sie Ihre Augen, wenden Sie sich einem hellen Licht zu, legen Sie eine Hand über ein Auge, und streichen Sie mit der anderen vor Ihrem Gesicht hin und her, so daß die Schatten der Finger immer wieder an dem geschlossenen, doch im Licht liegenden Augenlid vorbeikommen. Sie können dann in der Mitte Ihres Gesichtsfeldes eine

schachbrettartige Anordnung von dunklen und hellen Quadraten sehen. Unterhalb dieses Musters erscheinen Sechsecke oder andere meist unregelmäßige Figuren. Ist die Sonne Ihre Lichtquelle, sehen Sie außerdem noch achtstrahlige Sterne und verschiedene spiralige Linien. Wodurch werden diese verschiedenen Muster verursacht?

5.125

Morgenstund'

Stellen Sie sich vor, Sie wären plötzlich aus dem Schlaf gerissen worden und starren mit schlaftrunkenen Augen in ein sonniges Zimmer. Für eine kurze Zeit tauchen nun in Ihrem Gesichtsfeld dunkle Bilder auf. Woher kommen sie? Wenn diese Bilder die Schatten des Augeninneren darstellen, warum sieht man sie dann nicht die ganze Zeit und warum verschwinden sie so schnell wieder?

Farbwahrnehmung

5.126

Purkinjescher Farbeffekt

Bei schwachem Licht kann ein bestimmtes Blau heller erscheinen als ein bestimmtes Rot; bei einer guten Beleuchtung kann es gerade umgekehrt sein. Warum sollte die relative Helligkeit von Rot und Blau von der Beleuchtungsstärke abhängen?

5.127

Machsche Streifen

Wie scharf sind die Kanten Ihres Schattens, wenn Sie in einem starken Licht stehen, z. B. im Sonnenlicht? Betrachten Sie die Schatten genau! Sie können zwei Schatten sehen, einen kleineren dunklen innerhalb des etwas größeren helleren. Die Innenkante des helleren Schattens hat einen dunklen Streifen, die Außenkante einen hellen Streifen. Dies ist keine Besonderheit Ihres Körpers, jeder Schatten weist solche Kantenmuster auf, und je mehr Lichtquellen es gibt, desto komplizierter werden die Muster. Bild 5.127 zeigt, wie ein Kantenmuster mit einer Postkarte vor einer Leuchtstoffröhre deutlich gemacht werden kann. Woher kommen diese dunklen und hellen Bänder und der Halbschatten? Können sie fotografiert werden? *

* Bei den ersten Versuchen, die Wellenlänge von Röntgenstrahlen zu messen, verwendeten einige Physiker die Muster, von denen sie annahmen, sie stammten von der Beugung der Röntgenstrahlen. Die Muster waren beim Durchgang von Röntgenstrahlen durch einen normalen Beugungsspalt entstanden. Sie fanden auch helle und dunkle Muster auf der Fotoplatte und berechneten daraus die Wellenlänge. Bei späteren Untersuchungen fand man heraus, daß diese Muster auch von sichtbarem Licht erzeugt werden und nicht zum Nachweis der Beugung von Röntgenstrahlen dienen können.

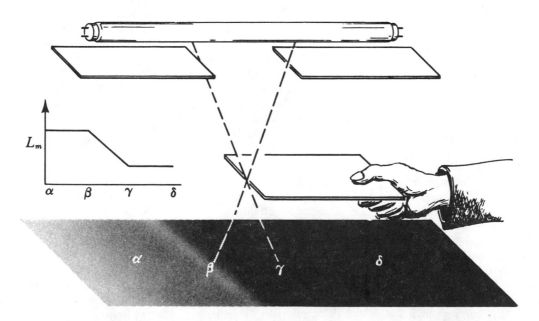

Bild 5.127 Bei dieser Anordnung werden Machsche Streifen im Schatten einer Postkarte sichtbar. Die Lampe befindet sich etwa 30 cm über einem weißen Papierbogen. Halten Sie die Karte etwa 5 cm darüber. Bewegen Sie sie dann ein wenig in waagrechter Richtung, so können Sie die Streifen besser erkennen. Die Zeichnung zeigt die Helligkeit (L_m) verschiedener Punkte auf dem Papier. [Nach F. Ratliff, Quantitative Studies on Neural Networks in the Retina, Holden-Day, 1965]

5.128

Farbeindrücke

Wenn ein Gegenstand blau aussieht, muß von ihm blaues Licht ausgehen. Ist das richtig? Jede Farbe, die Sie sehen können, entspricht dem Licht einer bestimmten Frequenz oder einer Kombination verschiedener Frequenzen. Das erschien einleuchtend, bis Edwin Land mit einigen einfachen Versuchen diese Erklärung über den Haufen warf. Was entsteht, wenn Sie zwei Schwarzweiß-Dias einer farbigen Szene mit je einem roten und einem grünen Filter geknipst haben? Natürlich zwei Schwarzweiß-Bilder! Wie kann man mit einem Schwarzweiß-Film etwas anderes bekommen? Werfen Sie nun dieselben Dias mit zwei Projektionsapparaten gleichzeitig auf einen Schirm (Bild 5.128). Verwenden Sie ein rotes Filter für das Dia, das Sie mit einem Rotfilter ge-

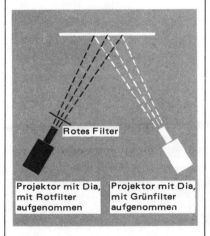

Bild 5.128 Projektionsaufbau für den Landschen Farbeffekt.

macht haben; das normale weiße Licht des Projektors genügt für das „grüne" Dia. Was sehen Sie nun auf dem Schirm? Obwohl jedes Dia nur schwarzweiß ist und das einzige hier verwendete farbige Licht rot, sieht man bei der überlagerten Projektion die ganze Farbskala der ursprünglichen Szene!
An den verwendeten Filtern ist nichts Besonderes. Sie brauchen nur zwei verschiedene Farben, oder sogar nur eine, und weißes Licht. Beide Dias können einfarbig aufgenommen werden, solange die Farben nur etwas verschieden sind.
Wie können die Farben des Originals wieder erscheinen, da sie doch offensichtlich auf den beiden Dias nicht festgehalten worden sind? So frage ich noch einmal: Wenn ein Gegenstand blau ist, muß dann automatisch auch blaues Licht von ihm ausgehen?

5.129

Fingerfarben

Blicken Sie aus einem Zimmer auf ein sonnenbeschienenes Fenster, schließen Sie ein Auge und bewegen Sie einen Finger vor dem offenen Auge hin und her. Sobald das Bild des Fensters verschwommen und verzerrt erscheint, nimmt die dem Finger zunächst liegende Seite eine gelbrote Farbe an (Bild 5.129); bewegt sich der Finger zur anderen Seite, wird diese sich blau verfärben. (Bei demselben Versuch mit einer Glühbirne entsteht ein schwächeres Blau.) Warum erschei-

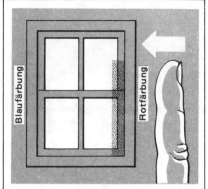

Bild 5.129 [Nach S.F. Jacobs u. A.B. Stewart, Am. J. Phys. 20, 247 (1952)].

nen die Farben und warum sind die beiden Seiten des Fensters verschiedenfarbig?

5.130

Farben auf einer schwarzweiß gemusterten Scheibe

Ist es möglich, Farben auf einer schwarzweißen Oberfläche zu sehen? Normalerweise nicht, doch versuchen Sie einmal das Folgende: Lassen Sie eine schwarzweiß gemusterte Scheibe langsam rotieren und konzentrieren Sie sich ganz darauf, ohne jedoch die einzelnen Schwarzweiß-Sektoren zu beachten. Nach einigen Minuten sehen Sie, daß sich die vorderen Kanten der weißen Abschnitte rot färben, die hinteren blau. (Verschiedene Schatten treten bei verschiedenen Beleuchtungsstärken auf.) Wird die Geschwindigkeit der Scheibe etwas erhöht, werden die weißen Sektoren rosarot, die schwarzen teilweise grünblau. Bei noch größerer Geschwindigkeit kann man einzelne Farben nicht mehr erkennen, doch scheinen

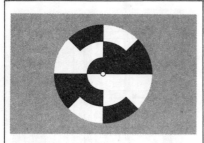

Bild 5.130 Diese Scheibe zeigt Farben bei der Rotation.

kleine rosaviolette und graugrüne Funken auf und ab zu hüpfen. Die Scheibe von Bild 5.130 zeigt alle diese Effekte gleichzeitig. Warum kann man diese Farben sehen? Warum muß man einige Minuten warten, bevor die Farben erscheinen?

Stroboskop

Fluoreszenz

Phosphoreszenz

5.132

Schwimmende Bilder auf dem Fernsehschirm

Versuchen Sie einmal das Folgende: Während Sie in einem dunklen Raum auf den Fernsehschirm schauen, bewegen Sie Ihre Augen schnell von links nach rechts, so daß Ihr Blickfeld bis zu 30 cm rechts und links des Schirmes reicht. Nun taucht auf der rechten Seite Ihres Apparates ein recht genaues, helles und geisterhaftes Abbild des Fernsehbildes auf, das im Raum zu schweben scheint (Bild 5.132). Vielleicht können Sie sogar drei oder vier Abbilder sehen, lauter nach rechts geneigte Parallelogramme. Wie entstehen solche Geisterbilder und warum sind sie so verzerrt? Entsteht dieselbe Art von Verzerrung, wenn Sie die Augen in der umgekehrten Richtung bewegen? Und treten diese Abbilder auch bei einer schnellen senkrechten Kopfbewegung auf?

Bild 5.132 Geisterbilder neben einem Fernsehbild.

5.131

Farbeffekt von Leuchtstofflampen

Dreht man die oben beschriebene Scheibe noch schneller (etwa 5 bis 15 Umdrehungen pro Sekunde), verschwindet der Farbeffekt wieder. Wird sie jedoch von einer Leuchtstofflampe beleuchtet, erscheint ein neuer Farbeffekt: zwei konzentrische Ringe aus abwechselnd roten, blauen und gelben Streifen. Wenn Sie eine sich drehende Münze unter einer Leuchtstofflampe beobachten, bekommt die Münze einen farbigen Rand, gelb oder orange, je nach der Farbe des Hintergrundes. Warum verursacht Fluoreszenzlicht diese Farbeffekte? Kann man sie fotografieren?

5.133

3-D-Filme, -Postkarten und -Poster

Es gibt zwei Methoden für die Herstellung von handelsüblichen dreidimensionalen Filmen und Bilderbüchern. Bei der einen werden die Bilder in den zwei Farben Rot und Grün gedruckt. Man betrachtet sie dann durch eine billige Brille, mit einem roten Zellophan vor dem einen und einem grünen vor dem anderen Auge.
Bei der zweiten Methode werden Polarisatoren in den Gläsern und vor den Linsen zweier Projektoren eingebaut, die ihre Bilder gleichzeitig auf einen Schirm projizieren. Wie können diese Methoden die Illusion eines räumlichen Eindrucks hervorrufen?
Sie wissen sicherlich, daß 3-D-Filme nicht sehr populär geworden sind, und so ist anzunehmen, daß etwas mit ihnen nicht in Ordnung ist. Ist es noch etwas anderes als das lästige Tragen einer Brille?
Wie wird der 3-D-Effekt auf Postkarten und Postern erzielt? Druckt man rote Buchstaben vor einem blauen Hintergrund, so wird ein Eindruck von Tiefe erzeugt: Die Buchstaben scheinen näher beim Betrachter zu sein als der Hintergrund. Warum? Hängen diese falschen Vorstellungen über die räumliche Anordnung bei verschiedenen Farben von der Beleuchtungsstärke ab? Mit welchen anderen Methoden kann man die Illusion räumlichen Sehens hervorrufen?

5.134

Vergrößerung des Mondes

Eine ganz frappierende Illusion ist die scheinbare Vergrößerung des untergehenden Mondes (Bild 5.134). Wird diese Illusion durch atmosphärische Bedingungen hervorgerufen oder hat sie einen psychologischen Ursprung? Können Sie die scheinbare Vergrößerung abschätzen?

Warum wird die Sonne beim Untergehen so dick?

Weil sie das ganze Tageslicht schluckt.

Bild 5.134 [Mit Genehm. J. Hart „Field Enterprises"]

Bild 5.135

5.135

Buddhas Strahlen

Gelegentlich können Sie einen besonders schönen Sonnenuntergang erleben, bei dem glänzende Lichtstrahlen von der Sonne ausgehen und sich fächerartig über den westlichen Himmel ausbreiten (Bild 5.135). Dieses wundervolle Schauspiel entsteht dadurch, daß Berge oder Wolken einem Teil des Sonnenlichts den Weg versperren. Welche Farben haben diese Strahlen? Und welche Farbe hat der Himmel hinter diesen Strahlen? Nicht so oft kann man Lichtstrahlen sehen, die im Osten, an einem der Sonne gegenüberliegenden Punkt, zusammenlaufen. Sehr selten sind die Strahlen, die im Westen von der Sonne ausgehen, sich über das ganze Himmelsgewölbe erstrecken und im Osten wieder zusammentreffen. Wie kann eine Wolke oder ein Berg einen Teil des Sonnenlichts wegnehmen und so diesen zauberhaften Fächer hervorrufen? Ist nicht die Sonne so weit von uns entfernt, daß die Sonnenstrahlen alle parallel verlaufen?

5.136

Verbindungslinie Sonne – Mond

Manchmal sieht man auch bei Tage eine Mondsichel. Ziehen Sie im Geiste eine Linie durch ihre Symmetrieachse (Bild 5.136). Zeigt sie zur Sonne? Und wenn ja, warum?

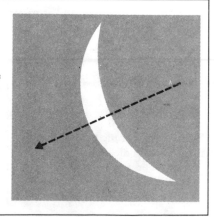

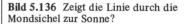

Bild 5.136 Zeigt die Linie durch die Mondsichel zur Sonne?

5.137

Gebogener Lichtstrahl

Scheinwerferstrahlen erscheinen von der Seite betrachtet gebogen. Wird der Strahl wirklich von der Atmosphäre gestreut oder nach unten zurückgebrochen?

5.138

Optische Täuschung an einer Ampel

Bei nächtlichen Autofahrten kann man sehr leicht optischen Täuschungen erliegen; so z. B. wenn Sie ein Stück hinter einem anderen Wagen fahren, der plötzlich an einer roten Ampel halten muß. Jetzt scheinen seine roten Rücklichter irgendwo hinter der Kreuzung zu liegen! Sind Sie selbst an der Ampel angekommen, können Sie sich davon überzeugen, daß sich Wagen und Rücklichter ordnungsgemäß vor der Ampel befinden. Wie kommt es zu dieser Täuschung?

| Lichtstrom |
| Wahrnehmung |

5.139

Schneeblindheit

Was verursacht die Schneeblindheit? Waren die Augen lange Zeit dem weißen Licht von Schnee- oder Eisfeldern ausgesetzt, so hat man das Gefühl, als wären sie voller Sand. Ein tagelanger intensiver Schmerz kann folgen. Tritt Schneeblindheit eher an sonnigen oder an wolkigen Tagen auf? Vilhjalmur Stefansson erinnert sich in seinem Tagebuch und in den Geschichten aus fünf Jahren Polarexpeditionen: „... so könnte man folgern, daß Schneeblindheit zumeist an Tagen mit klarem Himmel und heller Sonne auftritt. Das ist nicht der Fall. Die gefährlichsten Tage sind diejenigen, an denen Wolken dick genug sind, die Sonne zu verbergen, doch auch wieder nicht so dick, daß man von einem verhangenen oder trüben Tag reden könnte ... alles sieht gleich aus ...
Man kann mit schneebedeckten Eisbrocken, halb so hoch wie man selbst, zusammenstoßen und, was noch häufiger ist, über 30 cm hohe Schneewehen stolpern ...“*
Unter solchen Umständen kann man nicht einmal mehr den Horizont erkennen. Was haben die Wolken mit der Schneeblindheit zu tun?

*   Aus „The Friendly Arctic" von Vilhjalmur Stefansson. Macmillan Comp. 1921

5.140

Die Welt von oben

Wie groß muß ein Gegenstand mindestens sein, um von den die Erde umkreisenden Astronauten noch gesehen zu werden? Können sie z. B. große Städte bei Tag und Nacht unterscheiden oder sehr große Bauwerke, wie die Pyramiden? Die ersten Bilder vom Mars waren für viele Menschen, besonders für Laien, sehr enttäuschend, da sie keine Anzeichen von intelligenten Lebewesen zeigten. Was könnte man als „Zeichen von Intelligenz" bei uns auf der Erde interpretieren bei Fotos, die eine Auflösung von etwa 1 km haben, wie sie beispielsweise für Bilder von Wettersatelliten typisch ist? Wenn diese Auflösung nicht genügt, wie groß müßte sie dann sein, um intelligentes Leben aufzuzeigen?

| Reflexion |
| Strahlenoptik |
| Auflösung |

5.141

Reflexion bei einer Christbaumkugel

In einer glänzenden Christbaumkugel spiegelt sich fast das ganze Zimmer. Wie wird sie eine punktförmige Lichtquelle in einem sonst dunklen Raum reflektieren? Halten Sie eine Kugel etwa 10 cm vor ein Auge und suchen Sie die Reflexion dieser Lichtquelle. (Stechen Sie mit einer Nadel in ein Stück Aluminiumfolie und decken eine Lampe damit ab, so erhalten Sie eine gute punktförmige Lichtquelle.) Das reflektierte Licht ist eine ausgestreckte Lichtlinie, kein Punkt. Sobald die Zimmerbeleuchtung eingeschaltet wird, schrumpft die Lichtlinie sofort wieder zu einem unverzerrten Bild der punktförmigen Lichtquelle zusammen. Woher kommt die Verzerrung des Lichtpunktes in dem dunklen Raum? Und warum hängt sie von der Raumbeleuchtung ab?

5.142

Moiré

Werden zwei gleichartige Muster mit etwas verschiedener Periodizität aufeinandergelegt, entsteht ein größeres Muster, ein Moiré. Schauen Sie einmal durch einen Nylonstrumpf, so werden Sie es gleich sehen. Oder halten Sie einen Kamm vor einen Spiegel auf Armeslänge von sich. Der Kamm und sein Spiegelbild bilden zusammen ein größeres Muster von Kammzähnen. Oder ein anderes Beispiel: Stellen Sie ein Blatt Aluminiumfolie, das Sie mit runden Löchern versehen haben, einige Zentimeter hinter einem ebensolchen Blatt auf. Wenn Sie nun aus einiger Entfernung auf diese beiden Schirme schauen, werden Sie ein zusammengesetztes Moiré-Kreismuster entdecken. Wie ändert es sich mit Ihrem Abstand von den Schirmen? Auf welche Weise und wie schnell bewegt sich das Moiré, wenn Sie sich parallel zu den Schirmen bewegen? Und ist die Bewegung des Musters abhängig von Ihrem Abstand von den Schirmen?

6
Der verrückte Roboter
und der Zauberring

Bioelektrizität

6.1

„Die Elektrizität ist eine geheimnisvolle Kraft unserer Mutter Erde, die dem Menschen nach dem Leben trachtet . . .‟

Was geht in Ihrem Körper vor, wenn Sie eine stromführende Leitung berühren? Was ist es, was Sie verletzen oder töten kann? Der Strom oder die Spannung oder beides? Erleiden Sie Verbrennungen? Wird Ihr Herzrhythmus gestört? Wie hängt die Gefahr mit der Frequenz des Stromes zusammen? Wie kommt es, daß die in Europa üblichen 50 Hz weniger gefährlich sind als die 60 Hz in Amerika? Ist Gleichstrom gefährlicher als Wechselstrom oder hängt es von den Umständen ab?
Vielleicht sind Sie nicht gleich auf der Stelle tot; doch je länger Sie mit dem stromführenden Draht Verbindung haben, desto niedriger wird Ihr Körperwiderstand und desto eher kann der Strom einen Wert annehmen, der Sie töten kann. Warum ändert sich der Körperwiderstand mit der Zeit?

6.2

Froschschenkel

Der italienische Arzt und Naturforscher Luigi Galvani beschäftigte sich um das Jahr 1790 mit der Natur der Nerven und Muskeln. Er verwendete dabei eine sehr einfache Apparatur. Ein Froschschenkel wurde auf einen Stab aus Bronze gehängt, der an einer eisernen Tragvorrichtung befestigt war (Bild 6.2). Der Froschschenkel konnte auch das Eisen berühren, doch zog er sich dann jedesmal zusammen und verfiel in wilde Zuckungen. Sobald er sich wieder beruhigt hatte, streckte sich der Schenkel, berührte das Eisen und die Zuckungen begannen von neuem. Wodurch wurde diese Reaktion hervorgerufen?

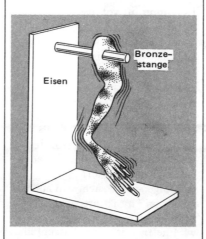

Bild 6.2 Sobald der Froschschenkel das Eisen berührt, verfällt er in Zuckungen.

6.3

An einer stromführenden Leitung hängenbleiben

Sollten Sie einmal einen stromführenden blanken Draht berühren, so daß ein Strom von etwa 25 mA durch Ihre Hand fließt, kann es sein, daß Sie den Draht nicht mehr loslassen können. Warum nicht? (Sie sollten es besser nicht ausprobieren, es könnte tödlich sein, siehe auch 6.1.)

6.4

Elektrischer Aal

Wie kann man von einem Aal einen elektrischen Schlag bekommen? Ein kräftiger Aal erzeugt eine Spannung von 600 V, wobei ein Strom von 1 A fließen kann. Was könnte wohl die Quelle dieser enormen Leistung sein? Entlädt sich der Aal immerzu in das Meerwasser? Warum bekommt er nicht selbst einen Schlag?
Die Fähigkeit der Orientierung bei Meerestieren konnte man sich lange Zeit nicht erklären. Seit den Untersuchungen aus letzter Zeit vermutet man, daß einige Tiere schwache elektrische Felder entdecken können. Diese Felder könnten durch Meeresströmungen durch das Magnetfeld der Erde entstehen. Zunächst müßte geklärt werden, wie elektrische Felder durch das bewegte Wasser entstehen können. Danach könnten Sie dann versuchen zu klären, wie ein Tier so ein schwaches Feld finden kann.

Bild 6.5 „Als ich noch ein kleines Mädchen war, gab es noch keine Mikrowellenherde, und manchmal brauchte man eine ganze Stunde, um eine Mahlzeit zu bereiten."

Absorption

Elektrisches Feld

6.5

Kochen mit Mikrowellen

Bei einem normalen Herd wird ein Stück Fleisch von außen nach innen gegart, bei einem Mikrowellenherd ist es umgekehrt. So kann es vorkommen, daß ein Roastbeef aus einem solchen Herd innen gar ist und außen noch rosa! Sollten Sie einmal sehr nahe vor einer starken Radarantenne stehen oder Ihre Hand in einen Mikrowellenherd halten, sehen Sie auch so aus: Innen gar und außen rosa. Warum kochen Mikrowellen auf diese Weise? Ja, wie kochen sie überhaupt?

Elektrischer Strom

Thermolumineszenz

6.6

Wie schnell ist der elektrische Strom?

Wie lange, glauben Sie, dauert es nach dem Einschalten des Lichts, bis es brennt? Müssen Sie warten, bis die Elektronen in den Drähten die Glühbirne erreicht haben? Und wenn der Strom einmal fließt, wie lange dauert es dann, bis die Glühbirne sichtbares Licht abgibt?

Elektrostatik

Ladungstrennung

Elektrisches Feld   6.7 bis 6.18

Entladung

6.7

Aufgeladener Hosenboden

Es kommt oft vor, daß man einen elektrischen Schlag bekommt, wenn man über einen Teppich gelaufen oder über einen Autositz gerutscht ist. Es baut sich da irgendwie eine Ladung auf, das ist sicher, aber wie? So ist es z. B. nötig, daß Sie über den Teppich g e h e n. Warum entsteht keine Ladung, wenn Sie ganz still stehen? Und warum kommt es auch auf die Jahreszeit an?
Der folgende Versuch wird auch immer im Physikunterricht der Schulen gezeigt: Ein Glasstab wird heftig mit einem Katzenfell gerieben und damit Ladung erzeugt. Warum reibt man ihn? Und

wird sich die Ladung weniger schnell aufbauen, wenn man weniger heftig reibt? Hat die Reibung wirklich etwas damit zu tun? Und warum hängt die Polarität des Stabes davon ab, woran er gerieben wird? Wie kommt es, daß die Ladung verringert wird, wenn der Stab über die Flamme eines Streichholzes gehalten wird?

6.8

Kelvinscher Wassertropfer

Ein anderer physikalischer Versuch ist der Kelvinsche Wassertropfer (Bild 6.8). Hier tropft Wasser durch zwei Blechbehälter in zwei andere, die wie gezeigt leitend miteinander verbunden sind. Nach kurzer Zeit wird das eine Paar der Blechbehälter positiv, das andere Paar negativ. Warum? Der Aufbau scheint doch völlig symmetrisch! Wie können sich da zwei entgegengesetzte Ladungen aufbauen? Wie wird der Vorgang eingeleitet?

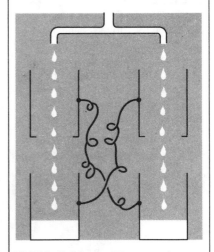

Bild 6.8 Kelvinscher Wassertropfer

6.9

Elektrisches Feld und Wasserstrahlen

Bei einem Wasserstrahl, der zunächst normal fließt, kann es vorkommen, daß er plötzlich nur noch tropft. Sie können das sehr leicht verhindern, indem Sie einen aufgeladenen Gegenstand nahe an den Strahl halten. Ist der Gegenstand ziemlich kräftig aufgeladen, wird der Strahl sogar zu ihm hingezogen. Können Sie sich das erklären? Doch zunächst muß man wissen, wie es dazu kommt, daß der Strahl überhaupt erst zu tröpfeln beginnt.

6.10

Durch Schnee aufgeladene Drahtzäune

Ein elektrischer Schlag wird oft durch treibenden Sand oder Schnee ausgelöst. So kommt es z. B. vor, daß bei einem Schneetreiben im Bergland von Colorado „. . . Drahtzäune in der Ebene vor den Bergen sich oft aufladen. Sie versetzen den Menschen und dem Vieh elektrische Schläge, und Funken schlagen über zu geerdeten Gegenständen in der Nähe. Die Bewohner berichten gelegentlich von Funken, die bis zu einem Meter weit springen."* (Schon von einem Funken von 2–3 cm Länge können Sie umgeworfen werden und mehrere Stunden lang krank sein.) Warum lädt der treibende Schnee die Zäune auf?

* R.L. Ives, J. Franklin Inst. 226, 691 (1938)

6.11

Leuchten von Klebefilm

Ziehen Sie einmal ein Stück Klebefilm in einem völlig dunklen Raum von der Rolle. Sie werden an der Stelle, von der das Band abgezogen wurde, ein kurzes, schwaches Leuchten sehen. Wie kommt es dazu? Hat das Leuchten eine bestimmte Farbe? Wenn ja, warum?

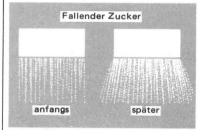

Bild 6.12

6.12

Puderzucker

Eines Tages wollte ich Puderzucker über einen Kuchen sieben, da geschah etwas Seltsames. Der Zucker war zunächst senkrecht durch das Sieb heruntergefallen, doch dann wurde er mehr und mehr zur Seite abgelenkt (Bild 6.12). Wie kam es dazu?

6.13

Ketten an Tankfahrzeugen

Früher zogen Tankfahrzeuge eine Kette hinter sich her. Warum? Wäre es für Sie auch gut, eine Kette hinter Ihrem Wagen herzuziehen?

6.14

Aufladung beim Duschen

Das Wasser einer Dusche erzeugt eine negative Ladung in der Luft und elektrische Feldstärken bis zu 800 V/m. Ähnliche elektrische Felder treten in der Nähe von Wasserfällen auf. Auch wenn riesige Erdöl-Tankschiffe mit Wasserstrahlen von sehr hoher Geschwindigkeit gereinigt werden, entstehen elektrische Feldstärken bis zu 300 kV/m. Wie entstehen diese Felder? In bezug auf die Supertanker ist diese Frage gewiß nicht theoretisch. Viele große Explosionen traten schon bei der Reinigung dieser Schiffe auf.

6.15

Ein positives Gefühl durch eine negative Ladung

Man hat festgestellt, daß den Menschen beim Betreten eines Raumes mit negativer Ladung, so wie das oben beschriebene Badezimmer, ein Gefühl des Wohlbehagens überkommt. Sie fühlen sich wohl bei einer negativen Ladung; Sie fühlen sich elend bei einer positiven Ladung. So könnte das Wohlbefinden nach einem Duschbad ebenso von der negativen Ladung des Badezimmers kommen wie von dem Gefühl, sauber zu sein! Können Sie sich vorstellen, wie positive und negative Ladungen Ihr Gemüt beeinflussen können (siehe auch 3.18)?

6.16

Kein Sturz in die Tiefe

Warum fallen Sie nicht durch den Boden hindurch? Was ist es, das Sie trägt?

6.17

Sandburgen

Ein richtiger Sandburgenbauer weiß, daß man eine Sandburg nur mit nassem Sand, nicht mit trockenem bauen kann. Dieselbe Eigenschaft wie Sand zeigt das normale Tafelsalz. Andere pulvrige Substanzen, z.B. Kakao und Kalk, sind auch im trockenen Zustand kohäsiv. Welche Kräfte bewirken die Haftfähigkeit des Pulvers? Warum spielt es bei Sand und bei Salz eine Rolle, ob sie trocken oder naß sind? Glauben Sie, daß ein feines Pulver mehr oder weniger kohäsiv ist als ein grobes? Um einen ertragreichen Ackerboden zu erhalten, ist eine krümelige Beschaffenheit der Oberfläche nötig; wird der Acker jedoch nicht bebaut, wird der Boden staubig und unfruchtbar. Wie kommt es zu der Krümelbildung im Boden? Und warum tritt sie nicht bei Sand oder bei Körperpuder auf?

6.18

Frischhaltefolie

Frischhaltefolie kann schön straff über einen Behälter gezogen werden und schmiegt sich dann jeder Gefäßform an. Dadurch hält sie die Lebensmittel frisch und appetitlich. Man sagt, die Folie „haftet". Wie geht das vor sich?

Magnetismus

6.19 bis 6.24

6.19

Geld zieht an

Halten Sie einen Dollarschein an einer Ecke in die Höhe und bringen Sie einen kräftigen Magneten (mit einem inhomogenen Feld) in seine Nähe, so wird der Schein zu einem Ende des Magneten gezogen. Warum?

6.20

Magnetfeld und Wasserwaage

Ein kräftiger Magnet kann die Luftblase einer Wasserwaage in Bewegung setzen. Wie macht das das Magnetfeld? Bewegt sich die Blase zum Magneten hin oder von ihm weg?

Induktion

6.21

Schweben durch Magnetismus

Durchfließt ein gleichmäßiger Wechselstrom eine Spule, so kann ein Metallring zum Schweben gebracht werden (Bild 6.21). Wird der Strom sehr schnell eingeschaltet, springt der Ring mit einem Ruck nach oben. Wie kommt es zu diesem unterschiedlichen Verhalten? Was hält den Ring gegen die Schwerkraft und wodurch wird die Höhe bestimmt, in der er sich dann hält? Wie stabil ist seine Lage, d. h. hält er sich in der Nähe eines Spulenendes und hält er sich gerade? Wenn Sie eine Voraussage über das Verhalten verschiedener Ringe machen, können Sie sich leicht täuschen. Probieren Sie es einmal! Wird ein dünner Ring bei gleichem Material und Durchmesser in derselben Höhe schweben wie ein dicker Ring? Was geschieht mit den beiden Ringen, wenn der Strom langsam erhöht wird? Wie verhalten sich Ringe mit verschiedenem Durchmesser?

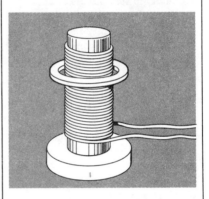

Bild 6.21 Ein Metallring schwebt um eine Spule.

6.22

Rotieren im Schatten eines Magneten

Wie kann eine Scheibe durch ein Magnetfeld zum Drehen gebracht werden? Eine freibewegliche Kupferscheibe wird über den einen Pol einer mit Wechselstrom betriebenen Magnetspule gebracht (Bild 6.22). Nun wird die Scheibe zwar abgestoßen, zeigt aber keine Absicht, sich zu drehen. Bringen Sie nun ein Stück Kupferblech zwischen Scheibe und Magneten, so daß die Scheibe zum Teil von dem Magnetfeld ab-

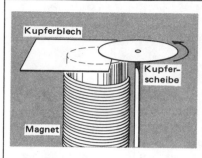

Bild 6.22 Die Scheibe beginnt zu rotieren, wenn sie teilweise vom Magneten abgeschirmt wird.

geschirmt ist: Die Scheibe wird sofort zu rotieren beginnen. Können Sie erklären, warum das so ist?

6.23

Tachometer

Kann ein Hufeisenmagnet Aluminium anziehen? Nein, normalerweise nicht. (Warum eigentlich nicht?) Bei einer bestimmten Versuchsanordnung ist es jedoch möglich, das Aluminium zu bewegen. Hängen Sie einen Hufeisenmagneten über einer Aluminiumscheibe auf (Bild 6.23), so daß sich beide frei

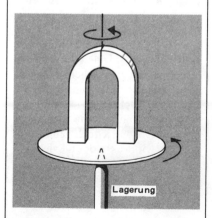

Bild 6.23 Eine Aluminiumscheibe dreht sich unter einem rotierenden Magneten.

um ihre Mittelachse drehen können. Wird der Magnet in Drehung versetzt, so dreht sich auch die Scheibe. Werden beide in derselben Richtung rotieren? Warum wird Aluminium nur auf diese Weise bewegt? Diese Anordnung ist die Grundlage für den Tachometer Ihres Wagens. Nur dreht sich hier ein Magnet in einer Aluminiumhülse, an der ein Zeiger befestigt ist. Die Hülse wird dabei noch von einer Feder gebremst.

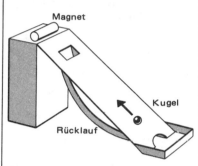

Bild 6.24 Eine Kugel in immerwährender Bewegung.

6.24

Magnetisches Perpetuum mobile

Manch ein verblüffendes „Perpetuum mobile" ist im Lauf der Geschichte erfunden worden. Das einfachste stammt wohl von dem Bischof von Chester (um 1670), siehe Bild 6.24. Der Magnet an der Spitze zieht eine Eisenkugel die Rampe empor bis zu einem Loch, durch das sie dann wieder nach unten fällt und das Spiel von neuem beginnen kann. Das ist das einfachste Ding auf der Welt, sollte es nicht funktionieren?

Radio und Physik der Ionosphäre

Elektromagnetische Wellen 6.25 bis 6.31

6.25

Radio- und Fernsehempfangsbereich

Verschiedenes hat mich beim Radioempfang immer sehr in Erstaunen versetzt. Warum ist z. B. die Reichweite von Mittelwellensendern nachts sehr viel größer als tagsüber? Manchmal bekommt man mit einem billigen Transistorradio einen Sender, der einige hundert Kilometer entfernt ist! (Aus diesem Grund verlangt die amerikanische Fernmeldebehörde FCC, daß die meisten Mittelwellensender bei Nacht ihre Sendeleistung reduzieren oder ganz abschalten). Als G. Marconi die ersten drahtlosen Signale über den Atlantik schickte, waren viele Menschen fasziniert. Warum verliefen sich diese Signale nicht direkt im Raum, sondern folgten der gekrümmten Oberfläche der Erde?
Die Reichweite der UKW- und Fernsehsender ist wesentlich geringer. Unter besonderen Umständen, z. B. während eines Meteorschwarmes, kann es vorkommen, daß diese Signale eine ganz erstaunliche Reichweite haben; während einer größeren Sonneneruption wieder vermindert sie sich beträchtlich, wodurch die weltweite Nachrichtenverbindung stark gestört werden kann. Woher kommt dieser große Unterschied der Reichweite bei Fernseh- und UKW-Sendern einerseits und

Mittelwellensendern andererseits? Und woher kommen diese gelegentlich auftretenden Überreichweiten bei Fernseh- und UKW-Sendern?

6.26

Kristalldetektor

Der Kristall-Detektorempfänger meiner Kindheit war ein sehr einfacher Apparat. Er bestand nur aus einem Antennendraht, einem Kondensator, einer langen Drahtspule, einem Kopfhörer und schließlich einem Kristall (Bild 6.26). Wissen Sie, wie das Ganze funktioniert? Warum bekommt man verschiedene Sender, wenn man den Kontakt an der Spule verschiebt? Wozu dient der Kristall?
Gelegentlich werden Geschichten

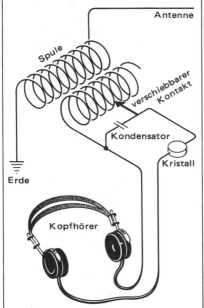

Bild 6.26 Kristall-Detektorempfänger

erzählt von Leuten, die ihre Ortssender aus ihren Zahnfüllungen oder Bettfedern oder sonstwoher hören können. Ist das glaubhaft? Und wenn ja, was nimmt bei diesen seltsamen Empfängern die Stelle des Kristalls ein?

6.27

Bildstörungen durch Flugzeuge

Wie kann ein über Ihr Haus fliegendes Flugzeug das Bild des Fernsehers beeinflussen?

6.28

Autoantennen für Mittelwellenempfang

Warum werden die Antennen für Mittelwellensender gewöhnlich außen am Wagen angebracht und warum stehen sie meist senkrecht? Wie wirkt es sich aus, wenn sie an der Windschutzscheibe angebracht sind?

6.29

Wellensalat

Normalerweise höre ich bei einer bestimmten Einstellung meines Autoradios e i n e n Sender. Fahre ich jedoch in der Nähe der Antenne einer Radiostation vorbei, kann ich manchmal bei ein und derselben Einstellung diesen Sender und noch einen zusätzlichen empfangen. Warum? Manchmal bekomme ich auch denselben Sender bei verschiedenen Einstellungen auf der Radioskala. Warum?

6.30

Aurora, das himmliche Feuerwerk

„Nachdem es dunkel geworden ist, kann man früher oder später einen schwachen Lichtbogen unten am nördlichen Horizont sehen, eventuell auch etwas mehr nordöstlich. Langsam wächst er zum Himmel hin und nimmt an Helligkeit zu. Während des Aufsteigens in den Himmel verschieben sich seine Enden am Horizont nach Osten und Westen zu. Solange er noch schwach leuchtet, ist seine Farbe durchsichtig weiß, noch beim Hellerwerden nimmt er eine blasse grüne Farbe an. Diese Farbe erinnert an die einer im Dunkeln wachsenden Pflanze. Dieser Bogen ist etwa dreimal so breit wie ein Regenbogen. Gewöhnlich ist die Unterkante schärfer ausgebildet als die Oberkante. Die Aufwärtsbewegung erfolgt so langsam, daß sie kaum wahrnehmbar ist. Unterhalb des Bogens kann auch ein zweiter erscheinen, der sich mit ihm in den Himmel erhebt; manchmal sind es sogar vier, fünf oder mehr Bogen. Sie breiten sich zusammen aus, wobei einige sogar den Zenith überschreiten und zur südlichen Hälfte des Himmels vordringen.
In einigen Nächten ist das alles. In anderen verhält sich die Aurora nach einer Weile jedoch ganz anders; sie wirkt aktiver und vielfältiger. Der Übergang von der ruhigen zur aktiven Phase kann sehr schnell und plötzlich erfolgen. Der Bogen wird dünner, Strahlen erscheinen in ihm, er scheint sich zu wellen und in feine Falten zu le-

Bild 6.30 „Das Nordlicht haben wir doch erst letzte Woche gesehen."
[Nach „Chicago Tribune Magazin]

gen. Er wird zu einem strahlenden Band von unregelmäßiger, sich ständig verändernder Form, wie große, geraffte Vorhänge im Himmel. Seine Farbe ist noch hellgrün, doch erscheinen oft kurzzeitig aufleuchtende, purpurrote Ränder an der Unterkante. Hin und wieder tritt ein lebhaftes Grün, Violett oder Blau auf. Manchmal sind die Strahlen nach unten gerichtet, als würden sie wie Speere von oben heruntergeschossen; manchmal auch von dem Band ausgehend nach oben und zur Seite. Die „Vorhänge" ziehen in großer Eile über den Himmel, als würden sie von einem kräftigen Wind angeschoben; manchmal verschwinden sie, um sogleich wieder am selben Platz oder an einer anderen Stelle zu erscheinen. Dieses großartige Schauspiel kann einige Minuten, sogar Stunden andauern, wobei sich Form, Platz, Farbe und Intensität laufend verändern; dazwischen treten Unterbrechungen auf, in denen am Himmel kaum eine oder keine Aurora zu sehen ist.

Zuweilen blickt der Beobachter auf zu einer großen Falte des Aurorabandes direkt über sich, und die Strahlen aus den verschiedenen Teilen des Bandes laufen zu einer Form zusammen, die Korona oder Krone genannt wird. Diese Korona schwankt oft sehr heftig in ihrer Form, und ihre Strahlen blinken und flackern nach allen Seiten oder drehen sich um die Mitte.

Am Ende eines solchen außergewöhnlichen Schauspiels kann die Aurora fantastische Formen annehmen, bei denen es keine zusammenhängenden Vorhänge und Bänder mehr gibt. Eine Ansammlung kleiner „Fetzen" ist über einen großen Teil des Himmels verbreitet, die aufleuchten und verlöschen oder pulsieren, wie man auch sagt. Zum Schluß kann sich der Himmel noch mit sanften, wellenförmigen Wolken bedecken, die an Schäfchenwolken erinnern. Auch sie leuchten und verlöschen in kurzen Abständen. Endlich wird der Himmel ganz klar. Es kann auch vorkommen, daß das Schauspiel nun in der selben Reihenfolge von neuem beginnt und bis zur Morgendämmerung anhält, die dann das Licht der Aurora zum Verblassen bringt." So beschreibt es S. Chapman 1961.*

Es wird laufend versucht, die Aurora, das Nordlicht, in allen Einzelheiten zu klären. Können Sie so ganz allgemein sagen, warum sich eine Aurora bildet und warum einige dieser Farben und wellenähnlichen Formen auftreten? Warum ist sie in der Nähe der Pole so häufig? Warum kommt sie öfter im nördlichen Kanada vor als z.B. in Sibirien, bei der gleichen geographischen Breite?

* Am. Scientist, 49, 249 (1961)

6.31

Atmosphärisches Pfeifen

Während des 1. Weltkrieges gelang es den Deutschen, die Gespräche von den Feldtelefonen der Alliierten abzuhören, indem sie den kleinen Leckstrom zwischen Telefonleitung und Erde ausnutzten. Das Abhörgerät bestand aus zwei Metallsonden, die man einige hundert Meter von den Telefonleitungen in der Erde verankerte. Nach einer kräftigen Verstärkung wurden die Signale für den deutschen Abhördienst hörbar. Während solcher Abhörmaßnahmen hörten die Deutschen auch ein geheimnisvolles, ziemlich lautes Pfeifen, dessen Tonhöhe immer mehr abnahm. Diese Töne bringt man seitdem in Zusammenhang mit ionosphärischen Phänomenen, die man deshalb „Pfeifer" nennt. Auch andere Geräusche wie Klikken, Quietschen, Klimpern und ein Pfeifen von schnell ansteigender Tonhöhe, auch „Chor der Geister" genannt, wurden vernommen. Können Sie den Ursprung dieser Geräusche erklären?

Atmosphärische Entladung

Elektrisches Feld	6.32 bis 6.49
Elektrisches Potential	

6.32

Blitze

Ein Blitz ist uns so vertraut, daß uns seine Schönheit gar nicht mehr auffällt. Ich möchte Ihnen einmal ein paar einfache Fragen über seine allgemein bekannten Eigenschaften stellen, bevor wir seine seltsamen oder paradoxen Seiten betrachten. Während einer Blitzentladung erfolgen zumindest zwei Schläge: zunächst die Hauptentladung, dann die Nachentladung. Welchen kann man sehen und warum sieht man nicht beide? * Warum sieht man überhaupt einen Blitz, d. h. woher kommt das sichtbare Licht? Verläuft der Blitz nach oben oder nach unten? Warum ist er so zackig? Welche Stromstärke tritt dabei auf? Wie hell ist ein Blitz? Wie breit ist das sichtbare Lichtband? Hundert Meter? Ein Meter? Einige Millimeter? Wie lange dauert ein Blitz? Einige Sekunden? Einige Millisekunden? Etwa eine Mikrosekunde?

* Wenn Sie bei Nacht und Regen mit Ihrem Auto fahren, kann ein mehrfacher Blitzschlag mehrere stroboskopische Bilder des bewegten Scheibenwischers erzeugen.

6.33

Erdfeld

Die große Frage ist ja, wie es überhaupt zu einem Blitz kommt. Wie entsteht das elektrische Feld zwischen der Erdoberfläche und den Wolken? Im Freien besteht zwischen Ihrer Nase und Ihren Füßen eine Potentialdifferenz von 200 V. Warum erhalten Sie keinen elektrischen Schlag bei dieser Spannung (Bild 6.33)? Kann ein Motor durch dieses elektrische Feld angetrieben werden? In einigen Fällen ist es durchaus möglich!

Bild 6.33 Das elektrische Feld der Erde.

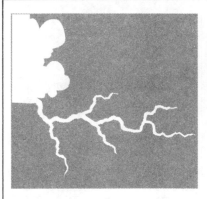

Bild 6.34a Linienblitz, der in der Luft endet.

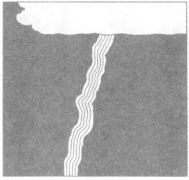

Bild 6.34b Blitzband

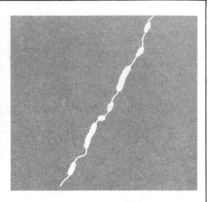

Bild 6.34c Perlschnurblitz

6.34

Formen des Blitzes

Der allgemein bekannte Linienblitz von der Wolke zur Erde ist nicht die einzige Art des Blitzes. Manchmal tritt auch ein Linienblitz auf, der von der Wolke ausgeht und mitten in der Luft endet (Bild 6.34a). Ist die Wolke zu weit entfernt, um gesehen zu werden, kann Ihnen ein solcher „Schlag aus heiterem Himmel" schon einen Schrecken versetzen. Unter besonderen Umständen treten auch mehrere parallele Blitze auf, die an ein von den Wolken hängendes Band erinnern (Bild 6.34b). Etwas ganz Besonderes ist sicher der sehr seltene Perlschnurblitz (Bild 6.34c): Eine etwas verbogene Kette von glänzenden Brillanten scheint am Himmel zu hängen. Wodurch werden diese Blitze verursacht und warum sind sie so verschieden? Wohin entlädt sich der Blitz, der in der Luft endet?

6.35

Kugelblitz

Eine der umstrittensten Fragen der Physik ist die, ob es einen Kugelblitz gibt oder nicht. Er ist schon so oft gesehen worden (etwa fünf Prozent der Erdbevölkerung wollen ihn gesehen haben), und es gibt viele veröffentlichte Berichte darüber. Trotzdem wird er immer wieder ins Reich der Fabel verwiesen, genauso wie die nachleuchtenden Bilder eines sehr hellen Blitzes. Es wird berichtet, daß der Kugelblitz ganz ruhig wie ein Lichtball durch die Luft schwebt oder einige Sekunden im Raum herumtanzt. Er kann, ohne Spuren zu hinterlassen, durch geschlossene Fenster kommen; manchmal zerbricht aber auch das Glas dabei. Er tritt in den verschiedensten Räumen auf, sogar im Innern eines Flugzeugs, aber auch im Freien. Sein Erscheinen ist meist völlig geräuschlos, doch verschwindet er mit einem Knall. Der Kugelblitz ist tödlich. G. W. Wichmann wurde offensichtlich sein Opfer, als er Benjamin Franklins Drachenexperiment (siehe 6.39) wiederholen wollte. Ein blaßblauer Feuerball von der Größe einer Faust trennte sich von dem Blitzableiter in seinem Labor, schwebte völlig geräuschlos zu Richmanns Gesicht und explodierte dort. Man fand ihn tot auf dem Boden liegend, mit einem roten Fleck auf der Stirn und zwei Löchern in einem seiner Schuhe. Beachten Sie die vielen Erklärungen für Kugelblitze! Können Sie unterscheiden, welche davon eine mögliche und reale Ursache nennen? Wüßten Sie andere Erklärungen oder sind Sie auch der Ansicht, daß der Kugelblitz eine Einbildung ist?

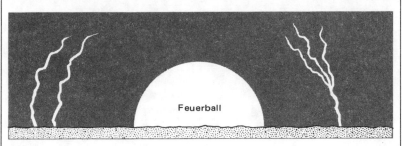

Bild 6.36

6.36

Blitze begleiten eine H-Bombe

Im Jahr 1952 wurde auf dem Eniwetok Atoll im Gebiet der Marshallinseln eine 10 Megatonnen schwere thermonukleare Bombe ausgelöst. Blitze umgaben den ungeheueren Feuerball, die auch fotografiert wurden. Die Blitze streckten sich von der Meeresoberfläche nach oben, auch die Verästelungen zeigten aufwärts (Bild 6.36). Der Feuerball dehnte sich aus und erreichte die Stellen, wo vorher die Blitze zu sehen gewesen waren.

(Die sichtbaren Blitze waren inzwischen verschwunden.) Die gekrümmten Linien wurden nun vor dem Hintergrund des Feuerballs erneut sichtbar. Der Aufbau der Ladung mußte sehr schnell vor sich gegangen sein, doch weiß man bis heute die Ursache noch nicht genau. Hätten Sie Vorschläge? Und können Sie erklären, warum die Linien des Blitzes gegen den Hintergrund des Feuerballs wieder sichtbar wurden?

6.37

Vulkanische Blitze

Aus dem Meer vor Island erhob sich 1963 mit heftigen Erdstößen ein Vulkan, der dann die neue Insel Surtsey bildete. Dabei sah man leuchtend helle Blitze, die in den dunklen Wolken über dem Vulkan zu tanzen schienen. Was bewirkte die ungeheure elektrische Aufladung? Eine mögliche Erklärung wäre das Zusammentreffen von Meerwasser und geschmolzener Lava. Wie könnten dadurch Ladungen entstehen?

6.38

Blitze bei einem Erdbeben

Kann ein Erdbeben eine Entladung durch Blitze hervorrufen? In Japan sagt man, daß eine Blitzentladung aus heiterem Himmel ein Zeichen für ein drohendes Erdbeben ist. Tatsächlich treten Erdbeben nicht nur dort gleichzeitig mit normalen und Kugelblitzen auf. Woher könnte eine Verbindung der beiden Naturphänomene kommen?

6.39

Der Franklinsche Drachen

Vielleicht haben Sie schon einmal von Benjamin Franklins Drachenexperiment gehört? Verstehen Sie alles genau, was Franklin gemacht hat und warum er nicht getötet wurde? Es folgt nun ein Brief, in dem Franklin seinen Versuch einem Freund beschreibt:
„An der Spitze des senkrechten Stabes des Drachenkreuzes muß ein Draht mit einer ganz scharfen Spitze befestigt werden, der einen Fuß oder mehr über den Holzstab hinausragt. Am Ende der Schnur muß ein Seidenband befestigt werden, an dem man den Drachen hält, und an der Verbindungsstelle von Seidenband und Schnur ein Schlüssel. Diesen Drachen soll man steigen lassen, wenn ein Gewitter aufzieht, und derjenige, der die Schnur hält, muß in einer Tür oder in einem Fensterrahmen oder sonst irgendwie geschützt stehen, so daß das Seidenband nicht naß wird; man muß auch darauf achten, daß die Schnur nicht den Tür- oder Fensterrahmen berührt. Sobald einige Gewitterwolken über dem Drachen stehen, wird der spitze Draht das elektrische Feuer aus ihnen ziehen und der Drachen mitsamt der Schnur elektrisiert werden, wobei sich die losen Fasern der Schnur nach allen Richtungen abspreizen und von einem sich nähernden Finger angezogen werden. Wenn der Regen den Drachen und die Schnur ganz durchnäßt hat und das elektrische Feuer ihn frei durchströmen kann, entdeckt man, daß es bei Annäherung der Handknöchel heftig aus dem Schlüssel fließt. An dem

Schlüssel kann man eine Leidener Flasche* aufladen und mit dem elektrischen Funken, den sie abgibt, kann man Spiritus entzünden und alle die anderen elektrischen Experimente ausführen, die man gewöhnlich mit Hilfe von geriebenen Kugeln und Rohren macht; somit wäre die Gleichheit dieses elektrischen Vorgangs mit dem eines Blitzes hinreichend bewiesen."
Warum befestigte Franklin einen spitzen Draht an der Spitze des Drachens? Welche Aufgabe hat das Seidenband zwischen dem Schlüssel und der Hand? Und welche der Schlüssel? Warum wurde die Schnur von seinem Finger angezogen und warum spreizten sich die losen Fasern von der Schnur weg? Wie kam es zu der Lichterscheinung, als er die Knöchel seiner Hand in die Nähe des Schlüssels brachte? Warum wurde Franklin nicht getötet? Wenn der Blitz den Drachen oder die Schnur getroffen hätte, wäre er dann auch am Leben geblieben? In Europa kam G. W. Richmann ums Leben, als er Franklins Experiment nachmachen wollte (siehe 6.35). So ist es sicher besser, Sie probieren es erst gar nicht, auch wenn Sie die gleichen Sicherheitsvorkehrungen treffen wie Benjamin Franklin!

* früheste Form eines Kondensators

6.40

Blitzableiter

Der Blitzableiter am Haus meiner Großmutter hat eine scharfe Spitze, ragt etwa einen Meter über das Haus hinaus und endet tief in der Erde. Wozu dienen diese Maßnahmen? Was erwartet man eigentlich von einem Blitzableiter? Seit Benjamin Franklin den Blitzableiter erfunden hat, ist über diese Frage schon viel geredet worden. Einige Leute behaupten, der Blitzableiter helfe dazu, eine über das Haus ziehende Wolke zu entladen, ohne daß es zu einem verheerenden Blitzeinschlag kommt. Andere wieder glauben, daß der Blitzableiter nur als sicherer Weg zur Erde für alle Blitze in der Nähe dient.
Es existieren viele falsche Vorstellungen über die Wirkungsweise und die richtige Installation eines Blitzableiters. Einige Zeit nach seiner Einführung sprach vieles für einen runden Metallknopf an der Spitze, sogar für einen Glasknopf. Einleuchtend schien auch zu sein, daß man das untere Ende nur mit der Erdoberfläche verbinden solle, damit der Blitz nicht tief in den feuchten Untergrund dringen und dadurch eine Explosion bewirken könne. Kürzlich stattete eine Herstellerfirma die Spitzen ihrer Blitzableiter mit einer radioaktiven Quelle aus. Diese Quelle sollte die Luft ionisieren und dabei den Blitz in den Blitzableiter führen, nicht in das zu schützende Haus. Glauben Sie, daß das funktioniert?

6.41

Buchen sollst du suchen,
Eichen sollst du weichen!

Diese alte Bauernregel sagt, daß der Blitz gerne in Eichen einschlägt. Tatsächlich ist ein großer Prozentsatz der vom Blitz getroffenen Bäume Eichen. Man kann sich nur schwer vorstellen, daß der Blitz den Unterschied zwischen einer Eiche und irgendeinem anderen Baum kennt. Warum gibt er dann den Eichen den Vorzug? Wie macht er das eigentlich, daß er einen Baum zur Explosion bringt? Natürlich kommt es nicht immer zu einer Explosion. So hat R. E. Orville z. B. ein bemerkenswertes Foto von einer Esche veröffentlicht,* die einen direkten Blitzschlag überstanden hat. Am folgenden Tag war sie genau untersucht worden, und man hatte keine Spuren einer Beschädigung finden können.
Wie kann ein Blitz einen Waldbrand auslösen? Warum gibt es nicht immer einen Waldbrand bei Blitzeinschlägen in waldigen Gegenden?

* Nach R. E. Orville, Weather, 26, 394 (1971).

6.42

Blitzeinschläge in Flugzeugen

Blitzeinschläge in Flugzeugen sind sehr häufig, doch entsteht nur selten ein größerer Schaden als einige winzige Löcher im Flugzeugrumpf. Auch andere Fahrzeuge, wie Autos und Omnibusse, bleiben im allgemeinen verschont. Kurz nach dem Abheben wurde die Apollo-12-Rakete zweimal von einem Blitz getroffen, ohne daß Besatzung und Raumfahrzeug nennenswerten Schaden erlitten hätten. Wie ist es möglich, daß in allen diesen Fällen weder Mensch noch Fahrzeug Schaden nimmt? Ja, manchmal werden es die Insassen gar nicht gewahr, daß ein Blitz eingeschlagen hat.*

* Ein aufmerksamer Flugpassagier kann vielleicht einen Blitzschlag voraussehen, wenn ihm ein Anschwellen des Elmsfeuers (siehe 6.46) an den Flügelspitzen und anderen herausragenden Kanten auffällt. Die Leuchtfäden können dann bis zu 5 m lang und 15 cm breit werden.

6.43

Regenschauer nach einem Blitzschlag

Vielleicht ist Ihnen schon einmal aufgefallen, daß kurz nach einem Blitzschlag ein besonders kräftiger Regenguß oder Hagelschlag einsetzt. Gibt es einen Zusammenhang zwischen Regenguß, Blitzschlag und Donner? Oder ist es nur ein Zufall?

6.44

Des Kaisers neue Kleider

Es kann vorkommen, daß Sie von einem Blitz getroffen werden und Ihnen dabei Kleider und Schuhe vom Leib gerissen werden. Wie ist das möglich?

6.45

Vom Blitz getroffen

Wenn Sie von einem Gewitter überrascht werden, sollten Sie nicht unter einem Baum Schutz suchen; es ist auch zu empfehlen, den Kopf niedriger als die Umgebung zu halten. Warum ist der Baum gefährlich für Sie? Sind Sie nicht sicher, solange Sie weit genug vom Stamm entfernt sind?
Sollten Sie sich hinlegen? Sie könnten dann Ihren Kopf so niedrig als möglich halten. Dabei entsteht jedoch eine zusätzliche Gefahr. Kühe werden oft auf diese Weise verletzt oder getötet, nicht nur, weil sie meist im Freien sind und Zuflucht unter Bäumen suchen. Die Gefahr besteht durch den Abstand zwischen Hinterbeinen und Vorderbeinen (Bild 6.45). In derselben Situation befindet sich ein liegender Mensch. Warum ist das so gefährlich?

Bild 6.45 Warum wird die Kuh getötet, auch wenn der Blitz nicht sie, sondern den Baum getroffen hat? [Nach E. Beck, Lightning Protection for Electric Systems, McGraw-Hill, 1954]

6.46

Elmsfeuer

Unter Elmsfeuer versteht man eine fast stetige Glimmentladung, die sich bei Gewitterlage an Kanten und Spitzen von Blitzableitern und Flugzeugen, an Masten und Türmen, ja sogar an Büschen zeigt. Ein knisterndes Geräusch ist mit dem blauen, grünen oder violetten Licht verbunden. Zunächst einmal, können Sie die Ursache dieses Lichts erklären? Und zweitens, woher die verschiedenen Farben kommen?

„Ein beliebtes Kunststück der Bergführer ist es, bei Gewitterlage Gott Thor nachzumachen, indem sie ihre Eispickel über ihren Köpfen schwingen. Die Metallteile des Eispickels zeigen ein eindrucksvolles Spiel elektrischer und technischer Gaukelkunst. Aus einem Hammer, wie ihn die Geologen benutzen, können manchmal lange, heiße Funken in einer Richtung sprühen; wird er jedoch um 90° gedreht, hört das Schauspiel auf. Die Bergführer können den Ladungszustand der Luft feststellen, indem sie einen Finger über ihren Kopf halten. Ist die Luft stark aufgeladen, knistern Funken von ihren Fingerspitzen und erzeugen dabei das Geräusch von brutzelndem Speck." So beschreibt es R.L. Ives in „Weather Phenomena of the Colorado Rockies".*
[J. Franklin Inst.,226, 691 (1938)]
Eine andere Erscheinungsform des Elmsfeuers sind elektrische Funken von mehreren Metern Länge, die während eines Gewitters über den Kuppen von Sanddünen nach oben springen. Hier wirken auch die bewegten Sandkörner bei der Erzeugung der Funken mit, aber wie?

6.47

Einen Blitzschlag überleben

Viele Menschen haben einen direkten oder indirekten Blitzschlag überlebt. Es gibt sogar Fälle, bei denen die Atmung eines Menschen durch einen Blitzschlag etwa 20 Minuten aussetzte und der Mensch sich wieder völlig erholte. Er soll auch keinen bleibenden Gehirnschaden, durch den elektrischen Schlag oder Sauerstoffmangel bedingt, davongetragen haben. Es besteht die Vermutung, daß ein solcher Schock den lebensnotwendigen Sauerstoffbedarf des Gehirns für eine Weile herabsetzt. Doch müßte nicht auf jeden Fall der Getroffene schwere Verbrennungen aufweisen oder sein Herzschlag aufhören? Wieviel Energie wird in einem vom Blitz getroffenen Menschen gespeichert?

6.48

Das Glühen der Anden

Einzelne Lichtblitze, aber auch ein stetiges Glühen, kann man über den Gipfeln bestimmter Gebirge sehen. Sie werden folgendermaßen beschrieben: „. . . sie umhüllen die Gipfel nicht nur, sie verursachen auch eine gewaltige Lichtfülle, die meilenweit bis aufs Meer hinaus zu sehen ist."* [C.M. Botley u. W.E. Howell, Mt. Wash. Observ. News Bul., 8(1) 9(1967)]
Diese geheimnisvollen Lichter nennt man „das Glühen der Anden", doch treten sie keineswegs nur dort auf. Was verursacht dieses Glühen? Ist es ein Elmsfeuer an verschiedenen Stellen des Gipfels? Elmsfeuer ist normalerweise nur einige Zentimeter lang, wie kann man es dann meilenweit sehen?

6.49

Elektrisches Stiftrad

Im Physikunterricht wird gerne der Versuch mit dem Stiftrad vorgeführt; dieses wird durch eine hohe Gleichspannung zum Drehen gebracht (Bild 6.49). Über die Ursache dieser Drehung stritt man sich schon vor zweihundert Jahren; seit einiger Zeit ist die Sache ein wenig in Vergessenheit geraten. Dreht sich das Stiftrad, weil irgend etwas aus irgendeinem Grund an ihm zieht oder es schiebt? Funktioniert es auch in einem Vakuum oder in einer staubfreien Umgebung? Warum hängt die Farbe der auftretenden Entladung von der Polarität des Stiftrades ab? Warum müssen die Enden des Stiftes spitz auslaufen? Und schließlich, können Sie schätzen, wie schnell sich das Stiftrad unter bestimmten Umständen drehen wird (siehe auch 6.33)?

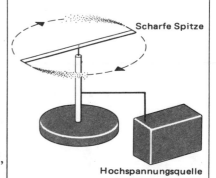

Bild 6.49 Ein Stiftrad wird durch elektrische Entladung angetrieben.

6.50

Das große Klagelied über
Hochspannungsleitungen

Um elektrische Leistung noch
wirksamer übertragen zu können,
haben einige Elektrizitätsgesellschaften Hochspannungsleitungen
für besonders hohe Spannungen
(765 kV) errichtet. Diese Leitungen sind im großen und ganzen
recht nützlich, doch werden die
Menschen in ihrer Nachbarschaft
ganz erheblich belästigt. So glühen
die Drähte oft beängstigend in
einem tiefen Blau und bringen ausgeschaltete Leuchtstofflampen
zum Aufleuchten. Gefährlicher
jedoch ist die Tatsache, daß viele
Menschen einen Schlag erhalten
haben, wenn sie in der Nähe dieser Hochspannungsleitungen Metallgegenstände berührt haben.
Bei einer kürzlich durchgeführten
Untersuchung gaben 18 Familien
in der Nähe der Leitung der Ohio
Power Co. an, einen elektrischen
Schlag erhalten zu haben, als sie
landwirtschaftliche Geräte, Drahtzäune, ja sogar feuchte Wäscheleinen berührten. Zwei Frauen beklagten sich über elektrische Schläge auf der Toilette. Andere Beschwerden melden schlechten
Fernsehempfang und ein knisterndes Geräusch von elektrischen Entladungen. So sagt C. B. Ruggles,
über dessen Hof die Leitung führt:
„Man könnte schwören, in der
Nähe eines Wasserfalls zu leben!"*
[N. N. Time, 102, 87 (1973)]
Wie können durch eine solche
Hochspannungsleitung Gegenstände in der Nähe so aufgeladen
werden, daß sie elektrische Schläge
austeilen? Es soll Leute geben, die
elektrische Motoren dadurch antreiben, daß sie sie heimlich mit
versteckten Antennen in der Nähe
dieser Leitungen verbinden. Ist
es möglich, auf diese Art und
Weise Energie zu gewinnen?

7
Das Walroß hat das letzte Wort und hinterläßt uns ausgesuchte Leckerbissen

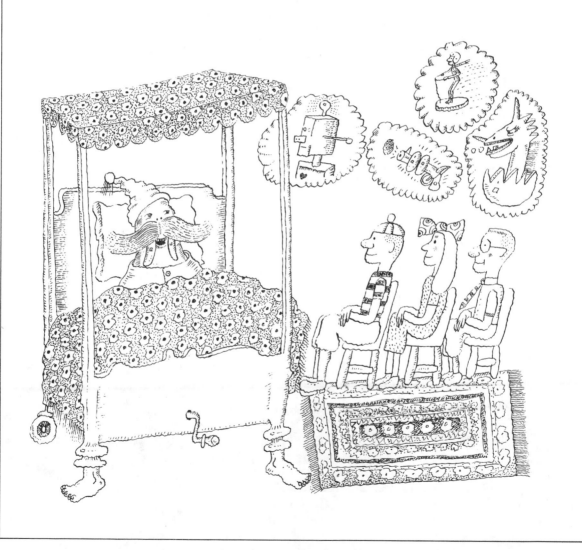

7.1

Antrieb von UFOs

Wenn „die Schwerkraft dich im Stich läßt und das Negative dich nicht hält" frei nach Bob Dylan
„Just like Tom Thumb's Blues"
[Mit Genehm. Warner Bros. Music]

Wir wollen einmal die Möglichkeit in Betracht ziehen, daß die während der letzten Jahrzehnte erblickten UFOs von intelligenten Wesen gesteuerte Fahrzeuge sind und wollen versuchen, sie mit den Gesetzen der Physik in Einklang zu bringen. Wie funktioniert beispielsweise der Antrieb? An Start- und Landeplätzen fand man keine Spuren. Ist das bei Raumschiffen dieser Größe möglich, die auf irgendeine Weise mit chemischer oder nuklearer Energie angetrieben werden? Wieviel Energie könnte man aus diesen Quellen gewinnen? Könnten die Fahrzeuge irgendwie das elektrische oder magnetische Erdfeld ausnützen? Und wenn ja, welche Beschleunigung könnten sie erreichen und gäbe es eine Begrenzung der Höhe?
In Science Fiction Geschichten wird der Antrieb oft durch Abschirmung der Schwerkraft erreicht. H. G. Wells verwendete diese Methode schon sehr lange, um seine Menschen auf den Mond zu schicken. Stellen Sie sich vor, ein Fahrzeug könnte sich plötzlich gegen das Schwerefeld der Erde abschirmen. Würde es dann abheben?
Und wenn es das täte, wie schnell könnte es sich bewegen? Könnte es sich auch nur annähernd so schnell bewegen, wie man es von den UFOs berichtet?

7.2

Mittelalterliche Himmelfahrt

Cyrano de Bergerac, ein Jules Verne des Mittelalters, schrieb phantastische Erzählungen von Reisen zum Mond und zur Sonne. Sein Schicksal behandelte E. Rostand in dem Schauspiel „Cyrano de Bergerac", aus dem der folgende Auszug stammt (Übersetzung von Arthur Luther). Cyrano bedient sich hier der unglaublichsten physikalischen Effekte, um den Schurken de Guiche von Roxanes Haus fernzuhalten, die dort getraut werden soll. Nachdem er von einem Ast direkt vor de Guiche gesprungen ist, schwört er, geradewegs vom Mond zu kommen.

C.: Der Weg, den ich wählte, war ganz mein eigen.
Sechs Mittel fand ich, in die Luft zu steigen.

G.: (wendet sich um) Sechs?

C.: (eifrig) Wenn der Mond graut, leg ich mich nackt ins Gras,
Bedeckt mit Schalen aus dem reinsten Glas.

Die flachen Schalen füllt der frische Tau,
Und wenn die Sonn' erscheint am Himmelsblau,
Zieht sie mich mit dem Tau empor.

G.: (staunend, macht einen Schritt auf ihn zu)
Das wäre das erste Mittel.

C.: (zurückweichend, um ihn fortzuziehen)
Meines Körpers Schwere
Zu mindern, muß ich nur die Luft verdünnen,
In einem Schrein, — ich selber sitze drinnen.
Wie ich das mache? Nun, durch glühende Spiegel.
Die Kiste steigt, da braucht's nicht Zaum noch Zügel.

G.: (noch einen Schritt auf ihn zu) Zwei!

C.: (tritt noch weiter zurück)
Da ich mich auf Feuerwerk verstehe,
Knall ich mich einfach selber in die Höhe.

Bild 7.2 Eigenantrieb [Goofy, „Victory Vehicles" Walt Disney Prod.]

Aus Stahl das Fahrzeug, ähnlich den Raketen.
So flieg ich mitten unter die Planeten.

G.: (folgt ihm, ohne seine Absicht zu durchschauen, zählt an den Fingern ab) Drei!

C.: Dann: Ich fülle Rauch in einen Ball.
Er steigt und nimmt mich mit in jedem Fall.

G.: (wie oben) Vier!

C.: Wenn der Mond abnimmt, saugt er dem Rind
Das Mark aus. Ich bestreiche mich geschwind
Mit Ochsenmark — und kann gen Himmel reisen.

G.: (starr) Fünf!

C.: (hat ihn ganz auf die entgegengesetzte Straßenseite zu einer Bank gelockt)
Auf 'ne Platte setz ich mich von Eisen
und schleudr' ein Stück Magnet empor. Sogleich
Zieht er das Eisen an. Sobald ich ihn erreich,
Werf ich ihn nochmals hoch
— und immer weiter.
So geht es aufwärts, wie auf einer Leiter.

G.: Sechs Mittel. Herrlich!
Wird's Euch nun belieben
Zu sagen, welches Ihr gebrauchtet?

C.: Nummer Sieben

G.: Ein siebentes! Das wäre?

C.: (mit geheimnisvollen Gesten, die das Wogen und Brausen des Meeres darstellen sollen)
Die Flut! Als sie vom Monde angezogen,
Gewaltig anschwoll, stieg ich aus den Wogen

Nach einem Bad, und da mein dichtes Haar,
wie's meist der Fall, noch voller Wasser war,
So packte Luna mich zuerst beim Haupt.
Ich ward, wie weiland Ganymed, geraubt.

Aus: E. Rostand, Cyrano von Bergerac, Ph. Reclam, 1969

Kosmologie

7.3

Das Olberssche Paradoxon

Es ist viel darüber diskutiert worden, ob das Universum unendlich groß ist und eine unendlich große Zahl von Sternen hat. Was glauben Sie? Olbers* hat nun das folgende Paradoxon aufgestellt: „Wenn das Universum eine unendliche Ausdehnung hat und in ihm eine unendliche Zahl von Sternen gleichmäßig verteilt ist, müßte der ganze Himmel in einem glänzenden Licht erstrahlen." Sicherlich ist die Lichtintensität entfernter Sterne kleiner als die der näherstehenden. Doch wenn die Sterne gleichmäßig verteilt sind, nimmt ihre Anzahl mit der Entfernung von der Erde zu, so daß die Abnahme der Lichtintensität eines jeden Sternes ausgeglichen wird. So müßte das Gesamtlicht aus jeder beliebigen Entfernung gleich dem Gesamtlicht aus irgendeiner anderen Entfernung sein. Mit einer unendlichen Anzahl von Sternen müßte der nächtliche Himmel hell

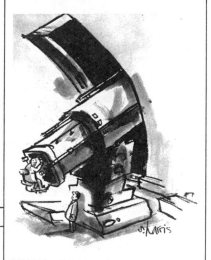

Bild 7.3 „Ich bin mir nicht ganz sicher, aber es sieht schon sehr unendlich aus!"

und gleichmäßig erleuchtet sein. Warum jedoch ist er relativ dunkel?

* Heinrich Wilhelm Matthias Olbers, dt. Astronom und Physiker, 1758—1840

Physik der Atmosphäre

Schwerewellen

7.4

Wolken leuchten in der Nacht

In der Nähe der Pole erscheinen gelegentlich, kurz nach einem Sonnenuntergang im Sommer, geisterhafte silbrig-blaue Wolken vor dem dunklen Hintergrund des Himmels. Man nennt sie nachtleuchtende Wolken; über ihre Herkunft bestehen die verschiedensten Ansichten. Die Vermutung, daß sie durch außerirdischen Staub aus der Atmosphäre entstehen, ist nicht bewiesen. Warum werden sie nur n a c h Sonnenuntergang sichtbar? Da man sie nur an einem dunklen Himmel sieht, wie hoch mögen sie wohl stehen? Warum sind sie gewöhnlich nur in der Nähe der Pole sichtbar und nur im Sommer? Sie treten meist in Wellenform auf, die an die Meeresoberfläche erinnert. Woher mag das kommen?

7.5

Wünschelrute

Es gibt Menschen, die behaupten, Wasser im Untergrund finden zu können, wenn sie mit einer Wünschelrute (einem gegabelten Stekken oder etwas Ähnlichem, Bild 7.5a) darübergehen. Sobald sie sich über dem unsichtbaren Wasservorkommen befinden, soll die Rute angeblich nach unten gezo-

Bild 7.5a Wünschelrute

Bild 7.5b [Mit Genehm. J. Hart „Field Enterprises"]

gen werden (Bild 7.5b). Die Wirksamkeit der Wünschelrute ist umstritten; einer großen Anzahl von Erfolgsberichten steht die Unmöglichkeit einer physikalischen Erklärung gegenüber. Welche Kraft könnte entweder die Rute oder den Rutengänger beeinflussen? Gibt es eine Kraft, vielleicht eine unbewußte, die die Rute in Wassernähe nach unten zieht?

7.6

Schneewellen

Ein Fußtritt auf ein Schneefeld kann ein Schneebeben auslösen, das sich mit einem knisternden Geräusch ausbreitet und ein Absinken der Schneedecke bewirkt. Wenn sich das in einer kahlen Gegend ereignet, wird das Geräusch reflektiert und man kann es ein zweites Mal hören. Warum breiten sich diese Schneebeben aus und wodurch wird ihre Geschwindigkeit bestimmt? Warum bewirkt ihre Bewegung ein Absinken der Schneehöhe und woher kommt das knisternde Geräusch? Und warum wird das Geräusch in einer kahlen Gegend reflektiert?

7.7

Fixpunkt-Theorie

Wenn Sie in einer Tasse den Kaffee umgerührt haben und der Kaffee nun wieder zur Ruhe kommt, wird zumindest e i n Punkt der Oberfläche wieder seinen ursprünglichen Platz einnehmen. (Rühren Sie vorsichtig um, es darf nichts überschwappen!) Sollte Sie der Zorn über dieses Buch überkommen und Sie reißen eine Seite heraus, knüllen sie zusammen und legen den zerknitterten Papierball zurück in das Buch, so müßte auch hier zumindest e i n Punkt wieder über seinen ursprünglichen Platz zu liegen kommen. Warum ist das jedesmal bei diesen beiden Fällen verbürgt?

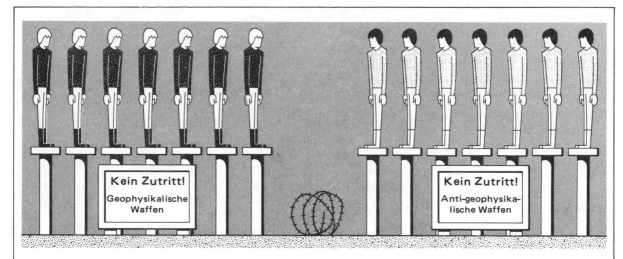

Bild 7.8 Besteht die Gefahr eines unterschiedlichen geophysikalischen Waffenpotentials?

7.8

Die Geheimwaffe der Chinesen

Die Volksrepublik China ist im Besitz einer furchtbaren neuen Waffe – einer geophysikalischen Waffe! Wenn alle 750 Millionen Chinesen gleichzeitig von 2 m hohen Plattformen springen würden, könnten sie gewaltige Schockwellen in der Erde auslösen. Jedesmal, wenn die Schockwellen durch China laufen, könnten die Chinesen wieder springen und dadurch die Wellen immer mehr aufschaukeln. Weite Teile der Vereinigten Staaten könnten so zerstört werden, besonders Kalifornien, das für Erdbeben anfällig ist.

Welchen Weg würde eine solche Welle durch die Erde nehmen? In welchem Rhythmus müßten die Chinesen springen, um die Wellen zu verstärken und wieviel Energie wird diesen durch jeden Sprung zugeführt? Besteht die Möglichkeit, daß sich die Bevölkerung eines anderen Landes gegen diese geophysikalische Waffe verteidigt, z. B. dadurch, daß sie ein entsprechendes „Gegenspringen" veranstaltet (Bild 7.8)? Spielt es eine Rolle, wie die Chinesen hüpfen? So behauptet z. B. jemand, es sei von großer Bedeutung, daß die Chinesen mit steifen Knien springen, denn bei einem Sprung mit gebeugten Knien würde der Erde viel zu wenig Energie zugeführt. Stimmt das?

7.9

Eischnee

Wie kommt es, daß sich Eiweiß durch Schlagen von einer Flüssigkeit in einen festen Schaum verwandelt? So verwendet man z. B. zum Backen von Baisers geschlagenes Eiweiß, das so steif sein muß, daß beim Herausheben des Schneebesens eine Spitze stehen bleibt. Warum wird das Eiweiß durch das Schlagen steif? Und welche physikalischen Vorgänge sind dafür verantwortlich, daß das ursprünglich flüssige, farblosdurchsichtige Eiweiß fest und weiß wird, wie z. B. beim Braten eines Spiegeleies?

Rheologie

Zugbeanspruchung 7.10; 7.11

7.10

Einen Klebefilm abziehen

Ein Klebefilm kann sich nicht allen Unebenheiten auf der Oberfläche des zu beklebenden Gegenstandes anpassen, doch hält er trotzdem sehr fest, wenn man ihn

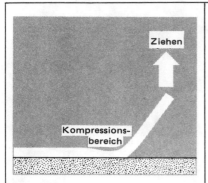

Bild 7.10 Kompressionszone beim Abziehen eines Klebefilms.

wieder abziehen will. Das Haftvermögen resultiert zum Teil aus einer Kompression im Band, die der Ablösung vorausgeht (Bild 7.10). Diese Kompressionszone wird gut sichtbar, wenn Sie zwei Klebestreifen aneinander kleben und langsam wieder auseinander ziehen. Woher kommt diese Kompression?

Scherung

7.11

Fußabdrücke im Sand

Sind Sie einmal bei Ebbe am Strand entlanggeschlendert? Sobald Sie einen Fuß auf den festen Sand setzen, trocknet der Sand sofort um den Abdruck herum aus und wird ganz hell. Man erklärt sich das dadurch, daß das Wasser durch das Gewicht Ihres Körpers herausgedrückt wird. Das ist jedoch nicht der Fall, denn Sand verhält sich nicht wie ein Schwamm! Woher kommt dann dieses Hellerwerden? Hält es so lange an, wie Sie dort stehen?

7.12

Ein mit Wasser und Sand gefüllter Ballon

Füllen Sie etwas Wasser und etwas Sand in einen Gummiballon, und zwar gerade so viel, daß der Sand gut mit Wasser bedeckt, jedoch nicht der ganze Ballon gefüllt ist. Binden Sie ihn nun zu und versuchen Sie ihn zu drücken. Zunächst ist es ganz leicht. Doch dann kommt ein Punkt, an dem sich der Ballon nicht weiter zusammendrücken läßt, auch wenn Sie es mit aller Kraft versuchen. Welche Kraft ist das, die sich so plötzlich und energisch einer weiteren Kompression widersetzt?

7.13

Das Korn im Sack kaufen.

Früher wurde gedroschenes Getreide nach dem Volumen verkauft und nicht nach dem Gewicht. Natürlich versuchten dabei einige Verkäufer, das Volumen möglichst hoch zu halten. So konnte es vorkommen, daß ein Sack Getreide, der offensichtlich voll war, weniger Korn enthielt als ein Sack gleicher Größe von einem ehrlichen Kaufmann. Wie konnte sich ein Käufer hier helfen? Sollte er den Sack zusammenpressen, um den Inhalt zu verdichten? Nimmt das Volumen des Getreides dadurch ab? Nein, ein kluger Käufer hätte das ganz bestimmt nicht getan. Warum nicht?

Kosmische Strahlen

Sonneneruption

7.14

Strahlendosis in einem Flugzeug

Stellen Sonneneruptionen und

galaktische Strahlung eine echte Gefahr für die Passagiere eines in großer Höhe fliegenden Flugzeuges dar? Sobald ein Flugzeug vom Boden abhebt und zu steigen beginnt, wird die Strahlungsbelastung während der ersten 500 m abnehmen und erst dann, mit zunehmender Höhe, wieder ansteigen. Warum? Wenn es bemerkenswerte Unterschiede der außerirdischen Strahlung gibt, woher kommen diese?

Ionisation und Anregung

Čerenkov-Strahlung

7.15

Astronauten sehen Blitze

Astronauten entdeckten bei ihren Mondexpeditionen sternförmige

Bild 7.15 Mit Genehm. J. Hart „Field Enterprises"

Blitze im Raum. Sie traten einmal oder zweimal in der Minute auf und konnten mit offenen und sogar mit geschlossenen Augen gesehen werden. Offensichtlich wurden sie von kosmischen Strahlen hervorgerufen, aber wie? Warum sahen die Astronauten punktförmige Blitze (manchmal mit einem ausgefransten Schweif) und nicht ein gleichmäßiges Glühen im ganzen Gesichtsfeld? Kann der Passagier eines sehr hoch fliegenden Flugzeuges diese Blitze auch sehen (Bild 7.15)?

Röntgenstrahlen, ultraviolettes und infrarotes Licht

Wechselwirkung mit der Materie

7.16

Röntgenstrahlen entdecken alte Meister

Ölgemälde wurden schon oft übermalt; man kann das mit Hilfe von ultraviolettem Licht, infrarotem Licht oder Röntgenstrahlen herausfinden. Mit dieser Technik fand man spätere Abänderungen eines Malers auf seinen Bildern heraus; aber auch verlorengeglaubte Bilder wurden wieder entdeckt und Fälschungen entlarvt. So malte z. B. der berühmte Kunstfälscher Hans van Meegeren seine Bilder über alte, wertlose Bilder und die alte Leinwand überzeugte die Menschen von der Echtheit der Gemälde. Eine Analyse mit Röntgenstrahlen entlarvte van Meegeren als einen Betrüger.
Wenn eine Wechselwirkung von ultraviolettem und infrarotem Licht sowie Röntgenstrahlen mit dem ursprünglichen Bild eintritt, so muß eine solche auch mit dem aufgemalten Bild stattfinden. Wie

kann man diese voneinander unterscheiden?

7.17

Nuklearer Feuerball

Wie entsteht der Feuerball, dieser strahlende Ball aus Licht, bei einer Kernexplosion, bzw. wodurch entsteht das Licht? Wie lange besteht er und wodurch verlöscht er wieder? Und warum ist er zunächst rot oder rotbraun und später weiß?

7.18

Schutzschirm aus Energie

In der klassischen Science-Fiction-Geschichte von Frank Herbert, „Dune"*, tragen alle Menschen einen Schutzschirm, der eine Art Energiefeld um sie herum aufbaut. Nur langsam sich bewegende Teilchen können diesen Schirm durchdringen, so z. B. auch die zum Atmen nötige Luft. Er beschützt die Menschen jedoch vor Kugeln und Angriffen mit einem Messer. Ist solche ein Schutzschirm physikalisch denkbar?

* F. Herbert, Dune, Ace-Books, 1965

Einer Großmutter alltägliche Dinge einfach erklären

(7.19 bis 7.24)

7.19

Reibung

Können Sie Ihrer Großmutter erklären, was „Reibung" ist? Ich denke da nicht an irgendwelche hochwissenschaftliche Erklärun-

gen, sondern an solche in leicht verständlichen Worten. Wird die Reibung durch Unregelmäßigkeiten der Oberfläche hervorgerufen, die sich zusammenschieben und ineinandergreifen? Oder entsteht sie durch elektrostatische Kräfte? Können molekulare Kräfte eine Haftfähigkeit an einer bestimmten Stelle hervorrufen? Oder dringt die härtere Oberfläche in die weichere ein und bewirkt so das Haften? Diese Frage ist so alt und alltäglich und schon so gründlich untersucht worden, daß es dafür eine einfache Erklärung geben sollte.

7.20

Das fließende Dach

Die National Cathedral in Washington, wurde im Stil der mittelalterlichen englischen Kathedralen gebaut. Das Dach machte man aus Blei, genauso wie in England, denn dort gab es sehr viel Blei. Das Dach hatte jedoch einen großen Mangel: Einige Jahre nach Fertigstellung des Gotteshauses entdeckte man, daß „dieses wunderschöne, zart getönte Bleidach unaufhaltsam an Nägeln und Latten vorbei nach unten rutschte."* Zwei Faktoren spielten dabei offensichtlich die Hauptrolle: die geographische Lage Washingtons und die hohe Reinheit des heute verfügbaren Bleis. Was haben diese beiden Faktoren mit dem Abrutschen des Daches zu tun?

* C.P. Saylor, Chemistry 44, 19 (1971)

7.21

Sprünge

Diamantenspalten ist die Kunst, einen Kristall genau auf die richtige Art zu brechen. Auch ein Bildhauer muß die Wirkung seiner Schläge genau kalkulieren. Wenn Sie schon einmal ein Glasrohr abgeschnitten haben, haben Sie sicher auch den alten Trick angewandt, zuerst eine Seite ein wenig anzuritzen und dann das Rohrstück abzuschlagen. Dadurch vermeidet man eine schartige Kante. Wodurch wird die Richtung eines Sprunges bestimmt? Wodurch beginnt er und warum breitet er sich aus? Ich kann ein Glas mit weit geringerer Anstrengung zerbrechen, als für das Aufbrechen der atomaren Bindung nötig ist, trotzdem wird sie zerstört. Wie kommt eine Atomspaltung mit solch relativ kleinen Kräften zustande?

7.22

Korrosion von Chrom

Auch die Chromteile Ihres Wagens können mit der Zeit korrodieren, doch hat man in letzter Zeit Mittel und Wege gefunden, diesen Vorgang zu verlangsamen. Die Korrosion beginnt bei den Fehlstellen in der äußeren Chromschicht (Bild 7.22). So versuchten die Konstrukteure früherer Autos ihr Bestes, einen dicken, zusammenhängenden Chrombelag aufzutragen, um die Zahl solcher Fehlstellen zu vermindern. Trotzdem traten die punktförmigen Roststellen immer wieder bei ganz normaler Abnutzung des Wagens auf. Nach einer Weile entdeckte man, daß der

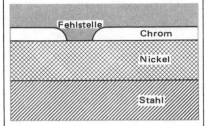

Bild 7.22 Die Korrosion des Chroms beginnt bei den Fehlstellen in der Chromschicht

Chrombelag viel weniger anfällig für Korrosion wird, wenn er mit vielen winzigen Löchern übersät ist. So kam man darauf, viele solcher Fehlstellen absichtlich einzubauen. Wie kommt es, daß ein Loch in der Chromschicht zu Korrosion führt, während viele Löcher die Korrosionsanfälligkeit verringern?

7.23

Silberputzen

Das mühselige Silberputzen ist der Alptraum mancher Hausfrau. Was bewirkt das Polieren eigentlich? Ein feines Abtragen der Oberfläche? Ein Schmelzen der Oberflächenschicht? Oder ein Verschmieren der Erhebungen in die Vertiefungen? Tatsächlich „ist der Vorgang des Polierens ein ungelöstes Problem seit Isaac Newton vor dreihundert Jahren versuchte, die physikalischen Vorgänge zu erklären", so schreibt E. Rabinowicz in seinem Aufsatz über das „Polieren".* In letzter Zeit ist nun einiges klarer geworden. Was versteht man unter einer „glatten" Oberfläche? Glatt im Vergleich womit? Was geschieht mit der Oberfläche vom molekularen Standpunkt aus, wenn das

Polieren weder Abtragen, Abschmelzen oder Verschmieren ist?

* E. Rabinowicz, Sci. Amer. 218, 91 (1968)

7.24

Klebrige Finger

Wie klebt ein Klebstoff? Das ist eine einfache Frage, die sehr schwer zu beantworten ist. Die Versuchung liegt nahe, es auf die intermolekularen Kräfte zu schieben. Tun Sie es nicht! Schnelle Antworten enthalten oft einen Fehler. Was z. B. hält meine Kaffeetasse zusammen? Intermolekulare Kräfte? Stellen Sie sich vor, die Tasse zerbricht in zwei Teile und ich füge sie sorgfältig wieder zusammen, so daß der Sprung kaum zu sehen ist. Bleiben die beiden Teile nun beieinander? Was tun die intermolekularen Kräfte jetzt?

Leim, Kitt oder ein anderes Klebemittel kann hier hilfreich sein, aber wie? Muß der Klebstoff klebrig sein? Oder flüssig? Warum sind einige Klebemittel hier verwendbar und andere wieder nicht? Gibt es Materialien, die sich nicht mit jedem Klebstoff kleben lassen? Manchmal muß man sich wundern, wie zwei Substanzen ohne Klebstoff unmittelbar aneinander haften. In den frühen Zeiten bemannter Raumfahrt befürchtete man ernsthaft, daß die Metallsohlen der Astronautenstiefel an der Metallwand der Raumkapsel hängenbleiben könnten. Wie wurde da Abhilfe geschaffen? Wir müssen dankbar sein, daß ein solches spontanes Haften nicht alltäglich ist, sonst wäre die Welt schon längst in einem klebrigen Morast untergegangen.

Stichwortverzeichnis